Guide
de la communication écrite
au cégep, à l'université
et en entreprise

Marie Malo

au cégep, à l'université
et en entreprise

Éditions Québec/Amérique

DONNÉES DE CATALOGAGE AVANT PUBLICATION (CANADA)

Malo, Marie

Guide de la communication écrite au cégep, à l'université et en entreprise

(Références)

ISBN 2-89037-875-6

1. Rapports - Rédaction - Guides, manuels, etc.

I. Titre

II. Collection : Références (Éditions Québec/Amérique)

L.B2389.M342 1996 806'.02 C96-940748-3

Les Éditions Québec/Amérique bénéficient du programme de subvention globale du Conseil des Arts du Canada.

Dépôt légal : 3e trimestre 1996
Bibliothèque nationale du Québec
Bibliothèque nationale du Canada

Réimpression : octobre 2001

Mise en pages : Interscript

DIRECTION

MARIE-ÉVA DE VILLERS

CONCEPTION ET RÉDACTION

MARIE MALO

RÉVISION

LILIANE MICHAUD

CORRECTION

AGNÈS GUITARD

PRODUCTION

CAROLINE DES ROSIERS

CONCEPTION GRAPHIQUE

INTERSCRIPT

Remerciements

Je souhaite remercier la direction de l'École des Hautes Études Commerciales pour la vision dont elle a fait preuve en créant ce lieu unique qu'est la Direction de la qualité de la communication et pour son appui qui, en ces années de compressions budgétaires, nous permet de continuer à exercer nos activités.

Ma reconnaissance s'adresse aux membres de ma famille, amis, collègues et connaissances qui ont fort gentiment fourni exemples, modèles et encouragements.

Grâce au soutien chaleureux de M. Luc Roberge et à la compétence efficace de Mme Caroline des Rosiers, tous deux des Éditions Québec / Amérique, la redoutable étape de la transformation du manuscrit en livre a été fort agréable. Qu'ils trouvent ici l'expression de ma gratitude. J'exprime ma reconnaissance à Mmes Liliane Michaud et Agnès Guitard pour leurs remarques et corrections.

Mes remerciements les plus sincères vont à Mme Marie-Éva de Villers à qui ce livre doit beaucoup. Sa confiance et sa générosité ont été constantes et inébranlables ; elles sont et seront toujours très précieuses et appréciées.

J'éprouve une reconnaissance toute spéciale et très profonde envers M. Benoît Melançon pour son aide, ses conseils et sa présence. Nos discussions passionnées sur les nombreux détails de ce livre ont ponctué mon travail et m'ont permis de progresser.

AVANT-PROPOS

La nécessité de savoir produire des écrits au contenu solide témoignant également de grandes qualités de forme et de présentation est aujourd'hui reconnue par tous. Il faut donc fournir aux rédacteurs, qu'ils soient à l'école ou au travail, les instruments pour y arriver rapidement et efficacement. C'est ce principe qui a guidé la conception du *Guide de la communication écrite au cégep, à l'université et en entreprise*. Cet ouvrage offre sous forme de tableaux de très nombreuses synthèses portant sur les divers types d'écrits. De consultation aisée grâce à la présentation synthétique et hiérarchisée des renseignements et à la présence d'un index détaillé, cet ouvrage permet à ses divers usagers de repérer l'information recherchée en un clin d'œil.

Les tableaux thématiques du *Guide de la communication écrite* sont classés en ordre alphabétique. Chacun débute par un plan qui en présente le contenu. Ce dernier est par la suite structuré en sections et sous-sections, et de nombreux sous-titres, pictogrammes et mises en valeur typographiques intégrés à une mise en pages dynamique permettent de saisir les renseignements rapidement. Un index analytique fait de cet ouvrage pratique un document à double entrée et il facilite les consultations ponctuelles. Chaque tableau est autonome, mais un système de renvois établit des liens entre ceux qui traitent de sujets connexes. Illustré de nombreux modèles issus le plus souvent de la réalité de ceux auxquels il est destiné, le *Guide de la communication écrite* a pour but d'offrir en un seul ouvrage l'essentiel des connaissances indispensables à une communication soignée, solidement construite et la plus efficace possible.

L'élève du cégep y trouvera une présentation synthétique des exercices que l'on attend de lui (commentaire composé, compte rendu critique, dissertation, résumé), aussi bien que des aide-mémoire sur les parties essentielles de tout texte (plan, introduction, développement, conclusion). L'étudiant y puisera des renseignements sur les exigences méthodologiques propres aux travaux universitaires (appel de note, bibliographie, citation, références dans le texte, etc.). En entreprise, on lira d'abord, mais pas uniquement, les tableaux rappelant les grandes règles de la communication d'affaires dans ses manifestations multiples (avis de convocation, avis de nomination, compte rendu, curriculum vitæ, lettre, procès-verbal, rapport, etc.). Tous profiteront des tableaux traitant des règles de rédaction et de présentation qui s'appliquent à n'importe quel type d'écrit (hiérarchie des titres, féminisation des titres et des textes, mise en pages, mises en valeur typographiques, etc.).

Destiné à plusieurs, ce *Guide* doit combler les besoins de chacun. On souhaite qu'il satisfasse aux exigences de tous ses usagers actuels et qu'il devienne indispensable à ceux et celles qui l'auront utilisé au cours de leurs études afin qu'ils l'emportent avec eux là où les mènera leur vie professionnelle. Si le *Guide* devient le coffre à outils de ses divers publics, il aura atteint son objectif.

Liste alphabétique des tableaux

Mode d'emploi

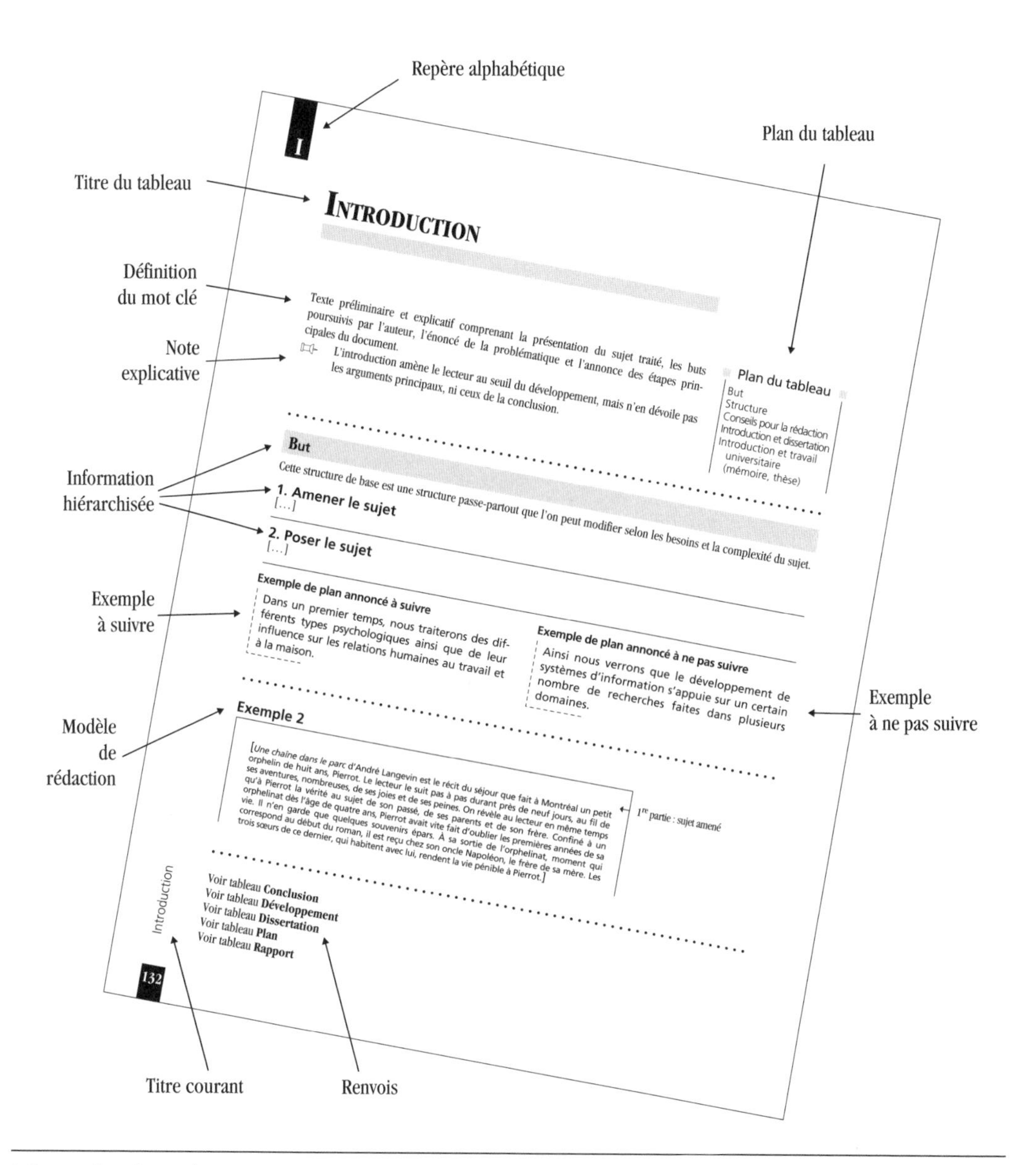

Légende des pictogrammes

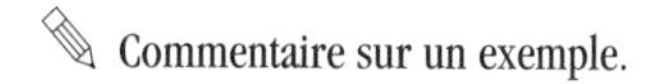

Note explicative.

Commentaire sur un exemple.

* Forme ou expression fautive.

Annexe

Plan du tableau

Document qui, à cause de sa longueur, n'a pu trouver de place dans le texte et qui est placé à la fin de celui-ci.

☞ L'annexe est nécessaire à la compréhension du texte, contrairement à l'appendice. **Une** annexe est un complément et **un** appendice, un supplément.

Situation et pagination

- L'annexe est placée **après** le dernier chapitre ou la dernière page du texte, **avant** les appendices, la bibliographie et l'index.
- L'annexe est paginée à la suite du texte, en **chiffres arabes**.
- S'il y a plusieurs annexes, elles sont présentées selon leur **ordre de mention** dans le texte.

Mise en pages et typographie

- On **dispose** les titres d'annexe de la même façon que les titres de chapitre.

  ☞ Si chaque chapitre commence sur une page de titre séparée, on fera de même pour les annexes (exemple 1). Si les titres de chapitre figurent au haut d'une nouvelle page, on adoptera la même présentation pour les annexes (exemple 2).

- Chaque annexe est numérotée en **chiffres romains majuscules** (I, II, III, etc.).

  Exemples

  Annexe III

  Consultez l'annexe IV.

- On saisit les annexes à **simple interligne**.
- Les annexes doivent être présentées avec soin, sur du **papier de même format que celui du texte**.

Conseils pour la rédaction

- Une annexe doit être **annoncée deux fois** dans tout texte : d'abord au début, dans la table des matières ; puis dans le corps du texte, à l'endroit précis où le lecteur doit la consulter.
- La **nature** des annexes peut être très variée : statistiques, procès-verbaux, correspondance, comptes rendus de recherche, tableaux, figures, croquis, schémas, questionnaires, longs calculs ou démonstrations, etc.
- Il faut s'efforcer d'inclure tout document dans le texte plutôt qu'en annexe. La **longueur** est le critère qui permet de décider s'il faut placer un document en annexe ou non.

Exemples de présentations d'annexes

Exemple 1

Annexe III

↕ environ 4 interlignes

Communication d'affaires

1er atelier : La communication

- Théorie de la communication
- Types de communications
  La lettre, le curriculum vitæ, le compte rendu, le procès-verbal, le rapport, la note, le résumé, l'offre de service
- Lecture du cas (20 minutes)

Analyse et organisation des informations

Collecte
Sélection
Synthèse

Élaboration de la structure du document

Hiérarchie des thèmes
Agencement
Choix des idées directrices
Articulation
Plan détaillé

Travaux pratiques   Lettre d'envoi du curriculum vitæ

Note. — Au cours du 2e atelier, conception d'un curriculum vitæ

Exemple 2

Annexe III.— Communication d'affaires

↕ environ 4 interlignes

1er atelier : La communication

- Théorie de la communication
- Types de communications
  La lettre, le curriculum vitæ, le compte rendu, le procès-verbal, le rapport, la note, le résumé, l'offre de service
- Lecture du cas (20 minutes)

Analyse et organisation des informations

Collecte
Sélection
Synthèse

Élaboration de la structure du document

Hiérarchie des thèmes
Agencement
Choix des idées directrices
Articulation
Plan détaillé

Travaux pratiques   Lettre d'envoi du curriculum vitæ

Note. — Au cours du 2e atelier, conception d'un curriculum vitæ

Voir tableau **Hiérarchie des titres**
Voir tableau **Mise en pages**
Voir tableau **Ordre des parties d'un texte**
Voir tableau **Table des matières**

Appel de note

Plan du tableau

Signe placé dans le texte — généralement en exposant — qui renvoie le lecteur à une note placée en bas de page, en fin de chapitre ou en fin de document et qui marque l'emplacement d'un commentaire, d'un éclaircissement ou d'une référence — d'une note — qui se trouve en dehors de ce texte.

Formes de l'appel

Chiffre

C'est la forme la plus couramment utilisée, généralement en exposant et sans parenthèses.

☞ Les parenthèses alourdissent la présentation matérielle du texte.

Exemple

Des histoires à dormir debout[1].

Astérisque

Cette forme est surtout employée dans les ouvrages de mathématiques et dans les tableaux de chiffres pour éviter la confusion avec les formules et les exposants du texte. On l'utilise aussi dans les poèmes, dans les titres, dans les textes courts et dans les textes où il n'y a qu'une ou deux notes.

☞ On recommande de ne pas dépasser trois appels par page (*, **, ***).

Exemple

Paris*

Dans les lointains de ma rencontre des hommes
le cœur serré comme les maisons d'Europe
[...]

* Gaston Miron, *l'Homme rapaillé (Version non définitive)*, préface de Pierre Nepveu, Montréal, Typo, 1993, 252 p., p. 146.

Lettre

On recourt parfois à la lettre dans les ouvrages de mathématiques et dans les tableaux de chiffres, pour éviter la confusion avec les formules et les exposants du texte, ou dans une fiche terminologique pour noter les sources.

Exemple

encaisse[a]

Place de l'appel

mot

- L'appel est placé après et tout contre le mot auquel il se rapporte, sans espace.

Exemple

L'abondance des reflets, des miroirs, des glaces[54] donne la mesure de cette toute-puissance de l'empire du même et de l'uniformité.

phrase ou paragraphe

- Si la note porte sur toute une phrase ou sur un paragraphe entier, l'appel se place juste avant la ponctuation finale de la phrase ou du paragraphe.

Exemple

S'il y avait deux affamés et un seul pain, ils s'apercevraient bientôt que rien n'est plus nuisible à un homme qu'un autre homme[1].

citation

- Dans le cas d'une citation, l'appel de note se place après et tout contre le dernier mot de la citation, avant toute ponctuation finale et avant le guillemet fermant.

Exemples

De tels critères étaient déjà inclus dans le cadre conceptuel de la « théorie financière moderne[1] ».
« On est en train de revoir le rôle de l'Organisation du traité de l'Atlantique Nord[1]. »

points de suspension

- L'appel de note se place après et tout contre la dernière lettre d'un mot et avant les points de suspension, et le guillemet fermant dans le cas d'une citation.

Exemple

Pour lecteurs avertis seulement[1]...

point abréviatif

- Toutefois, l'appel de note se place après le point abréviatif d'un mot abrégé et avant la ponctuation finale, et le guillemet fermant dans le cas d'une citation.

Exemple

On est en train de revoir le rôle de l'O.T.A.N.[1].

En l'absence de l'appel de note, le point abréviatif tient lieu de point final.

parenthèse

- Si la note porte sur le contenu d'une parenthèse, on met l'appel avant la parenthèse fermante.

Exemple

Dans tous les cas, un processus aussi lent est incompatible avec la dégradation des conditions de vie, voire de la sécurité (descellement d'un panneau de façade à la cité des Anges[1]).

Numérotation

- Par page
- Par chapitre
- Par document entier

Dans les textes très courts, on peut numéroter les notes par page (en recommençant à 1 à chaque page) ou par document.

Dans le cas d'un texte long, on recommande de numéroter les notes par chapitre pour éviter de se retrouver avec des appels de note très grands comme [562] ou [1729].

Emplacement de la note

Numérotation par page

Il faut nécessairement placer les notes en bas de page.

Numérotation par chapitre ou par document entier

Les notes peuvent être placées en bas de page, en fin de chapitre ou en fin de texte.

Pour un travail scolaire, on recommande les notes en bas de page. Dans le cas d'un texte destiné à un large public, on recommande les notes en fin de chapitre ou de document.

Mise en pages et typographie

uniformité
- On s'en tiendra à une présentation uniforme des appels de note tout au long d'un texte.

caractère
- On compose l'appel dans le même caractère que le texte, mais dans une dimension inférieure de deux points.

espacement
- Un appel de note ne doit jamais se trouver seul en début de ligne. Il appartient au texte qui le précède. C'est pourquoi il doit être placé tout contre le mot auquel il se rapporte, sans espace.

note
- On reproduit l'appel de note au début de la note.
  - S'il reste en exposant, il n'est pas suivi d'un point mais d'un espace uniquement (exemple 1).
  - S'il est ramené sur la ligne (ceci ne s'applique pas à l'astérisque qui doit toujours rester en exposant), on le mettra dans la même grosseur de caractère que le texte de la note et on le fera suivre d'un point et d'un espace (exemple 2).

Exemple 1

[9] Georges-Emmanuel Clancier, *la Poésie et ses environs*, Paris, Gallimard, 1973, p. 21.

[10] Notamment à la suite du métaphorocentrisme surréaliste et de ce qui a été appelé la « poésie de la résistance ».

Exemple 2

9. Georges-Emmanuel Clancier, *la Poésie et ses environs*, Paris, Gallimard, 1973, p. 21.

10. Notamment à la suite du métaphorocentrisme surréaliste et de ce qui a été appelé la « poésie de la résistance ».

Il faut, dans la mesure du possible, aligner à droite les appels de note dans les notes, que ce soient des astérisques ou des chiffres.

Conseil pour la rédaction

En règle générale, on ne met pas plus d'**un appel de note par phrase**.

Voir tableau **Citation**
Voir tableau **Guillemets**
Voir tableau **Note de contenu et note de référence**

Appendice

Pièce jointe à la fin d'un document, sans laquelle le document serait quand même complet.

Il ne faut pas confondre appendice et annexe. **Un** appendice est un supplément et **une** annexe, un complément.

Plan du tableau

Situation et pagination

- L'appendice est placé **après** les annexes, **avant** la bibliographie et l'index.
- L'appendice est paginé à la suite du texte, en **chiffres arabes**.
- S'il y a plusieurs appendices, ils sont présentés selon leur **ordre de mention** dans le texte.

Mise en pages et typographie

- On **dispose** les titres d'appendice de la même façon que les titres de chapitre.

  Si chaque chapitre commence sur une page de titre séparée, on fera de même pour les appendices (exemple 1). Si les titres de chapitre figurent au haut d'une nouvelle page, on adoptera la même présentation pour les appendices (exemple 2).
- Chaque appendice est référencé en **lettres majuscules** (A, B, C, etc.).

  Exemples

  Appendice E
  Veuillez vous reporter à l'appendice F.
- On saisit les appendices à **simple interligne**.
- Les appendices doivent être présentés avec soin, sur du **papier de même format que celui du texte**.

Conseils pour la rédaction

- Un appendice doit être **annoncé deux fois** dans tout texte : d'abord au début, dans la table des matières ; puis dans le corps du texte, à l'endroit précis où le lecteur doit le consulter.
- La **nature** des appendices peut être très variée : statistiques, procès-verbaux, correspondance, comptes rendus de recherche, tableaux, figures, croquis, schémas, questionnaires, longs calculs ou démonstrations, etc.

Exemples de présentations d'appendices[1]

Exemple 1

Appendice A

↕ environ 4 interlignes

La fuite de Louis-Antoine Dessaulles

Lettre de Louis-Antoine Dessaulles à
Zéphirine Thompson Dessaulles

Dimanche le 1er Août [18]75

Ma chère & pauvre femme,

Je manquerais complètement de cœur & de vrai courage, si je ne t'adressais pas un dernier mot d'adieu & de demande de pardon, avant de m'en aller définitivement. Je t'ai laissé[e] calme en apparence mais la mort dans l'âme ; j'ai réussi à dominer le physique, à commander à l'émotion extérieure, mais je n'en étais pas moins déchiré ; je me reprochais de te tromper, de ne pas tout te dire ; mais j'avais solennellement promis de ne pas t'instruire de mon départ. Voilà votre sort, vous autres pauvres femmes ! on vous perce le cœur sans vous prévenir, sans tenir compte du supplice qu'on vous impose, sans vous préparer au moins à l'affreux réveil que l'on vous destine. Tu étais la dernière personne à laquelle je devais faire une injustice du cœur, & il m'a fallu te la faire. Nous sommes toujours coupables envers vous par quelque côté. Le mal que je te fais, pauvre amie, n'est pas réparable, je le sais ; je ne t'en demande pas moins pardon du plus profond de mon cœur, et à ma pauvre Caroline aussi, dont j'ai terni la vie et assombri l'avenir. [...]

Exemple 2

Appendice A. — La fuite de Louis-Antoine Dessaulles

↕ environ 4 interlignes

Lettre de Louis-Antoine Dessaulles à
Zéphirine Thompson Dessaulles

Dimanche le 1er Août [18]75

Ma chère & pauvre femme,

Je manquerais complètement de cœur & de vrai courage, si je ne t'adressais pas un dernier mot d'adieu & de demande de pardon, avant de m'en aller définitivement. Je t'ai laissé[e] calme en apparence mais la mort dans l'âme ; j'ai réussi à dominer le physique, à commander à l'émotion extérieure, mais je n'en étais pas moins déchiré ; je me reprochais de te tromper, de ne pas tout te dire ; mais j'avais solennellement promis de ne pas t'instruire de mon départ. Voilà votre sort, vous autres pauvres femmes ! on vous perce le cœur sans vous prévenir, sans tenir compte du supplice qu'on vous impose, sans vous préparer au moins à l'affreux réveil que l'on vous destine. Tu étais la dernière personne à laquelle je devais faire une injustice du cœur, & il m'a fallu te la faire. Nous sommes toujours coupables envers vous par quelque côté. Le mal que je te fais, pauvre amie, n'est pas réparable, je le sais ; je ne t'en demande pas moins pardon du plus profond de mon cœur, et à ma pauvre Caroline aussi, dont j'ai terni la vie et assombri l'avenir. [...]

Voir tableau **Hiérarchie des titres**
Voir tableau **Mise en pages**
Voir tableau **Ordre des parties d'un texte**
Voir tableau **Table des matières**

1. Henriette Dessaulles, *Journal*, édition critique par Jean-Louis Major, Montréal, Presses de l'Université de Montréal, coll. « Bibliothèque du Nouveau Monde », 1989, 669 p., p. 621-622.

Avant-propos

Court texte facultatif placé en tête d'un document, d'un ouvrage où l'auteur expose succinctement ses intentions.

On ne confondra pas l'avant-propos avec les textes suivants :
- l'**avertissement**, dont l'objet est d'attirer l'attention du lecteur sur un point particulier ;
- l'**introduction**, texte explicatif placé en tête d'un document qui sert à indiquer les liens entre ses différentes parties ;
- la **préface**, qui n'est généralement pas rédigée par l'auteur et dont le but est de présenter brièvement l'auteur ainsi que l'ouvrage ;
- le **sommaire**, qui est un résumé du document.

Plan du tableau

Éléments essentiels

- Raisons qui ont amené l'auteur à étudier le sujet
- But poursuivi
- Situation du texte par rapport à ce qui existe déjà
- Ampleur et limites du texte
- Principales difficultés éprouvées
- Rapide coup d'œil sur la méthode adoptée

Élément additionnel

Remerciements, s'il n'y a pas de page de remerciements

Situation et pagination

- L'avant-propos se place **après les remerciements**, s'il y en a, et **avant l'introduction**.
- L'avant-propos fait partie des **pages liminaires** d'un texte, qui sont paginées en chiffres romains.

Conseils pour la rédaction

- Texte préparatoire à la lecture, l'avant-propos permet à l'auteur plus de **liberté** que le sommaire ou l'introduction.
- L'avant-propos d'un travail universitaire peut être rédigé à la **première personne du singulier**, alors que le reste (à partir de l'introduction) sera rédigé de façon plus neutre, par exemple au « nous de modestie ».
- L'avant-propos expose les **relations de l'auteur au thème étudié** et les **circonstances de l'étude** alors que l'introduction est intimement liée aux développements principaux du corps du texte.

Exemples d'avant-propos

Exemple 1

AVANT-PROPOS

[Cette thèse est une étape essentielle dans un itinéraire singulier commencé il y a plus de sept ans, un lent cheminement au cours duquel un biologiste est devenu un anthropologue. Pourquoi abandonner les certitudes et les privilèges d'une situation confortable dans le monde biomédical pour partir à l'aventure sur les chemins escarpés de l'anthropologie? À cela, je pourrais répondre qu'il n'y a pas de raison autre qu'un besoin impérieux d'explorer l'inconnu et une passion pour une discipline intellectuelle enivrante.

Raisons

Au départ, je n'ai pas vu une grande différence entre biologie et anthropologie, qui me sont apparues comme deux modalités différentes et complémentaires de connaissance du monde. Mais, chemin faisant, une différence radicale s'est dessinée dans la façon de concevoir le monde propre à chacune de ces sciences. L'anthropologie n'est jamais parvenue à briser l'irréductible subjectivité de son objet et elle offre dans sa version herméneutique la possibilité d'une connaissance dialogique de l'autre.]

[En gros, on peut distinguer trois modes fondamentaux de configuration de l'anthropologie culturelle :

Méthodes

- la solution structuraliste selon laquelle tous les phénomènes humains, quelles qu'en soient leurs différences apparentes, appartiennent à une humanité commune (les structures sociales et culturelles comme projections des structures de l'esprit dans le monde) ;
- la perspective évolutionniste selon laquelle les autres cultures ne seraient que « les phases les plus anciennes de l'unique et véritable civilisation humaine, celle des peuples par lesquels l'anthropologie culturelle a acquis pour la première fois la dignité d'un discours scientifique » (Vattimo, 1987, p. 153) ;
- la « vocation » herméneutique d'une anthropologie qui se pense comme discours sur une culture autre et conçoit l'anthropologue comme celui qui va le plus loin possible.

En choisissant d'accorder une place centrale et déterminante à l'herméneutique dans ma démarche, je ne faisais pas que définir une position épistémologique à partir de laquelle les langages des autres apparaissent comme incommensurables et non traduisibles dans mon langage propre, mais surtout je faisais mon deuil d'une altérité culturelle radicale (la rencontre avec un autre absolument autre) telle qu'elle a pu être fantasmée par des générations d'anthropologues.]

[J'ai abordé le continent africain par un terrain en milieu urbain, la banlieue de la capitale d'un pays du Sahel, Dakar. Cette société sénégalaise que j'ai eu le privilège d'observer est en train de créer son propre mode d'insertion dans la modernité de type occidental selon des modalités qui sont tout aussi authentiques que celles des cultures traditionnelles qu'elle englobe.

Ampleur et limites

Ce faisant, j'ai tenté de comprendre la complexité foisonnante du réel en respectant ses diverses dimensions mais sans prétention à en rendre compte de façon totale. Au contraire, on peut dire que l'expérience du manque (celui du savoir, de la maîtrise, de la certitude) et son acceptation sont au cœur de mon entreprise : « le problème de la complexité n'est pas celui de la complétude mais celui de l'incomplétude de la connaissance » (Morin, 1986, p. 80).

Pour compléter ces remarques liminaires, j'invite le lecteur à s'aventurer sur mes pas dans cette ville dense, touffue parfois jusqu'à l'obscurité, et à tourner en rond jusqu'au vertige dans la circulation incessante des êtres au risque de s'égarer comme cela m'est arrivé plus d'une fois.]

Avant-propos inspiré de celui de Jean-François Werner, « Déviance et urbanisation au Sénégal : Approche biographique et construction anthropologique de la marge », thèse de doctorat, Montréal, Université de Montréal, Faculté des arts et des sciences, Département d'anthropologie, 1991, LIII-383 p., p. IX-XII.

Exemple 2

AVANT-PROPOS

Contribution

Le caractère appliqué de l'analyse économique qui sous-tend ce livre intéressera tous ceux et celles qui cherchent à comprendre leur environnement économique et qui désirent interpréter de façon autonome les événements économiques contemporains. Les principales lignes de force du livre sont la prise en considération de l'interdépendance des marchés et des économies, la vérification historique des relations retenues pour la prévision économique, la présentation des points de vue à court terme et à long terme ainsi que l'application des enseignements de la conjoncture aux marchés financiers et à la gestion de portefeuille.

Mon expérience personnelle m'incite à comparer le travail de prévisionniste à celui du chef cuisinier. Ce n'est pas parce que vous avez ravi vos hôtes la veille que la préparation du prochain repas sera un succès. Les recettes d'un chef évoluent avec son savoir-faire et la qualité des ingrédients. Ce livre ne contient pas de recettes toutes faites, mais chacun y trouvera des outils qui l'aideront à mieux comprendre et à prévoir les grandes variables économiques tout en gardant à l'esprit les tendances à long terme.

Caractéristiques

Le premier caractère distinctif de notre analyse est d'envisager la prévision économique dans un contexte d'interdépendance des marchés et des économies des grands pays industrialisés. Le pivot central de tout cet édifice demeure la politique monétaire des États-Unis notamment à cause du rôle de référence que joue le dollar américain.

Son deuxième caractère distinctif découle de la vérification des relations historiques entre les variables macroéconomiques, souvent sur plusieurs décennies [...]

La troisième caractéristique de cet ouvrage est la documentation minutieuse des comportements cycliques et structurels des principales variables économiques canadiennes et américaines en symbiose avec les principales impulsions monétaires et fiscales [...]

Clientèle

Cet ouvrage s'adresse à deux clientèles distinctes : tous ceux qui participent à la vie économique, investisseurs, gestionnaires, analystes financiers, économistes ainsi que les personnes inscrites à un cours de macroéconomie appliquée, de conjoncture ou de prévision économique. Ce livre a été écrit de façon que les gestionnaires découvrent rapidement l'enchaînement des principales relations économiques et en retiennent les principaux messages. En plus d'exposer les raisonnements qui sous-tendent les arguments économiques, cet ouvrage permettra à l'étudiant de franchir les étapes nécessaires à la rédaction d'un rapport de prévision pour les principales variables macroéconomiques de l'économie canadienne.

Structure

Pour atteindre ces deux objectifs, les quatorze chapitres proposent un cheminement progressif qui préserve l'autonomie de chacun, afin de satisfaire ceux qui s'intéressent surtout aux messages et au fil des arguments. Les variables de chaque graphique sont clairement définies et un message explicatif l'accompagne en trame. Nous avons également inséré des fiches techniques en fin de chapitre afin de faciliter l'apprentissage en exposant les nouveaux concepts ou en rappelant les connaissances utiles. Les fiches techniques sont annoncées dans le texte lorsque le concept en question est utilisé pour la première fois. Cet outil pédagogique explicite les notions pour les étudiants tout en permettant aux gens pressés de choisir leur menu à la carte et de sauter ces étapes.

Contenu

Le chapitre premier présente la philosophie de l'auteur en matière de prévision économique ainsi que quelques mesures à propos de la performance des prévisionnistes, tandis que les chapitres 2 à 5 exposent un ensemble de connaissances pratiques aussi bien pour ceux qui désirent réaliser leurs propres prévisions économiques que pour ceux qui veulent tirer profit des pages économiques et financières du *Wall Street Journal* ou du *Globe and Mail.*

Le chapitre 2 s'attarde à l'importance de bien saisir les concepts de taux annuels [...]

Le chapitre 3 met en relief la dynamique de la structure économique du Canada qui est en constante mutation [...]

Le chapitre 4 dégage les enseignements que le prévisionniste peut tirer des cycles passés pour prévoir leur durée et leur amplitude. Le chapitre 5 nous lance à la découverte de plusieurs indicateurs avancés de l'économie canadienne. Finalement, le chapitre 6 enrichit et complète nos connaissances en illustrant à l'aide des comptes nationaux l'interdépendance entre les déficits budgétaires et l'endettement aussi bien national qu'international.

Pour bien prévoir, il faut également intégrer ces informations à l'intérieur d'un modèle macroéconomique présenté au chapitre 7 et qui fait ressortir les principales causes des fluctuations cycliques ainsi que le rôle primordial de la politique monétaire [...]

Maurice N. Marchon, « Avant-propos », *Prévoir l'économie pour mieux gérer : Analyse de la conjoncture canadienne dans un contexte international*, Montréal, Québec / Amérique • Presses HEC, 1994, XV-339 p., p. VII-XI.

Voir tableau **Ordre des parties d'un texte**
Voir tableau **Remerciements**

Avis de convocation

Plan du tableau

Écrit qui sert à informer des membres de la tenue d'une assemblée, d'une réunion, etc., pour discuter de sujets précis et qui indique la date, l'heure, le lieu et l'objet de la rencontre.

Éléments

- Formule de convocation
- Date, heure, lieu de la rencontre
- Objet de la rencontre
- Signature
- Ordre du jour (facultatif)
- Documents nécessaires à la réunion (facultatifs)

Signature

L'avis de convocation est signé par la personne qui organise la rencontre ou par celle qui agit comme secrétaire.

Transmission

L'avis de convocation est transmis conformément aux délais prescrits par les règlements du groupe qui se réunit ou suffisamment tôt pour que les personnes convoquées puissent se libérer pour assister à la rencontre et se documenter sur les questions qui seront abordées.

Conseils pour la rédaction

Date

Voir tableau **Lettre — Généralités**, section Date.

Heure

- On donne toujours l'indication de l'heure en chiffres selon la **période de 24 heures**.
- Le symbole du nom *heure* est ***h*** sans point abréviatif. Il ne prend jamais la marque du pluriel et doit être précédé et suivi d'un espace.

Exemple

La réunion débutera à 9 h 30 précises.

- On peut également écrire le mot ***heure*** en toutes lettres.

Exemple

L'assemblée aura lieu de 14 heures à 16 heures 30.

L'utilisation du deux-points (:) pour indiquer l'heure doit être limitée à l'échange d'informations entre systèmes de données et à la présentation en tableaux.

Adresse

Voir tableau **Lettre — Généralités**, section Vedette (Adresse du destinataire).

Quelques formules utiles

- J'ai le plaisir de vous convoquer à la réunion mensuelle...
- Conformément au règlement de l'Association québécoise des techniques de l'eau, vous êtes convoqué par la présente à l'assemblée générale...
- Vous êtes prié d'assister à la prochaine réunion du comité des...
- Nous vous prions d'assister à la prochaine rencontre...
- Par la présente, nous vous convoquons à la première réunion...
- Nous vous convoquons à la quatrième assemblée du conseil d'administration de la Société de relations d'affaires...
- Mesdames et Messieurs les actionnaires sont convoqués à l'assemblée générale annuelle...

Erreurs courantes

Forme fautive	Forme correcte
agenda	ordre du jour
am, pm	selon la période de 24 heures
apt. (appartement)	app.
ave. (avenue)	av.
blvd. (boulevard)	boul., bd, b^{d}
chambre	bureau
hres, hr, hre, H, h. (heure)	h
item	point, question, sujet
pièce	bureau
suite	bureau
varia	questions diverses

Pour désigner le lieu de travail des employés d'une entreprise, d'une administration, on emploie le nom ***bureau***. Pour nommer un ensemble de pièces destinées à l'habitation, on utilise le nom ***appartement***. Au sens de bureau ou d'appartement, les termes *chambre, *pièce et *suite sont fautifs.

Exemple d'avis de convocation

CONVOCATION

La prochaine réunion du Comité de terminologie française de l'Ordre des comptables agréés du Québec aura lieu le jeudi 12 janvier à 9 h aux bureaux de l'Ordre des comptables agréés du Québec situés au

918, rue Sherbrooke Ouest, 8e étage
Montréal (Québec).

Veuillez communiquer avec M. François Castonguay au 342-8765 d'ici le mardi 10 janvier 1995, 16 h, pour confirmer votre présence.

Un ordre du jour de la réunion suivra.

Le président,

Antoine Devost

Antoine Devost

Exemples d'avis de convocation avec ordre du jour

Exemple 1

Le 7 juillet 1995

Madame,
Monsieur,

Je vous prie d'assister à la prochaine réunion de la Commission « D » de la Régie régionale de la santé et des services sociaux de Montréal-Centre.

Cette réunion aura lieu le mercredi 19 juillet 1995, à 9 h, à la Régie de Lac-à-la-Truite, au 702, rue Trudel, salle 337.

Je vous propose l'ordre du jour suivant et vous invite à me communiquer tout ajout que vous souhaiteriez y apporter.

1. Ouverture de la séance ;
2. Élection d'un président et d'un secrétaire de séance ;
3. Lecture et adoption de l'ordre du jour ;
4. Lecture et approbation du procès-verbal de la réunion du 12 juin 1995 ;
5. Avancement des travaux au 19 juillet 1995 :
   5.1. Suivi des dossiers ;
6. Correspondance ;
7. Rapport déposé :
   7.1. Bilan de la 8e période ;
8. Questions diverses ;
9. Date et lieu de la prochaine réunion ;
10. Clôture de la séance.

Veuillez agréer, Madame, Monsieur, mes salutations distinguées.

Réjean Boutros

Réjean Boutros, coordonnateur
Commission « D »

Exemple 2

AVIS DE CONVOCATION
À L'ASSEMBLÉE GÉNÉRALE ANNUELLE

Madame, Monsieur,

Vous êtes convoqué à l'assemblée générale annuelle qui se tiendra

le lundi 19 juin 1995 à 19 h 30

au rez-de-chaussée de l'édifice SSQ Mutuelle de gestion situé au numéro 2525 du boulevard Laurier à Sainte-Foy en face du centre commercial « Place [*sic*] Sainte-Foy » (entrée : stationnement supérieur du côté ouest).

Les membres de la région de Montréal qui désirent obtenir un moyen de transport pour aller à Québec ou qui peuvent en offrir un sont priés de communiquer avec Mme Pierrette Champagne au numéro de téléphone (514) 123-6782.

Vous trouverez au verso le projet d'ordre du jour de l'assemblée.

Votre participation sera très appréciée des membres du bureau qui seront heureux de vous rencontrer au cours des agapes qui suivront immédiatement la réunion.

La secrétaire générale,

Pascale Gareau

Pascale Gareau

PROJET D'ORDRE DU JOUR
DE L'ASSEMBLÉE GÉNÉRALE ANNUELLE
DES MEMBRES DE L'ASULF

1. Ouverture de l'assemblée par le président.
2. Constatation de la régularité de la convocation et vérification du droit de présence et du quorum.
3. Invitation aux membres à se présenter.
4. Adoption de l'ordre du jour.
5. Élection du président de l'assemblée.
6. Élection du secrétaire de l'assemblée.
7. Lecture et approbation du procès-verbal de l'assemblée générale du 30 mai 1994.
8. Rapport du bureau : étude et adoption.
9. États financiers au 31 mars 1995 : étude et réception.
10. Présentation et adoption des prévisions budgétaires.
11. Proposition pour faire passer le nombre de membres du bureau de cinq à sept.
12. Proposition de M. Paul Lebel pour que la dénomination de l'Asulf devienne : Association pour la défense et l'illustration de la langue française (ADILF).
13. Élection de trois membres du bureau à titre de premier et de deuxième vice-présidents et de secrétaire général. Ces postes sont présentement occupés respectivement par MM. Yves Delorme, Étienne Bélanger et Mme Pascale Gareau.
14. Nomination du vérificateur.
15. Divers.
16. Levée de l'assemblée.

Voir tableau **Compte rendu**
Voir tableau **Féminisation des titres et des textes**
Voir tableau **Lettre — Généralités**
Voir tableau **Ordre du jour**
Voir tableau **Procès-verbal**

AVIS DE NOMINATION

Court texte paraissant dans les périodiques et présentant succinctement le nouveau ou la nouvelle titulaire d'un poste.

☞ Une description concise de l'entreprise ou de l'organisme y figure souvent.

Plan du tableau

Titre de civilité *(madame, monsieur)*

- Dans un avis de nomination, il est d'usage d'abréger et d'écrire avec une majuscule initiale les titres de civilité *(madame, monsieur)*.

Exemples

M. Jean Goulemot est heureux d'annoncer la nomination de Mme Anne Dubois...

Mme Madeleine Dubé a été nommée chef de la traduction...

☞ Les titres de civilité s'écrivent au long quand on s'adresse directement à la personne concernée, dans une lettre par exemple.

Exemple

Veuillez agréer, Madame, l'expression de mes...

Féminisation

Dans la mesure du possible et avec l'accord de la nouvelle titulaire du poste, il faut féminiser les désignations de titres, de postes, de fonctions ainsi que le texte de l'avis lui-même.

Grades et diplômes

règles d'écriture

- On peut écrire en toutes lettres les grades et diplômes (exemple 6) ou les abréger (exemple 5).

minuscules

- Les désignations de diplômes et de grades sont des noms communs, ils ne devraient donc jamais comporter de majuscule initiale, sauf dans les abréviations.

Exemple

Le nouveau président est titulaire d'une maîtrise en informatique.

points abréviatifs

- Si on indique les désignations de titres universitaires sous forme d'abréviations, ces dernières prennent des points abréviatifs.

Exemples

M.B.A., B.A.A., M.A., M.Sc., Ph.D., etc.

espacement

- Dans la composition des abréviations, il est d'usage de ne pas laisser d'espace entre les divers éléments de l'abréviation.

Exemple

M.A.(études françaises)

disciplines scientifiques

- Certaines désignations génériques (Ph.D., M.Sc., M.A., B.Sc., B.A., etc.) sont suivies de l'indication d'une discipline spécifique. Cette mention devrait s'écrire au long en minuscules et être placée entre parenthèses.

Exemples

Ph.D.(informatique)
M.Sc.(gestion)
B.Sc.(mathématiques)

ès

- La préposition *ès* qui résulte de la contraction de *en* et de *les* est toujours suivie d'un pluriel.

Exemple

maîtrise ès sciences de la gestion, M.Sc.(gestion)

diplômes étrangers

- En règle générale, les grades et les diplômes qui ne sont pas libellés en français ne sont pas traduits. En anglais, les mots désignant la discipline s'écrivent avec une majuscule initiale.

Exemple

Ph.D.(Industrial Psychology)

Exemples d'avis de nomination

Exemple 1

NOMINATION

Michel Gramme

L'entreprise WMB et la société Legault ltée sont heureuses d'annoncer la nomination de M. Michel Gramme au conseil d'administration des deux sociétés.

M. Gramme est le fondateur, président et chef de la direction de Seraing inc., fondateur et président du Conseil de la radiodiffusion de Flémalle. Il est également propriétaire des Éditions Albert et administrateur de l'Athlétique de Rotheux.

L'entreprise WMB est une filiale à propriété exclusive de la société Legault située à Montréal. Cette société fait des affaires dans plus de trente villes au Canada et en Belgique.

Exemple 2

NOMINATION

Phoebe Salinger

M. Raoul Tremblay, président du conseil et chef de la direction de Nanterre inc., a le plaisir d'annoncer la nomination de Mme Phoebe Salinger au nouveau poste de vice-présidente, affaires générales. Les principales responsabilités de Mme Salinger auront trait aux politiques gouvernementales et aux relations avec les gouvernements.

Mme Salinger a passé plus de vingt ans à Ottawa et a de l'expérience comme journaliste et consultante dans le secteur privé et aux échelons supérieurs du gouvernement.

Nanterre inc. est une importante société canadienne de produits et de services de consommation qui exerce ses activités au Canada et aux États-Unis.

Exemple 3

NOMINATION

L'Association des conseils en gestion linguistique (AGCL)

Johanne Latraverse

L'Association des conseils en gestion linguistique est heureuse d'annoncer la composition de son conseil d'administration pour l'exercice 1995-1996 : Mme Johanne Latraverse, présidente (Renoir inc.), Mme Christiane Guillois, vice-présidente (Allen ltée), Mme Geneviève Diorio, trésorière (Services gouvernementaux Canada), M. Guy Martel, secrétaire (Greenspan Traductions), Mme Danielle Ferland, conseillère — logistique (Traduction 3000), Mme Katherine Roberts, conseillère — comité de gestion (Grutman et associés) et M. Michel Pépain, conseiller — adjoint aux communications (ABCD). L'Association des conseils en gestion linguistique regroupe les gestionnaires de plusieurs provinces canadiennes.

Exemple 4

NOMINATION

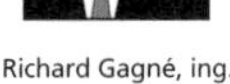

Richard Gagné, ing. Jean Marchand

L'Association des constructeurs de routes et de grands travaux du Québec (A.C.R.G.T.Q.) a le plaisir d'annoncer l'élection de M. Jean Marchand, président des Excavations Marchand et fils inc., au poste de président du conseil d'administration lors de son assemblée générale annuelle du 13 juin 1995. M. Marchand succède à M. Richard Gagné, ing., vice-président — construction des Entreprises Bon Conseil ltée qui terminait son mandat à la présidence.

Ont également été élus au bureau de l'Association MM. Richard Gagné, membre d'office, Michel Bérubé, Gérald Crispin, Gaétan Doucet, Alain Gagné, Normand Pomerleau, Émile R. Provencher, Julien Savard et Mmes Sophie Volland, Eugénie Grandet et Emma Bovary ; comme administrateurs MM. Domenico Aloisio, Pierre Baillargeon, Jacques Beaupré et Mmes Lucie Dubuc, Maryse Rouy, Lise Maisonneuve et Diane Lamontagne. Ont aussi été élus comme observateurs Mmes Maude Brisson, Élizabeth Melançon, Camille Bernier et MM. Étienne Sidani, Paul Tétreault et Michel Côté.

Dirigée par M. Gabriel Richard, ing., l'A.C.R.G.T.Q. regroupe quelque 500 membres du domaine de la construction de routes et des grands travaux de génie civil, tels les barrages, les centrales hydroélectriques, les ponts, les viaducs, les usines de filtration et d'épuration des eaux, les systèmes d'adduction d'eau et d'égouts, les quais, les lignes de transport d'énergie et de distribution, etc. Elle est l'association patronale représentative du secteur voirie et génie civil conformément à la *Loi sur les relations du travail dans l'industrie de la construction*. Son siège social est à Québec.

Exemple 5

NOMINATION

HEC

Jean-Marie Toulouse

M. Serge Saucier, président du conseil d'administration de l'École des Hautes Études Commerciales, est heureux d'annoncer la nomination de M. Jean-Marie Toulouse au poste de directeur de l'École des HEC pour un mandat de quatre ans.

Jean-Marie Toulouse est titulaire d'un Ph.D. (psychologie sociale) de l'Université de Montréal et est un Post Doctoral Fellow de UCLA. Professeur aux HEC depuis 1973, il y a notamment été directeur de la recherche et du programme de doctorat avant d'être nommé titulaire de la Chaire d'entrepreneurship Maclean Hunter en 1988.

Parallèlement à sa carrière universitaire, M. Toulouse a toujours fait preuve d'un profond engagement social. Il est actuellement président du conseil d'administration du Collège de Montréal, membre du conseil d'administration de l'Association internationale de management stratégique (Paris), de l'ACFAS et des Petits Frères des Pauvres ainsi que membre du comité scientifique de l'IRSST.

Depuis sa création en 1907, l'École des HEC a formé quelque 27 000 diplômés. Elle offre aujourd'hui 21 programmes d'études universitaires en gestion.

Exemple 6

NOMINATION

BANQUE ESTRIENNE

Jean-Baptiste Jucquois

M. Pierre Laroche, président et chef de la direction de la Banque Estrienne, est heureux d'annoncer la nomination de M. Jean-Baptiste Jucquois au poste de vice-président à l'exploitation, Marketing et Technologies.

M. Jucquois est titulaire d'un baccalauréat en administration des affaires de l'Université du Québec à Trois-Rivières et d'un Master of Business Administration de la Columbia University de New York. Avant de se joindre à la Banque Estrienne en 1989 à titre de vice-président, Finances, M. Jucquois a occupé, au sein d'une autre grande banque canadienne, divers postes de direction dans les domaines de l'analyse financière, de la planification et des relations avec les investisseurs. Il a été nommé premier vice-président, Marketing et Développement en 1990 et a contribué au développement rapide de la Banque Estrienne, grâce à l'élaboration et à la mise en œuvre d'une stratégie de croissance par voie d'acquisitions. Dans ses nouvelles fonctions, M. Jucquois est responsable de toutes les initiatives marketing de la Banque Estrienne, de la planification et du développement stratégique, des immeubles, des services télébancaires et de l'exploitation des systèmes, comprenant les télécommunications et le traitement et le développement informatiques.

Fondée en 1867, la Banque Estrienne vient au neuvième rang des banques à propriété canadienne, avec un actif de plus de 7,5 milliards de dollars, au-delà de 200 succursales et bureaux et quelque 3000 employés. Elle répond à l'ensemble des besoins bancaires et financiers des particuliers, grâce à une gamme complète de produits concurrentiels et à un service de qualité supérieure.

Voir tableau **Féminisation des titres et des textes**

Bibliographie

Plan du tableau

Liste alphabétique de notices bibliographiques dont l'objet est de fournir une description succincte et précise de documents afin qu'il soit possible de les consulter facilement et rapidement.

On peut appliquer les principes énoncés ci-dessous aux documents de même nature que la bibliographie : discographie, filmographie, etc.

Exemple de bibliographie selon la méthode auteur-date

BIBLIOGRAPHIE

ARTUS, P., G. LAROQUE et G. MICHEL. 1984, « Estimation of a Quarterly Macroeconomic Model with Quantity Rationing », *Econometrica*, vol. 52, p. 1387-1415.

BACH, George Leland et collab. 1987, *Economics : Analysis, Decision Making, and Policy*, 11e éd., Englewood (N. J.), Prentice-Hall, 752 p.

BARWISE, Patrick, Paul R. MARSH et Robin WENSLEY. 1989, « Must Finance and Strategy Clash? », *Harvard Business Review*, vol. 67, n° 5 (septembre-octobre), p. 85-90.

BÜRGENMEIER, Beat. 1990, *Plaidoyer pour une économie sociale*, Paris, Economica, coll. « Économie contemporaine », 185 p.

CHIANG, Alpha C. 1984, *Fundamental Methods of Mathematical Economics*, 3e éd., New York, McGraw Hill, 788 p.

DONNADIEU, Gérard. 1978, *Jalons pour une autre économie*, préface de François Perroux, Paris, Éditions du Centurion, coll. « Faire notre histoire », 360 p.

DUGUAY, Claude R. et Sylvain LANDRY. 1992, « De la production de masse à la production flexible : L'émergence d'un nouveau paradigme de gestion industrielle », *Cahiers de recherche HEC*, Montréal, École des Hautes Études Commerciales, Direction de la recherche, n° 92-17 (mai), 32 p.

GOULD, J.-P. et C. E. FERGUSON. 1982, *Théorie microéconomique*, traduit de l'américain par Jean-Marie Laporte et Jean-Michel Six, Paris, Economica, coll. « Irwin Series in Economics », 590 p.

LIPSEY, Richard G., Douglas D. PURVIS et Peter O. STEINER. 1986, *Macroéconomique*, traduction de Kathleen Dufour, révision technique de Charles-A. Carrier, Montréal, Gaëtan Morin, 563 p.

MALINVAUD, E. 1981, *Théorie macroéconomique*, vol. I *Comportements, croissance*, Paris, Dunod, coll. « Finance et économie appliquée », 410 p.

MORISSETTE, René. 1989, « Estimation d'un modèle macroéconomique trimestriel avec rationnements quantitatifs pour le Canada », thèse de doctorat, Montréal, Université de Montréal, Faculté des arts et des sciences, Département de sciences économiques, 185 p., appendices.

OKAMBA, Emmanuel. 1994, « L'interculturel : Nouvelle donne du management? », *Économies et sociétés*, vol. 28, n° 5 (mai), p. 191-222.

POLLACK, Robert A. 1975, « The Intertemporal Cost of Living Index », *Annals of Economic and Social Measurement*, vol. 4, n° 1 (hiver), p. 179-195.

SMITH, Adam. 1991, *Recherches sur la nature et les causes de la richesse des nations*, traduction de Germain Garnier revue par Adolphe Blanqui, introduction et index par Daniel Dialkine, Paris, GF-Flammarion, coll. « Classiques de l'économie politique », 2 vol.

Exemple de bibliographie selon la méthode traditionnelle

BIBLIOGRAPHIE

ARTUS, P., G. LAROQUE et G. MICHEL. « Estimation of a Quarterly Macroeconomic Model with Quantity Rationing », *Econometrica*, vol. 52, 1984, p. 1387-1415.

BACH, George Leland et collab. *Economics : Analysis, Decision Making, and Policy*, 11ᵉ éd., Englewood (N. J.), Prentice-Hall, 1987, 752 p.

BARWISE, Patrick, Paul R. MARSH et Robin WENSLEY. « Must Finance and Strategy Clash? », *Harvard Business Review*, vol. 67, n° 5 (septembre-octobre 1989), p. 85-90.

BÜRGENMEIER, Beat. *Plaidoyer pour une économie sociale*, Paris, Economica, 1990, coll. « Économie contemporaine », 185 p.

CHIANG, Alpha C. *Fundamental Methods of Mathematical Economics*, 3ᵉ éd., New York, McGraw Hill, 1984, 788 p.

DONNADIEU, Gérard. *Jalons pour une autre économie*, préface de François Perroux, Paris, Éditions du Centurion, coll. « Faire notre histoire », 1978, 360 p.

DUGUAY, Claude R. et Sylvain LANDRY. « De la production de masse à la production flexible : L'émergence d'un nouveau paradigme de gestion industrielle », *Cahiers de recherche HEC*, Montréal, École des Hautes Études Commerciales, Direction de la recherche, n° 92-17 (mai 1992), 32 p.

GOULD, J.-P. et C. E. FERGUSON. *Théorie microéconomique*, traduit de l'américain par Jean-Marie Laporte et Jean-Michel Six, Paris, Economica, coll. « Irwin Series in Economics », 1982, 590 p.

LIPSEY, Richard G., Douglas PURVIS et Peter O. STEINER. *Macroéconomique*, traduction de Kathleen Dufour, révision technique de Charles-A. Carrier, Montréal, Gaëtan Morin, 1986, 563 p.

MALINVAUD, E. *Théorie macroéconomique*, vol. I *Comportements, croissance*, Paris, Dunod, coll. « Finance et économie appliquée », 1981, 410 p.

MORISSETTE, René. « Estimation d'un modèle macroéconomique trimestriel avec rationnements quantitatifs pour le Canada », thèse de doctorat, Montréal, Université de Montréal, Faculté des arts et des sciences, Département de sciences économiques, 1989, 185 p., appendices.

OKAMBA, Emmanuel. « L'interculturel : Nouvelle donne du management? », *Économies et sociétés*, vol. 28, n° 5 (mai 1994), p. 191-222.

POLLACK, Robert A. « The Intertemporal Cost of Living Index », *Annals of Economic and Social Measurement*, vol. 4, n° 1 (hiver 1975), p. 179-195.

SMITH, Adam. *Recherches sur la nature et les causes de la richesse des nations*, traduction de Germain Garnier revue par Adolphe Blanqui, introduction et index par Daniel Dialkine, Paris, GF-Flammarion, coll. « Classiques de l'économie politique », 1991, 2 vol.

Présentation des deux méthodes

La **méthode auteur-date** et la **méthode traditionnelle** de présentation des bibliographies ne se différencient que par l'emplacement d'un seul élément, le renseignement concernant l'**année de parution**. Le choix de l'une ou l'autre méthode n'est pas indifférent ; il dépend de la façon dont on a présenté les références des citations.

- Si l'on a présenté ses références **entre parenthèses dans le texte** (voir tableau **Références dans le texte**), il faut adopter la **méthode auteur-date** de présentation de la bibliographie.
- Si l'on a présenté ses références en **note** (voir tableau **Note de contenu et note de référence**), il faut adopter la **méthode traditionnelle** de présentation de la bibliographie.

En résumé

a) Note de référence
Indication, en note, de la source précise de chaque citation (voir tableau **Note de contenu et note de référence**).

↕

b) Bibliographie selon la méthode traditionnelle
La bibliographie et les notices bibliographiques sont présentées selon la méthode traditionnelle des tableaux **Bibliographie** et **Notice bibliographique**.

a) Référence dans le texte
Indication, entre parenthèses et dans le texte, de la source précise de chaque citation (voir tableau **Références dans le texte**).

↕

b) Bibliographie selon la méthode auteur-date
La bibliographie et les notices bibliographiques sont présentées selon la méthode auteur-date des tableaux **Bibliographie** et **Notice bibliographique**.

Éléments

Une bibliographie comprend les notices bibliographiques des sources suivantes :
- livres,
- parties de livre, chapitres,
- articles de périodiques (y compris les journaux),
- publications gouvernementales.

☞ Les autres sources peuvent être assimilées soit au livre, soit à l'article, à quelques détails près.

Plan

- Une présentation de tous les documents en **un seul ordre alphabétique** est acceptable dans tous les cas.
- Si le nombre de sources consultées est considérable, on peut subdiviser la bibliographie en sections :
  - ouvrages généraux sur le sujet,
  - ouvrages spécialisés,
  - articles de périodiques (y compris les journaux),
  - publications gouvernementales.

☞ À l'intérieur de chacune des sections, on présente les sources en **ordre alphabétique**.

Classement

- Les notices bibliographiques sont classées le plus souvent par **ordre alphabétique** des noms d'auteur.
- Si la bibliographie comprend plusieurs notices d'un même auteur, les textes de cet auteur se succèdent par **ordre chronologique**.
- Les textes **anonymes** sont placés dans la même liste bibliographique que les textes dont l'auteur est nommé, mais ils sont classés selon l'ordre alphabétique de leur titre. On n'indique pas la mention *anonyme* ; on commence directement avec le titre.

Conseils pour la rédaction

- L'**uniformité** est le principe fondamental de toute bibliographie.
- Il faut être **vigilant** et noter tous les renseignements bibliographiques dès la première consultation d'un texte, car il est pénible d'avoir à retracer ces informations à la fin de son travail.
- C'est en consultant la **page de titre** et le **verso de la page de titre** des livres qu'il faut chercher les éléments de leur description bibliographique, et non en consultant la page de couverture.
- On ne doit pas alourdir inutilement une bibliographie. On doit la concevoir comme un **instrument de travail** pour ses lecteurs.

Abréviations usuelles

coll.	collection	paragr.	paragraphe
collab.	collaborateurs	s. d.	sans date
éd. ent. rev. et aug.	édition entièrement revue et augmentée	s. é.	sans éditeur
		s. l.	sans lieu
p.	page ou pages ☞ L'abréviation *pp.* est vieillie.	s. l. n. d.	sans lieu ni date
		s. p.	sans pagination
		t.	tome
pag. mult.	pagination multiple	vol.	volume

Longtemps en faveur, certaines formules latines (*in*, *et al.*, etc.) font maintenant place aux formules françaises correspondantes. Notons cependant qu'*ibid.*, *id.*, *loc. cit.* et *op. cit.* demeurent en usage.

Latin	Formule française en usage
cf., *confer* (« se reporter à »)	voir
et al., *et alii* (« et autres »)	et collab.
in (« dans »)	dans
infra (« au-dessous »)	ci-dessous, ci-après
supra (« au-dessus »)	ci-dessus

Situation et pagination

- La bibliographie se place en fin de texte, **après** les annexes, les appendices et **avant** l'index.
- Elle est paginée en **chiffres arabes**, à la suite du texte.

Mise en pages

- La notice bibliographique est rédigée à **simple interligne**, et un double interligne sépare chaque notice l'une de l'autre.
- Un **retrait** de 1,5 cm ou de 1/2 po est recommandé pour la deuxième ligne de toute notice ainsi que pour les lignes suivantes.

Voir tableau **Citation**
Voir tableau **Note de contenu et note de référence**
Voir tableau **Notice bibliographique : Principes généraux**
Voir tableau **Notice bibliographique d'un article**
Voir tableau **Notice bibliographique d'un livre**
Voir tableau **Notice bibliographique d'une partie de livre**
Voir tableau **Notice bibliographique d'une publication gouvernementale**
Voir tableau **Références dans le texte**
Voir tableau **Titre d'œuvre : Règles d'écriture**

Carte d'invitation

Plan du tableau

Petit rectangle cartonné sur lequel on prie une ou des personnes de prendre part à une activité.

Éléments essentiels

- Nom des hôtes, de l'organisme ou de l'entreprise hôte
- Libellé de l'invitation
- Activité prévue
- Date
- Heure
- Lieu de l'activité

Éléments additionnels

- La carte d'invitation peut comporter les indications suivantes :
  - Prière de confirmer votre présence
  - R.S.V.P. avant le…
  - R.S.V.P. en cas d'empêchement
  - Numéro de téléphone : …
  - Prix de présence
  - Prix du couvert : …
  - Cette invitation est valable pour deux personnes
  - Prière de se munir de la présente invitation
  - Carte strictement personnelle et exigée à l'entrée
  - Nombre de billets limité
  - Tenue de ville
  - Tenue de soirée

Conseils pour la rédaction

Titre de civilité

- Lorsqu'on parle d'une personne, c'est-à-dire qu'on ne s'adresse pas directement à elle (exemples 1, 2 et 3), les titres de civilité (*madame*, *monsieur*) qui figurent dans le libellé de l'invitation prennent la **minuscule** (sauf s'ils sont en début de phrase) et s'écrivent **au long**.
- Lorsqu'on s'adresse à la personne (exemple 4), les titres de civilité prennent la **majuscule** et s'écrivent **au long**.

Date

- Voir tableau **Lettre — Généralités**, section Date.

Heure

- Voir tableau **Avis de convocation**, section Conseils pour la rédaction (Heure).

Lieu de l'activité

- Voir tableau **Lettre — Généralités**, section Vedette (Adresse du destinataire).

Prix

- Le symbole du dollar, $, se place à la **droite** de la somme d'argent et est toujours **précédé d'un espace**.
- On n'utilise pas la barre oblique dans un tel contexte.

Exemples

Prix du billet : 20 $
Prix du repas : 50,50 $ par couple
et non *50,50 $ / couple

Ponctuation

- Seules les phrases comportant des verbes conjugués seront suivies d'un point final.

Fêtes

- Les noms des jours fériés ou des fêtes religieuses, laïques ou nationales comportent les majuscules suivantes :

le Nouvel An, le Jour de l'an ou le Jour de l'An, le Mardi gras, le Vendredi saint, le lundi de Pâques, la Pentecôte, la fête de la Reine ou la fête de Dollard, la fête des Mères, la fête des Pères, la Saint-Jean-Baptiste, la fête du Canada, la fête du Travail, l'Action de grâces, la Toussaint, les fêtes.

Erreurs courantes

Forme fautive	Forme correcte
am, pm	selon la période de 24 heures
apt. (appartement)	app.
ave. (avenue)	av.
blvd. (boulevard)	boul., bd, b^d
chambre	bureau
hres, hr, hre, H, h. (heure)	h
pièce	bureau
suite	bureau

Pour désigner le lieu de travail des employés d'une entreprise, d'une administration, on emploie le nom ***bureau***. Pour nommer un ensemble de pièces destinées à l'habitation, on utilise le nom ***appartement***. Au sens de bureau ou d'appartement, les termes *chambre, *pièce et *suite sont fautifs.

Il est préférable de remplacer les mots « conjoint », « conjointe », « époux » et « épouse », qui sont de nature juridique, par la mention : ***Cette invitation est valable pour deux personnes.***

Exemples de cartes d'invitation

Exemple 1

Les Éditions Québec /Amérique•Presses HEC ont l'honneur de vous inviter
au lancement de
Piloter dans la tempête :
Comment faire face aux défis de la nouvelle économie
de monsieur Léon Courville, président et chef de l'exploitation,
Banque Nationale du Canada.

L'événement aura lieu le mardi 17 mai 1994 à 18 h
au Musée d'art contemporain
185, rue Sainte-Catherine Ouest
Montréal.

Prière de confirmer sa présence avant le 13 mai au (514) 343-5543

Exemple 2

Une invitation...

Madame Camille Bernier, présidente de l'Association internationale des étudiants en sciences économiques et commerciales de l'Université de Sherbrooke, et les membres du conseil d'administration de l'association ont l'honneur de vous inviter avec votre compagnon ou votre compagne à un banquet pour souligner le dixième anniversaire de l'association.

Cette réception aura lieu
le samedi 25 novembre 1995, à 19 heures, dans le salon étudiant du pavillon principal.

Prix du couvert : 30 $

R.S.V.P. avant le 10 novembre 1995 en composant le (514) 876-9876

Exemple 3

Madame Caroline Moisan, propriétaire de la galerie Moisan, est heureuse de vous inviter au vernissage de madame Charlotte Biron, peintre, qui aura lieu le samedi 16 décembre 1995
de 14 h à 16 h.

La galerie est située au 116, rue Saint-François, Aylmer.

Cette invitation est valable pour deux personnes.

R.S.V.P. avant le 12 décembre 1995 au (819) 676-9809

Exemple 4

Monsieur François Meunier a l'honneur d'inviter
Monsieur Mathieu Rouy et Madame Julie Bernier à la remise des prix de l'Association des artisans de Rigaud.

La réception aura lieu le mercredi 23 août 1995, à 20 heures 30,
dans la grande salle du collège de Rigaud
en présence de
madame Claudine Tremblay, maire de Rigaud.

Prière de se munir de la présente invitation

Voir tableau **Avis de convocation**
Voir tableau **Lettre — Généralités**

Carte géographique

Figure conventionnelle à échelle réduite de la répartition de phénomènes géographiques, géologiques ou autres.

Plan du tableau

Exemple de carte géographique

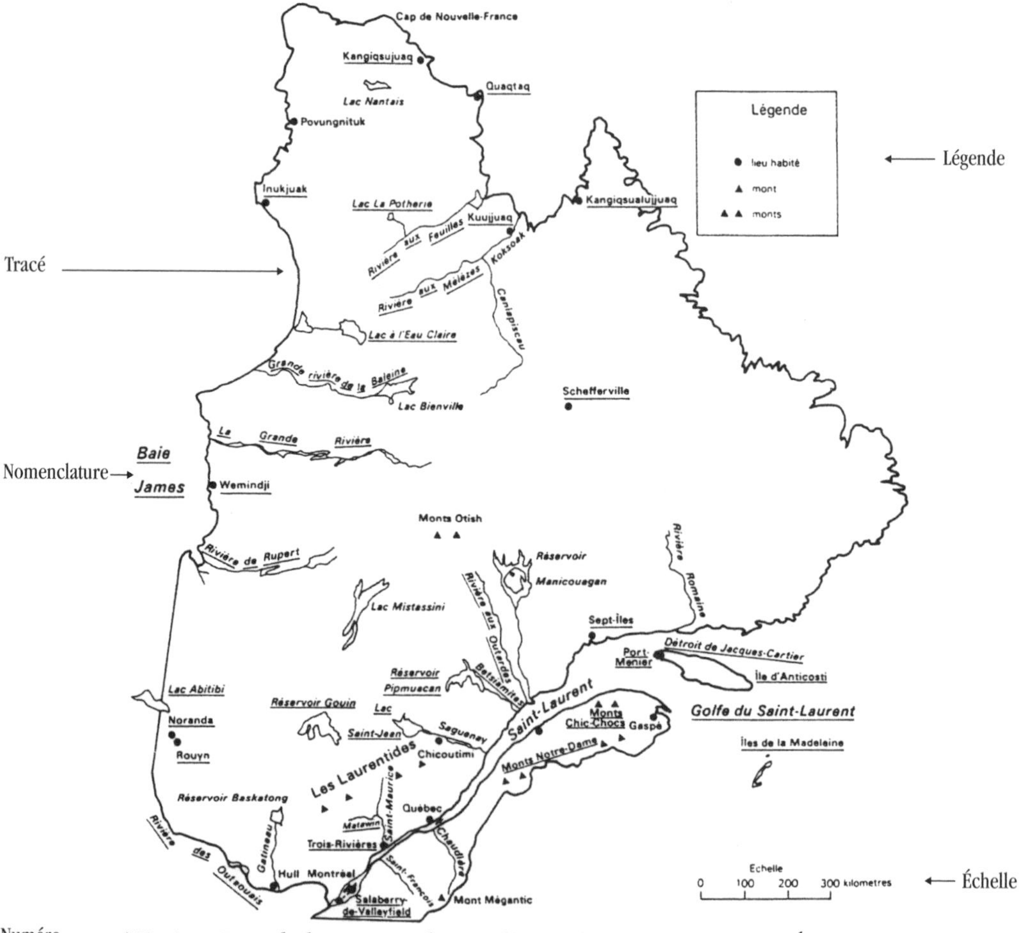

Numéro de la figure → Fig. 1 — *Exemple d'une nomenclature adéquate de toponymie québécoise*[1]. ← Titre

Note → 1. Les noms géographiques soulignés sont les formes justes des toponymes inadéquats de la carte de la page précédente.

Source : Christiane Pâquet (dir.), *Guide à l'usage des cartographes*, cartes de Serge Labrecque et Francine Rochon, Québec, Les Publications du Québec, 1984, p. 29. (Cet ouvrage est épuisé, mais il est remplacé par le *Guide toponymique du Québec*, Québec, Les Publications du Québec, 1990.) ← Source

Éléments essentiels

Numéro

- Dans un document, la carte géographique compte au nombre des **figures** et est numérotée en **chiffres arabes** à la suite des autres figures.

Exemple

Fig. 6 — *Répartition de la population sur le territoire montréalais.*

- Si, pour l'ensemble du document, on a adopté le système décimal de numérotation des divisions, on peut **numéroter les cartes par chapitre**. On utilisera alors la double numérotation : figure 1.2, figure 3.5, Fig. 7.1, etc.

Titre

- Le titre se place **sous la carte** et est composé en **italique**.
- S'il est **court**, il est centré sous la carte. S'il est **long**, on le présente à simple interligne sous la carte, mais n'en dépassant pas la largeur.
- Le titre est composé à l'aide d'un **substantif**, plutôt qu'à l'aide d'un verbe conjugué ou d'une proposition relative, et, si possible, il annonce le message contenu dans la carte. Il est précis et concis.

Exemple

Fig. 4 — *Richesse du sous-sol ontarien en fer.*

plutôt que

Fig. 4 — *Fer que contient le sous-sol ontarien.*

Tracé

- Le tracé est la **ligne continue** qui forme le contour de la carte.
- Plus le trait est **épais**, plus le dessin doit être **simplifié**.

Légende

- La légende est la **liste** des symboles, des codes et des notations figurant sur la carte et de leur signification respective.
- Elle se place dans un **angle** de la carte, selon l'espace disponible.
- La légende doit être **exhaustive**, car elle permet de décoder l'information contenue dans la carte.

Orientation

- L'indication de l'orientation, au moyen de coordonnées géographiques ou de points cardinaux, est indispensable pour les **régions moins connues.**
- Pour les lieux connus des lecteurs, on indique le **nord** s'il n'est pas au nord dans la carte.

Échelle

Pour indiquer l'échelle, c'est-à-dire le rapport entre les mesures de longueur sur la carte et sur le terrain, on dispose de deux moyens : soit la forme graphique, soit l'emploi d'une fraction.

- La **forme graphique** est plus courante, car si l'on réduit la carte l'échelle reste valable.

Exemple

0 5 10 15 20 25 km

- La **fraction numérique** s'indique de la façon suivante : 1 : 100 000 (par exemple). Cela veut dire qu'une unité de mesure sur la carte correspond à 100 000 unités de mesure sur le terrain. Plus le nombre de droite est grand, plus l'échelle est petite et moins il y aura de détails sur la carte.

Nomenclature

- L'emplacement d'un lieu est noté par un **symbole** accompagné du **nom** de ce lieu.
- Ce n'est pas le nom qui doit être **positionné géographiquement avec précision**, mais le symbole.
- Si possible, on place l'indication du nom du lieu **en haut et à droite** du symbole.

Exemple

Mont Jacques-Cartier

et non

▲ Mont Jacques-Cartier

- Le nom des territoires étendus s'écrit au **centre** de l'espace à nommer.
- Lorsqu'on veut représenter un **phénomène ponctuel** correspondant à un lieu précis, on ne redouble pas le signe.

 **Si on veut indiquer toutes les villes d'Amérique du Nord où il y a une université, on ne met pas un symbole pour la ville et un autre pour l'université. On utilisera un nouveau symbole qui distinguera les villes universitaires des autres.**

Éléments additionnels

Note

- Si l'on doit expliquer un élément de la carte, on place un **appel de note** tout de suite après cet élément.
- L'appel renvoie à une note placée **sous la carte** ; on ne mêle pas les notes du texte courant et celles de la carte.

Source

- S'il y a lieu, on donne la source de chaque carte **après les notes** de la carte.

Mise en pages

Cadre

- Lorsqu'une carte occupe seule une page, elle **respectera les conventions établies** pour le reste du texte : marges, pagination, en-tête et pied de page.

Caractère

- Pour un même document, la police de caractères des cartes doit être **identique** à celle du texte, sauf si on emprunte les cartes à une autre source.

Conseil pour la rédaction

Comme pour toute figure, tout tableau, toute citation, la carte doit être **annoncée** dans le corps du texte, puis **analysée**, **commentée**. On ne doit pas laisser au lecteur le soin de faire le lien entre la carte et le texte.

Situation et pagination

- On insère la carte **le plus près possible** de l'endroit où on en fait mention dans le texte.
- Si la carte n'est pas annoncée et commentée dans le texte, elle sera reportée en **appendice**.
- Les pages qui contiennent des cartes sont paginées **de la même façon** que les autres pages du texte.

Voir tableau **Figure**
Voir tableau **Mise en pages**

Carte professionnelle

Plan du tableau

Petit rectangle cartonné sur lequel on fait imprimer son nom, son titre, la dénomination de son unité administrative, la raison sociale de son entreprise ou la désignation de l'organisme qu'on représente, son adresse, ses numéros de téléphone, de téléphone cellulaire et de télécopie ainsi que ses adresses de courrier électronique et de site W3.

L'expression *carte d'affaires est un calque de l'anglais « business card » au sens de ***carte professionnelle***.

Éléments

- Prénom et nom de la ou du titulaire de la carte
- Titre de la fonction occupée ou titre professionnel
- Dénomination de l'unité administrative
- Nom de l'entreprise ou de l'organisme
- Adresse
- Numéros de téléphone, de téléphone cellulaire et de télécopie
- Adresses électroniques
- Logo de l'organisme ou de l'entreprise
- Précisions concernant l'un ou l'autre aspect de la spécialité de la ou du titulaire

Marie Malo
Conseillère linguistique
Direction de la qualité
de la communication

HEC
École des
Hautes Études
Commerciales

Affiliée à
l'Université de Montréal

5255, avenue Decelles
Montréal (Québec)
Canada H3T 1V6

Téléphone (514) 453-6756
Télécopie (514) 453-6755
marie.malo@hec.ca

Titre de civilité

On n'inscrit pas le titre de civilité (M. ou Monsieur, Mme ou Madame) sur les cartes professionnelles.

Désignation de la fonction ou du poste

On peut disposer la désignation de la fonction ou du poste de plusieurs façons.

Exemples

Kathleen Grant
Directrice
Service des relations publiques

Kathleen Grant
Directrice des relations publiques

Kathleen Grant
Directrice — Relations publiques

Féminisation

Dans la mesure du possible et avec l'accord de la titulaire du poste, on féminise les désignations de titres, de postes et de fonctions.

Adresse

Voir tableau **Lettre — Généralités**, section Vedette (Adresse du destinataire).

Ponctuation

Les divers renseignements s'écrivent sans ponctuation finale.

Abréviations usuelles

On abrège le moins possible dans une carte professionnelle ; on ne le fait que si l'on manque d'espace. Les abréviations les plus fréquentes sont les suivantes :

	Forme correcte	**Forme fautive**
appartement	app.	apt.
avenue	av.	ave.
boulevard	boul., bd ou b^{d}	blvd.
case postale	C. P.	
chemin	ch.	
deuxième, troisième, etc.	2e, 3e, etc.	2ième, 3ième, etc.
enregistrée (dans une raison sociale)	enr.	
Est	E.	
incorporée (dans une raison sociale)	inc.	
limitée (dans une raison sociale)	ltée	
Nord	N.	
Ouest	O.	
place	pl.	
premier, première	1er, 1re	1^{ier}, 1^{ière}
route	rte	
route rurale	R. R.	
Sud	S.	
télécopie	téléc.	fax
téléphone	tél.	

Exemples de cartes professionnelles

Exemple 1

Tél. : (514) 334-5234
Téléc. : (514) 334-5987
hurley@étoile.inc.ca

Claire Hurley CA

L'Étoile inc.
6343, rue Granger
Montréal (Québec)
H8J 8M9

Exemple 2

ROY CONSEIL INC.
Rémunération et ressources humaines

Gabriel Roy

1140, boul. de Maisonneuve Ouest
Bureau 1401
Montréal (Québec)
H3M 1M8

Téléphone (514) 675-0989
Téléphone cellulaire (514) 943-1321
Télécopie (514) 675-0988

Exemple 3

TGV Pub
Studio d'arts graphiques

Marlène Devost
Infographiste-designer

5343, rue Daniel Est
Montréal (Québec)
H2P 1N6
(514) 378-7654

Exemple 4

Robin Dubuc
Conseiller

209, rue Saint-Paul Ouest, 3e étage
Montréal (Québec)
Canada H2Y 2A1

Émergence
Consultants

Tél. : (514) 849-1213

Téléc. : (514) 849-1214

Exemple 5

Tél. : 849-8023
Téléc. : 849-0987

Melissa Piasecki
Psychiatre

4927, rue Saint-Denis
(angle boulevard Saint-Joseph)
Montréal (Québec)
H5T 6F7

Métro Laurier

Exemple 6

Line Martin
Notaire

4789, boulevard Cavendish
Montréal (Québec)
H4G 7U8
(514) 467-3908

Exemple 7

Galerie d'art Montcalm
4511, rue Saint-Jean (coin rue Saint-Stanislas)
Québec (Québec)
G6F 3S4
(418) 845-7867

Renée Breber
Directrice

Voir tableau **Féminisation des titres et des textes**
Voir tableau **Lettre — Généralités**

Citation

Emprunt au texte ou à la pensée d'un auteur destiné à appuyer une argumentation, à éclairer un propos, à étayer une affirmation, à mieux formuler ses propres idées ou à les exprimer de façon plus efficace.

☞ Il existe deux types de citations : la citation textuelle et la citation d'idée.

Plan du tableau

Citation textuelle

Passage d'un auteur que l'on reproduit intégralement en respectant la ponctuation, la construction syntaxique et les fautes, le cas échéant.

Citation courte

longueur

- Les citations de trois lignes ou moins sont dites courtes et sont incorporées dans le texte.

appel de note

- L'appel de note, s'il est nécessaire, est placé à l'intérieur des guillemets.

citation fondue dans la phrase

- Si la citation est fondue dans la phrase (c'est-à-dire que la citation ne constitue pas une phrase complète), les guillemets n'encadrent que les mots qui appartiennent réellement à la citation.

Exemples

Un gérant est « un mandataire qui gère une entreprise pour le compte du propriétaire[1] ».

Le verbe *barrer* signifie « fermer à l'aide d'une barre » ; or, il y a longtemps qu'on ne verrouille plus les portes de cette façon.

citation d'une phrase complète

- Si on cite une phrase complète, la citation est introduite par un deux-points, commence par une majuscule, se termine par un point et est encadrée de guillemets.

Exemple

La méthode d'identification, selon cet auteur, apparaît fort simple : « L'identification des individus juvéniles fut basée sur la présence de fourrure tachetée, d'un rictus brun et charnu ou encore d'une allure différente de celle des adultes[1]. »

☞ La ponctuation finale de la citation tient lieu de ponctuation finale de la phrase.

- Lorsqu'une phrase complète citée est autonome (aucune phrase introductive ne l'annonce), on conserve à l'intérieur des guillemets la ponctuation de la citation.

Exemple

La société anonyme (S. A.) est une société de capitaux dans laquelle les parts de capital sont représentées par des actions généralement transmissibles et négociables. « La société anonyme doit compter au moins sept actionnaires et disposer d'un capital social minimal si elle fait un appel public à l'épargne. » Sinon,...

Citation longue

longueur

- Une citation de plus de trois lignes est placée en retrait par rapport aux marges du texte.

appel de note

- L'appel de note, s'il est nécessaire, est placé avant la ponctuation finale.

disposition

- La citation se présente à simple interligne, séparée du texte courant par un double interligne avant et après.

  Cette disposition est nécessaire parce que, si une citation se prolonge, le lecteur peut se demander qui écrit, chercher les guillemets ouvrants et fermants, etc. La mise en retrait élimine toute ambiguïté quant à l'identité de l'auteur.

guillemets

Le retrait suffit à signaler qu'il s'agit d'une citation, il serait superflu d'ajouter les guillemets.

Exemple

La vie intellectuelle québécoise va faire un énorme bond en avant durant les années de guerre, comme en témoigne cet extrait :

> Montréal, qualifiée de deuxième ville française du monde, continuait de vivre [...] Bien qu'influencée par les événements qui se déroulaient en Europe — une partie de sa population y guerroyant, l'autre devant lui fournir les moyens de le faire — Montréal devait connaître une période d'activité intense[1].

D'une part, la vie littéraire se structure grâce au développement extraordinaire de l'édition et à l'apparition de revues et d'organismes divers. D'autre part, les Canadiens français se mettent à lire.

citation de plus d'une page

- Si la citation fait plus d'une page, elle doit être rejetée en annexe, à simple interligne, avec les indications de la source.

Modification

Toute modification que l'on fait dans une citation doit être signalée au lecteur.

Suppression

crochets

- Les mots que l'on ne veut pas reproduire dans une citation sont remplacés par des points de suspension placés entre crochets. En général, les points de suspension placés entre crochets précèdent la ponctuation, mais, à la fin d'une phrase, ils tiennent lieu de point final.

pointillés

- On signale la suppression d'un ou de plusieurs paragraphes dans une citation au moyen d'une ligne de pointillés.

cohérence

- Les suppressions doivent être faites en respectant le sens et la cohérence grammaticale de la citation.

Exemple

« Ce qui frappe le plus dans la majorité des entreprises industrielles [...], c'est le fossé à peu près infranchissable entre les discours [...] des directions et leurs actes de privilégiés et de dominants égoïstes. »

Exemple

Selon Gladys Symons, auteure de l'article « Les femmes cadres dans l'univers bureaucratique », il est faux de penser que la présence des femmes dans les institutions va tout révolutionner.

> L'idée que les femmes cadres aideront à créer des lieux de travail plus humains est, dans une large mesure, un phantasme. Les recherches que nous avons menées sur les femmes cadres révèlent que peu de femmes, à l'instar de leurs collègues masculins d'ailleurs, trouvent une place dans une société bureaucratique où elles peuvent jouer un rôle humanitaire.
>
> ....
>
> Par conséquent, assigner un rôle humanitaire aux femmes cadres ne peut qu'accroître les difficultés auxquelles elles font face dans leur intégration à la tribu corporative [*sic*]. C'est une utopie, et aussi attirante qu'elle puisse être, elle a peu de fondement dans la réalité organisationnelle[1].

L'auteure ne partage donc pas l'optimisme qui règne ailleurs.

Ajout

crochets

- Les mots que l'on désire ajouter à l'intérieur d'une citation se placent également entre crochets.

Exemple

« La question que nous posons pour notre scénario viable sur le plan des transports est celle des possibilités de transfert intermodal entre le transport [individuel] en automobile et le transport urbain [en commun]. »

Correction

[*sic*]

- On indique que l'on a repéré une faute (d'orthographe, de syntaxe, etc.) ou un oubli au moyen du mot latin *sic* placé entre crochets et en italique.

Exemple

« On peut vérifier ou prouver que deux vecteurs $\vec{u}$ et $\vec{v}$ sont colinéaires s'il existe un nombre *k* tels [*sic*] que : $\vec{u} = k\vec{v}$. »

Le mot *sic* signifie que le mot ou le passage relevé est bien ainsi dans le texte original.

anciens documents

- Il ne faut pas abuser de ce procédé lorsque l'on cite d'anciens documents, dont l'orthographe et la syntaxe diffèrent de celles d'aujourd'hui.

coquille

- Lorsque la faute est une coquille typographique évidente, on peut corriger sans signaler.

1. Gladys Symons, « Les femmes cadres dans l'univers bureaucratique » dans *l'Individu dans l'organisation : les Dimensions oubliées*, sous la direction de Jean-François Chanlat, Québec, PUL et Eska, coll. « Sciences de l'administration », p. 424-425.

Mises en valeur

respect

- Il faut veiller, dans une citation, à respecter les mises en valeur (italique, gras, majuscules, soulignement, etc.) de l'auteur cité tout en les intégrant à ses propres conventions typographiques.

Dans un texte, les exemples sont signalés au moyen de l'italique, mais l'auteur cité a choisi, pour le même usage, le gras. Pour ne pas multiplier inutilement les mises en valeur, le gras de l'auteur cité est signalé au moyen de l'italique dans le texte.

source

- À la suite de la citation, il faut indiquer, entre parenthèses, qui a eu recours à la mise en valeur : l'auteur cité ou nous-même. On emploiera une des expressions suivantes : (C'est nous qui soulignons.) ; (Mis en italique par l'auteur.) ; (Souligné par l'auteur.).

Exemple

« Les contraintes spécifiques de la vie financière de l'entreprise peuvent être satisfaites à partir de voies très différentes. Les voies dépendent des objectifs poursuivis par l'entreprise. Elles constituent *la politique financière de l'entreprise,* alors que la combinaison des objectifs choisis définit sa *politique générale*. » (Mis en italique par l'auteur.)

Incise

définition

- Une incise est une proposition intercalée dans une phrase, par exemple : dit-il, précise-t-elle, affirment-ils, etc.

courte incise

- Si une citation est interrompue par une courte incise, on glisse cette dernière entre virgules dans la citation sans ajouter de guillemets dans la phrase.

Exemple

Dans un communiqué remis à la presse, il a « regretté vivement que, pour la première fois, des licenciements secs soient prononcés ; ce qui ajoute, **a-t-il souligné**, un problème humain à un problème d'emploi ».

longue incise

- Si l'incise est plus longue, il faudra guillemeter les deux segments de la citation.

Exemple

« Le sobriquet de mon frère », **dit-elle en essayant de paraître sérieuse pour convaincre ses interlocuteurs de la gravité de ses propos**, « est : tyrannosaurus rex ! »

Citation à plusieurs paragraphes

Une citation à plusieurs paragraphes est placée en **retrait** et on respecte dans la citation les paragraphes de l'original.

Exemple

Le 9 octobre 1964, une lettre du directeur adjoint de l'Association, M. Paul Lejeune, à l'intention des dirigeants de la FTP confirme la création de ce service parallèle :

> Le problème que vous nous soumettiez le 21 septembre dernier a été porté à l'attention de notre conseil d'administration qui s'est réuni hier.
>
> Étant donné que nos propres services d'éducation s'orientent dans la même voie, c'est-à-dire la formation de nos conseillers en budget, il ne serait pas logique de diviser nos efforts, sans parler du risque éventuel de conflit de directives qui viendraient d'un organisme séparé, soit la Société centrale des syndicats[1].

Ce dédoublement deviendra évident lorsque ce nouveau Service...

Citation de second rang

guillemets

- Si l'on cite un passage où il y a déjà des guillemets, il faut absolument les reproduire dans la citation.

citation courte

- Dans le cas d'une citation courte, celle-ci étant encadrée de guillemets français (ou chevrons), le mot ou l'expression à signaler à l'intérieur de ces guillemets le sera au moyen des guillemets anglais (" "). Si un autre mot ou une autre expression guillemetés se trouvent à l'intérieur des guillemets anglais, on se servira alors des demi-guillemets anglais (' ').

Exemple

« Ce fut le "boum", l'émission-choc de départ durant laquelle... »

citation longue

- Dans le cas d'une longue citation placée en retrait et à simple interligne, étant donné qu'il n'est pas nécessaire de mettre cette citation entre guillemets, on utilisera d'abord les guillemets français pour la citation de second rang, puis les guillemets anglais, et enfin les demi-guillemets, s'il le faut.

Exemple

La lettre est toujours menacée, comme le journal intime, par le lieu commun. Diderot l'écrit à Sophie Volland le 20 avril 1762 :

> Quoique je vous dise que je vous haïsse et que cela soit vrai, il est aussi bien vrai que je vous aime de toute mon âme. C'est que ce « Je vous hais » n'est qu'un mot, et que ce « Je vous aime » est un sentiment bien vrai. Il faut que je parle comme tout le monde. On ne se fait pas toujours une langue propre à son cœur. À demain[1].

Parce que l'on parle « comme tout le monde », parce que l'on ne sait pas toujours « se faire une langue » [...]

fin de la citation

- Si les deux citations se terminent ensemble, on conserve les deux guillemets fermants à la suite.

Exemple

« C'est en souriant qu'il lui a dit : "Tu as de l'encre sur le nez." »

Citation en langue étrangère

langue originale

- Il est préférable de citer les auteurs de langue étrangère dans leur langue si leurs textes n'ont pas été traduits, plutôt que de fournir une traduction de son cru, une telle traduction ne constituant pas une citation.

traduction

- Il faut toutefois donner la traduction de la citation entre parenthèses à la suite de la citation, avant le guillemet fermant si elle est courte, en note si elle est plus longue, et en annexe si elle fait plus d'une demi-page.

auteur

- Il faut signaler qui est l'auteur de la traduction.

italique

- En plus d'être entre guillemets ou en retrait comme toute citation, la citation sera aussi en italique comme tous les mots d'origine étrangère.

Citation courte en langue étrangère

Exemple

Ils avaient préparé une affiche où il était écrit « *Se habla español* (on parle espagnol) » en gros caractères.

Citation longue en langue étrangère

Exemple

Suivant les contextes, les épistoliers insistent sur ce qui les unit (la lettre comme « pont », comme signe de l'intimité) ou sur ce qui les sépare (la lettre comme « barrière », comme prélude à l'indifférence).

> *As an instrument of communication between sender and receiver, the letter straddles the gulf between presence and absence ; the two persons who « meet » through the letters are neither totally separated nor totally united. The letter lies halfway between the possibility of total communication and the risk of no communication at all* (Altman, 1982, p. 43).

Notre traduction : En tant que moyen de communication entre le destinateur et le destinataire, la lettre enjambe le gouffre entre l'absence et la présence ; les deux personnes qui se « rencontrent » grâce aux lettres ne sont ni totalement séparées ni totalement unies. La lettre se situe à mi-chemin entre la possibilité d'une communication totale et le risque de l'absence totale de communication.

Citation de seconde main

Si on cite les propos d'un auteur qu'on n'a pas lu, mais qui est cité par un autre auteur (qu'on a lu), il faut le signaler dans ses sources.

Exemple

1. Pierre Nepveu, *les Mots à l'écoute*, p. 118, cité dans Pierre Popovic, *la Contradiction du poème : Poésie et discours social au Québec de 1948 à 1953*, Candiac, Les Éditions Balzac, 1992, p. 342.

Citation d'idée

Emprunt fait à la pensée d'un auteur que l'on ne reproduit pas intégralement. Le rédacteur exprime en ses propres termes les conclusions, les résultats ou les opinions qui viennent d'un autre tout en s'engageant à ne pas trahir sa pensée.

But

Une citation d'idée permet de résumer en quelques mots les grandes lignes de la pensée d'un auteur sans rompre l'unité de son texte.

Règle

Tout comme pour la citation textuelle, il faut indiquer la source de toute citation d'idée au moyen d'une référence abrégée entre parenthèses placée immédiatement à la suite de la citation ou à l'aide d'une référence donnée en bas de page, à la fin du chapitre ou à la fin du texte et signalée à l'aide d'un appel de note.

Exemple

La récente théorie développée par D.F. Dixon et I.F. Wilkinson semble présenter tous les caractères d'une théorie centrale du marketing[1]. Puisque l'échange social apparaît seul capable de justifier le marketing dans sa fonction d'intermédiation, il apparaît nécessaire d'analyser les transactions, sanction de l'échange. Ces transactions sont interpersonnelles, intergroupes ou interorganisationnelles [...]

1. D.F. Dixon, I.F. Wilkinson, « Toward a Theory of Channel Structure » dans J. Sheth (dir.), *Research in Marketing*, Greenwich, JAI Press, 1986, p. 27-70.

Conseils pour la rédaction

lien texte-citation

- Une citation est une partie intégrante d'un texte et elle est intimement liée à la marche des idées. Il ne faut pas laisser au lecteur la tâche de faire le lien entre le texte et la citation. La citation sera donc amenée de façon adéquate, puis commentée.

lien grammatical ou syntaxique

- La citation doit être incorporée dans le texte tant du point de vue du contenu que de celui de la grammaire. Il ne doit y avoir aucune rupture syntaxique ou grammaticale entre le texte et la citation. Plutôt que de présenter une phrase incorrecte syntaxiquement, il vaut mieux redécouper la citation pour qu'elle s'intègre harmonieusement dans le texte.

Exemples

L'auteure, dans ses souvenirs d'enfance, décrit ainsi sa maison : « Accoudée au mur du jardin, je pouvais gratter du doigt le toit du poulailler. »

L'auteure précise dans ses souvenirs d'enfance qu'« Accoudée au mur du jardin, [elle pouvait] gratter du doigt le toit du poulailler ».

et non

*L'auteure était : « Accoudée au mur du jardin, je pouvais gratter du doigt le toit du poulailler. » (Colette.)

nombre

- En règle générale, les citations ne doivent être ni trop nombreuses ni trop longues. Elles peuvent toutefois être plus longues et plus nombreuses lorsqu'il s'agit d'un exposé critique des positions et des opinions d'un auteur.

source

- Qu'elle soit textuelle ou d'idée, une citation est toujours accompagnée de sa source qu'on signale au moyen d'une référence abrégée entre parenthèses placée immédiatement à la suite de la citation ou à l'aide d'une référence donnée en bas de page, à la fin du chapitre ou à la fin du texte et signalée à l'aide d'un appel de note.

fidélité

- Il faut faire attention à ne pas trahir la pensée de l'auteur en le citant.

Mise en pages et typographie

Modes de citation

Il faut signaler au lecteur la présence d'une citation dans le texte. On le fait à l'aide d'un des modes de présentation suivants :

- Guillemets
  1. guillemets français, ou chevrons : « … » ;
  2. guillemets anglais : "…" ;
  3. demi-guillemets anglais : '…'.

  Les guillemets français servent à encadrer une citation. Si, à l'intérieur d'une citation déjà entre guillemets français, on doit citer, on utilisera les guillemets anglais, puis, à l'intérieur de ces guillemets, les demi-guillemets.
- Mise en retrait
- Italique

  Voir tableau **Mises en valeur typographiques**, section Romain / italique.

Travaux scolaires

Dans les travaux scolaires, on emploie surtout les deux premiers procédés.

Voir tableau **Appel de note**
Voir tableau **Guillemets**
Voir tableau **Mises en valeur typographiques**
Voir tableau **Note de contenu et note de référence**
Voir tableau **Références dans le texte**

Classement alphabétique

Action d'ordonner selon la suite des lettres de l'alphabet les éléments d'un index, d'une liste, d'une nomenclature, d'un lexique, d'un répertoire.

Plan du tableau

Principe de classement

Un classement **lettre par lettre** est recommandé, dans lequel les apostrophes, les majuscules, les traits d'union et les espaces entre les mots ne comptent pas.

Exemple

Abbado, Claudio
abonné
abonnement
abonnement d'essai
Abyssinie
accroche
achevé d'imprimer
Afrique noire
ajout
ajouté
à la une
annonceur
à paraître
appel de note
arrondisseuse
arrondissure
article-couverture
article-vedette
Augustin, saint
auteur
auteur-éditeur
auteure-éditrice
auto-édition
avant-propos
bac à colle
baguette serre-feuilles
barbe
bas de vignette
batteuse
bloc-générique
Bombardier, J.-Armand
Céline, Louis-Ferdinand
Destouches, Louis Ferdinand. *Voir* Céline, Louis-Ferdinand
Fontenay-le-Vicomte
Fox, Terrance Stanley. *Voir* Fox, Terry
Fox, Terry
France
Harel-Giasson, Francine
la une
lecteur
lecteur de maison d'édition
lectorat
lectrice
lectrice de maison d'édition
Le Louarn
Lempdes
Lena
Le Nain
Le Nain de Tillemont
Lenard
L'Her
moissonneuse-batteuse
N.D.L.R.
non-livre
Normandie
Nouvelle-Angleterre
vernisseuse
verso
vient de paraître
vient-de-paraître
vis à relier

Choix du mot de classement

Mot retenu pour le classement alphabétique.

- Dans le cas des noms communs ou des noms propres simples, ce choix ne pose aucun problème. En revanche, dans le cas des noms propres usuels par rapport aux noms propres officiels, des noms propres étrangers, des pseudonymes et des noms propres composés, le choix est plus délicat.

Nom propre à retenir

- On retient, pour le classement alphabétique des noms propres, le **nom sous lequel une personne, un organisme, une œuvre, etc. sont habituellement connus**. Si, par exemple, une personne est davantage connue sous son pseudonyme, l'entrée principale est faite au pseudonyme. On peut toujours établir un renvoi à partir du nom véritable.

Exemples

Fox, Terry
et non Fox, Terrance Stanley

Marie de l'Incarnation
et non Guyart Martin, Marie

Céline, Louis-Ferdinand
et non Destouches, Louis Ferdinand

- Dans le cas de noms qui existent dans plusieurs langues, on conserve la **forme française** du nom si elle est consacrée par l'usage.

Exemples

François d'Assise, saint
et non Francesco d'Assisi, san

Autriche
et non Österreich

Louvain
et non Leuven

- Si l'élément à classer n'a pas de forme française, on retiendra la **forme de la langue d'origine**.

Exemples

Buenos Aires
Los Angeles

Nom propre composé

- On choisira comme mot de classement la partie du nom qui sert à l'établissement de **répertoires alphabétiques** faisant autorité (du type *Who's Who* et les dictionnaires, mais non les annuaires téléphoniques).
  - Si le mot de classement n'est pas le premier élément du nom, on reportera après le mot de classement tous les éléments du nom qui normalement le précèdent.
  - On doit séparer les éléments qui suivent le mot de classement par une virgule.
  - Les renseignements ajoutés sont inscrits entre parenthèses.

Exemples

Ali, Muhammad
Budapest (Hongrie)
Céline, Louis-Ferdinand
Chaput-Rolland, Solange
Destouches, Louis Ferdinand. *Voir* Céline, Louis-Ferdinand
Fénelon, François de Salignac de La Mothe-
Fox, Terry
François d'Assise, saint
Frontenac, Louis de Buade, comte de
Groningue
H., Arthur
King, William Lyon Mackenzie
Lamarck, Jean-Baptiste de Monet, chevalier de
Léonard de Vinci
Mackenzie King, William Lyon. *Voir* King, William Lyon Mackenzie
Marie de l'Incarnation
Pie XII, pape
X, Malcolm

Personne morale

- Comme mot de classement d'une personne morale, on choisit son **nom conventionnel**, celui sous lequel elle est connue, plutôt que son nom officiel. On établit, s'il y a lieu, un renvoi à partir du nom officiel.

  Une personne morale est un groupement de personnes auquel la loi reconnaît une personnalité juridique distincte de celle de ses membres.

Exemples

Cathédrale de Reims
et non Cathédrale Notre-Dame-de-Reims

Hydro-Québec
et non Commission hydroélectrique du Québec

France
et non République française

Massachusetts
et non Commonwealth of Massachusetts

- Lorsque le mot de classement ne suggère pas à lui seul l'idée d'une personne morale, on ajoute un **renseignement** qui le précise.

Exemples

Le France (navire)

J.B. Rolland (firme)

- On peut ajouter une **précision** si le nom de la personne morale, souvent une administration publique, ne suffit pas seul à la distinguer d'autres personnes morales.

Exemples

Québec (Province)
Québec (Québec)
Québec (Québec : Comté)

- Pour une **personne morale subordonnée**, dont le nom comporte l'indication de plusieurs paliers d'autorité, il faut inclure suffisamment de renseignements pour pouvoir l'identifier avec certitude. Ces renseignements vont du général au particulier et sont séparés par des points.

Exemples

Congrès juif canadien. Région centrale
et non Région centrale
et non Région centrale. Congrès juif canadien

Université Laval. Département de génie civil
et non Département de génie civil
et non Département de génie civil. Université Laval

Canada. Parlement. Sénat

Québec (Province). Assemblée nationale

Particule nobiliaire et mot de liaison

- Lorsque les mots ***de***, ***du***, ***van***, ***von*** représentent une particule nobiliaire, ils ne comptent pas dans l'ordre alphabétique, mais lorsqu'ils font partie du nom il faut en tenir compte dans le classement alphabétique, qui se fait toujours selon le principe de classement lettre par lettre.

  Pour déterminer si ces mots sont des particules nobiliaires ou non, on consultera un bon dictionnaire des noms propres.

Exemples

Beethoven, Ludwig van
De Mille, Cecil B.
Du Maurier, Daphné
La Rocque, Gilbert
Musset, Alfred de
Van Gogh, Vincent
Vigny, Alfred de

Saint, sainte

- Les noms commençant par les mots ***saint*** et ***sainte*** sont classés dans l'ordre alphabétique lettre par lettre.
- Il est préférable de **ne pas abréger** les mots *saint* et *sainte* quand ils entrent dans la composition d'un nom propre.

  Il faut cependant respecter la volonté de la personne qui porte ce nom et l'abréger si elle le désire. Ces noms sont alors classés dans l'ordre alphabétique comme si les mots *saint* ou *sainte* étaient écrits au long.
- Quant aux **véritables saints**, l'adjectif *saint* ne compte pas dans le classement alphabétique. Ainsi, saint Thomas sera classé à Thomas.

Exemple

Sailer
Saillat-sur-Vienne
Sains-Richaumont
Saint-Acheul
Saint Albans
Saint-Astier
Saint-Bonnet-en-Champsaur
Saint-Denis
St-Donatien
Saint-Doulchard
Sainte-Beuve
Sainte-Mère-Église
Saint-Émilion
Sainte-Rose
Sainte-Sophie
Saint-Esprit
Saint-Étienne
Saint-Malo

Mac, Mc, M'

- Les préfixes celtiques *Mac*, *Mc* et *M'* se prononcent tous les trois **[mac]** et signifient « **fils de** ».
- Ils s'accolent sans espace au nom, sauf s'ils sont **francisés** (ex. : Pierre Mac Orlan), et sont suivis d'une majuscule.
- On classe les noms commençant par ***Mac*** dans l'ordre alphabétique normal.
- Les noms commençant par ***Mc*** et ***M'*** sont classés comme s'ils s'écrivaient *Mac*.

Exemple

Macao
MacArthur
Macbeth
McCarey
McCarthy
McCullers
MacDonald
Machiavel
Machu Picchu
Macintosh
McLuhan
McMillan
Mac Orlan
MacPherson
M'Uzan

Trait d'union

Les noms joints par un trait d'union sont classés comme un seul nom.

On peut établir un renvoi à partir du deuxième nom, mais l'entrée principale et les renseignements seront classés au premier nom.

Exemple

Dubuc-Sirois, Robin
Ferland-Joubarne, Dominique
Fortin-Melançon, Samuel
Guillois-Greenspan, Thomas
Maisonneuve-Legault, Marie-Hélène
Malo-Bernier, William
Melançon-Brisson, Maude
Rocray-Chassay, Frédérique
Rouy-Popovic, Mathieu

Renvoi

- Pour des raisons de **commodité** et pour accroître le **degré d'utilité** du classement, on devrait incorporer des entrées qui renvoient à d'autres entrées.
- Le **statut d'un renvoi** est toujours moins important que celui de l'entrée vers laquelle on effectue le renvoi. Il importe donc de placer après le terme « voir » l'entrée qui est la plus importante.

Exemples

London (Angleterre). *Voir* Londres (Angleterre)
Société St-Jean-Baptiste de Montréal. *Voir* Société Saint-Jean-Baptiste de Montréal
Rolland, Solange Chaput-. *Voir* Chaput-Rolland, Solange

Titre d'œuvre

Le **classement des titres** se fait d'après la **première majuscule** du titre attribuée à un nom, à un adjectif, à un verbe, à un adverbe, à une préposition, à une conjonction ou à un article indéfini (*un, une, des*).

Les articles définis (*l', le, la* ou *les*) ne comptent pas aux fins de classement, à moins que le titre ne soit une proposition (c'est-à-dire s'il contient un verbe conjugué).

Exemple

Au bonheur des ogres
Autant en emporte le vent
Baigneuses, Les
Dictionnaire de la comptabilité et de la gestion financière
Enfants du paradis, Les
Hier, les enfants dansaient
Lac des cygnes, Le
Les fées ont soif
Piloter dans la tempête
Une saison dans la vie d'Emmanuel

Voir tableau **Index**
Voir tableau **Titre d'œuvre : Règles d'écriture**

Commentaire composé

Plan du tableau

Exercice scolaire portant sur un texte littéraire court (d'environ 20 à 30 lignes) et consistant à écrire un texte organisé qui montre, à la suite d'une analyse rigoureuse, comment la combinaison des différentes caractéristiques stylistiques du texte à commenter contribue à produire du sens et des effets sur le lecteur.

- Le commentaire composé ne se réduit jamais à l'explication linéaire d'un texte. Ce dernier type d'exercice correspond à l'explication de texte et non au commentaire composé, qui est organisé autour des deux, trois ou quatre centres d'intérêt qui se dégagent à la suite de l'analyse rigoureuse du passage à commenter.
- Il faut aborder tous les aspects du texte dans l'analyse préliminaire : genre, thématique, style, composition, structure, etc. Par la suite, on fera un tri et on organisera l'information retenue.

But

Démontrer que l'on maîtrise les concepts et les notions que requiert une lecture approfondie et méthodique d'un texte littéraire, et que l'on possède la faculté d'organiser les résultats de ce travail en un texte qui soit une démonstration claire, ordonnée et convaincante.

- Dans la pratique du commentaire composé, on met en jeu sa sensibilité, son tempérament et sa culture.
- Cet entraînement à découvrir les richesses d'un texte prépare à comprendre et à apprécier des messages de tous genres.

Qualités d'un bon commentaire composé

- Démonstration qui s'appuie sur des citations
- Plan présent et apparent
- Problématique et centres d'intérêt clairement précisés
- Langue impeccable
- Transitions soignées
- Texte entièrement rédigé (sans style télégraphique)

Défauts à éviter

- Paraphrase
- Résumé
- Commentaire linéaire
- Insistance sur la distinction fond / forme
- Amalgame de connaissances, de citations
- Réflexion personnelle sur le sujet du texte

Étapes du travail

Le langage a une fonction utilitaire qui permet la transmission d'informations. Dans un texte littéraire, à cette fonction utilitaire s'ajoute une fonction poétique ou connotative : l'auteur est alors préoccupé autant par l'efficacité de son message que par le matériau qui le permet, soit le langage. Le but du commentaire composé est de repérer, de nommer et d'analyser les moyens langagiers particuliers employés par l'auteur, que ces moyens soient conscients ou inconscients. Ce travail se fait en plusieurs étapes qui permettent la découverte successive des divers réseaux de sens du texte.

1. **Première lecture**
   Faire une première lecture d'ensemble. Numéroter les lignes, les paragraphes, les strophes, les vers. Chercher, à cette étape, les mots inconnus dans le dictionnaire. Retenir les différents sens d'un mot. Écrire les idées et les impressions qui viennent sans tenter de les organiser (cela se fera plus tard).
2. **Deuxième lecture**
   Relire et noter idées et impressions en se laissant guider par ses connaissances, mais aussi son intuition et sa sensibilité. Se poser les questions suivantes (Désalmand et Tort, 1986, p. 47) :
   a) À quel genre littéraire le texte appartient-il ? (Poésie, théâtre, roman, nouvelle, autobiographie, lettre, conte, conte philosophique, portrait, fable, essai, etc.)
   b) De quoi est-il question dans le texte ? Quel en est le thème ?
   c) Quelle est la composante principale du texte ? (Action, conversation, description, réflexion, expression d'un sentiment, rêve.)
   d) Quel est le mode d'expression principal (récit d'action, dialogue, monologue intérieur [en style direct ou rapporté]) et quels sont les moyens rhétoriques (métaphore, ironie, exagération) utilisés dans le texte ?
   e) Quelle est la progression du texte (situation de départ → situation d'arrivée) ?
   f) L'auteur manifeste-t-il sa présence dans le texte ? Comment ?
3. **Étude détaillée du texte**
   Faire un travail matériel sur le texte, en encadrant les mots clés, en soulignant les expressions importantes, en indiquant les constantes et les irrégularités, etc.
   - Relever dans un premier temps les effets graphiques (papier, mise en pages, typographie, etc.), si c'est pertinent.
   - Se servir de tous les instruments de l'analyse littéraire pour faire surgir le sens. Repérer les figures de rhétorique les plus fréquentes, rechercher les caractéristiques de chaque genre littéraire (narratif, poétique, théâtral, argumentatif ou intime) et comment elles fonctionnent dans l'extrait, énumérer les images et thèmes, etc.
     Pour cela, il faut avoir une bonne culture littéraire ou se référer à des ouvrages de référence en méthodes littéraires.
   - Être attentif aux variations de décor, de style, de temps verbaux, à l'entrée en scène de nouveaux personnages, à tout ce qui indique un changement, une animation, une rupture.
4. **Regroupements des éléments de l'analyse**
   Regrouper les matériaux en rubriques générales (style, thèmes, vocabulaire, personnages, etc.). Éliminer les éléments plus faibles et moins significatifs. Dresser des listes sur des feuilles séparées, s'il le faut.
5. **Définition de la problématique**
   Dégager la problématique générale vers laquelle convergent la plupart des éléments de l'analyse.
6. **Élaboration du plan**
   Déterminer les différentes parties du commentaire et faire un plan, en prévoyant déjà les transitions d'une partie à l'autre.
7. **Rédaction**
   Rédiger l'introduction, le développement et la conclusion.

Plan

Le plan du commentaire composé doit comporter une introduction, un développement et une conclusion.

Certaines informations bien précises ayant trait au texte à commenter doivent cependant se trouver dans l'introduction.

Introduction

1. **Introduire le sujet** : Partir d'une considération large afin de susciter l'intérêt du lecteur et de le diriger rapidement vers le texte à commenter. Indiquer, dans la mesure du possible, quelques renseignements au sujet du texte à commenter (nom de l'auteur, titre de l'œuvre d'où le passage est tiré [en italique ou souligné], genre auquel appartient l'œuvre, situation du texte dans l'ensemble, thème principal).
2. **Poser le sujet** : Dire clairement la problématique du commentaire composé.
3. **Annoncer le plan** : Donner les grandes lignes de son commentaire, les centres d'intérêt retenus.

Exemple d'introduction 1

La mort, motif central du poème « Le dormeur du val » des *Poésies* d'Arthur Rimbaud, constitue un sujet de prédilection pour nombre de poètes qui cependant la représentent chacun fort différemment. En effet, de « La ballade des pendus » de François Villon au poème de Rimbaud, le traitement de ce motif varie grandement. L'un met en scène un mort sordide qui se balance au bout d'une corde; l'autre entoure le cadavre d'une atmosphère de béatitude et de sérénité. Nous verrons comment, dans « Le dormeur du val », cette illustration plutôt inusitée de la mort s'inscrit dans le texte grâce au vocabulaire qui oppose sans cesse lumière et froideur, et à la description de la scène qui, au moyen d'indices semés çà et là, cerne de plus en plus près ce mort insolite[1].

Exemple d'introduction 2

L'impersonnalité et le caractère sériel du fait divers font qu'il n'a guère de lettres de noblesse et que l'idée de doter un fait divers d'une qualité littéraire peut paraître incongrue. Dans ses « Nouvelles en trois lignes », Félix Fénéon réussit pourtant à élever le fait divers au rang de genre littéraire, il parvient à le transformer et à le rendre digne d'attention. L'analyse d'un de ces petits textes étonnants montre que les moyens littéraires mis en œuvre par Félix Fénéon sortent le fait divers de la simple anecdote qu'il rapporte et le livrent à la pensée, au plaisir et à la pluralité de sens[2].

Développement

- Il n'y a pas de plan type pour le commentaire composé. Il est dicté par le texte, par les résultats de l'analyse.
- Il faut toutefois ne retenir que deux, trois ou quatre centres d'intérêt vers lesquels convergent la plupart des informations et des commentaires.
- Le développement doit de plus contenir une progression entre les différents centres d'intérêt choisis. Parmi les progressions possibles, on peut avoir recours à une progression allant du plus simple au plus complexe, du plus faible au plus fort, de l'analytique au synthétique. (Voir tableau **Plan**, section Types de progressions.)

Conclusion

1. Récapituler rapidement.
2. Élargir la perspective.

Conseils pour la rédaction

- Un commentaire composé doit avoir la **rigueur d'une démonstration scientifique**. On n'avance aucune affirmation qui ne soit basée sur le texte, qui ne se trouve confirmée par le texte. Il est essentiel de retourner sans cesse au texte.
- L'analyse doit **s'appuyer systématiquement sur des citations** qui viennent illustrer les idées retenues. Les citations doivent être exactes et guillemetées. On établit le lien entre la citation et le propos qu'elle soutient. Ce n'est pas au lecteur de le faire.
- Si l'on souligne un procédé de style, si l'on fait une remarque sur la forme, il faut aussitôt **commenter cette remarque** et non laisser au lecteur le soin de l'interpréter.
- Tout texte littéraire n'est pas sans lien avec les contextes sociohistorique et culturel qui l'entourent. Il n'est jamais sans rapport non plus avec la biographie de l'auteur. **Connaître quelques informations relatives à cette biographie et à ces contextes** peut servir pour comprendre le texte, mais leur connaissance n'est pas absolument nécessaire pour faire un commentaire composé.

1. Myriam Joly, examen intratrimestriel du cours FRA 1012 Études de textes, Montréal, Université de Montréal, décembre 1995.
2. Pierre Popovic, notes du cours FRA 1012 Études de textes, Montréal, Université de Montréal, automne 1995.

- La **présence de transitions** pour passer d'une partie à une autre, d'une idée à une autre est primordiale. Il faut en soigner la rédaction.
- Il faut parfois abandonner des remarques que l'on trouve judicieuses parce qu'elles n'ont pas leur place dans le commentaire. On ne peut **garder que ce qui est pertinent** par rapport aux centres d'intérêt retenus, à la problématique générale.
- Le défaut le plus fréquent est le commentaire juxtalinéaire, c'est-à-dire le commentaire ligne à ligne de l'extrait, sans **regroupement des informations en centres d'intérêt**. Il faut se garder de céder à une telle démarche, qui est celle de l'explication de texte.

Exemples de commentaires composés

Exemple 1

Poème à commenter[1]

JE T'ÉCRIS

I

1 Je t'écris pour te dire que je t'aime
2 que mon cœur qui voyage tous les jours
3 — le cœur parti dans la dernière neige
4 le cœur parti dans les yeux qui passent
5 le cœur parti dans les ciels d'hypnose —
6 revient le soir comme une bête atteinte

7 Qu'es-tu devenue toi comme hier
8 moi j'ai noir éclaté dans la tête
9 j'ai froid dans la main
10 j'ai l'ennui comme un disque rengaine
11 j'ai peur d'aller seul de disparaître demain
12 sans ta vague à mon corps
13 sans ta voix de mousse humide
14 c'est ma vie que j'ai mal et ton absence

15 Le temps saigne
16 quand donc aurai-je de tes nouvelles
17 je t'écris pour te dire que je t'aime
18 que tout finira dans tes bras amarré
19 que je t'attends dans la saison de nous deux
20 qu'un jour mon cœur s'est perdu dans sa peine
21 que sans toi il ne reviendra plus

II

22 Quand nous serons couchés côte à côte
23 dans la crevasse du temps limoneux
24 nous reviendrons de nuit parler dans les herbes
25 au moment que grandit le point d'aube
26 dans les yeux des bêtes découpées dans la brume
27 tandis que le printemps liseronne aux fenêtres

28 Pour ce rendez-vous de notre fin du monde
29 c'est avec toi que je veux chanter
30 sur le seuil des mémoires les morts d'aujourd'hui
31 les morts qui respirent pour nous
32 les espaces oubliés

Dans ce poème, Gaston Miron s'adresse à la femme aimée. Rédiger son commentaire composé en étant sensible à la série d'oppositions qui structure le poème.

1. Gaston Miron, *l'Homme rapaillé (Version non définitive)*, préface de Pierre Nepveu, Montréal, L'Hexagone, Éditions Typo, n° 75, 1996, 252 p., p. 39-40.

Commentaire composé

« Je t'écris », poème de Gaston Miron, reprend un des lieux communs les plus exploités de la poésie lyrique : l'amant, en proie à un mal de vivre dû à la fois à l'état du monde qui l'entoure et à l'absence de sa compagne, envoie à cette dernière un message d'amour. La spécificité de ce poème tient au fait que l'espoir des retrouvailles avec l'être aimé est relié au sort d'une collectivité plus vaste et à son passé et que la célébration de l'amour est associée à la célébration des morts. Les liens entre amants séparés, couple, histoire collective et mort sont tissés au moyen d'une série d'oppositions fortement marquées qui trouvent dans l'opposition fondamentale de l'absence et de la présence de la femme aimée la tension qui leur donne sens. Parmi ces oppositions, retenons la représentation d'une nature d'abord pauvre, puis riche, décor de ce poème, l'affrontement entre deux conceptions du temps et finalement la combinaison de deux types de communication bien différents.

Numérotées I (vers 1 à 21) et II (vers 22 à 32), les deux parties du poème « Je t'écris » donnent à voir des images de la nature totalement différentes. Le monde de la première partie est celui de « la dernière neige » (v. 3), du « froid » (v. 9), des « ciels d'hypnose » (v. 5). Le décor, dans ces trois premières strophes, est à peu près inexistant et les manifestations de la nature, plutôt hostiles, insolites, créent une atmosphère de désolation. Du fond constitué comme décor se détache le corps divisé, travaillé par l'absence, du sujet lyrique : à preuve la syntaxe heurtée du vers 8 « moi j'ai noir éclaté dans la tête » et les zeugmes des vers 7 « Qu'es-tu devenue toi comme hier » et 14 « c'est ma vie que j'ai mal et ton absence ». « [Les] ciels d'hypnose » donnent à voir un univers où la volonté disparaît, où l'on est à la merci des autres, figé dans une attitude de soumission. C'est le moment du crépuscule (« le soir », v. 6), du retour, de la solitude.

La seconde partie est associée à une nature riche, foisonnante. Le pluriel de « herbes » (v. 24), « yeux », « bêtes » (v. 26), « fenêtres » (v. 27), « mémoires » et « morts » (v. 30) donne l'impression de présences, celles de la femme et d'autres êtres. Le monde, ici, est satiété. Même les morts font en quelque sorte acte de présence. La solitude de la première partie, projetée vers le futur, est rompue. L'adjectif qualificatif « limoneux » évoque l'idée d'une terre généreuse, fertile. Le printemps (« tandis que le printemps liseronne aux fenêtres », v. 27), moment du renouveau de la nature, enrichit ce monde déjà plein. Les « espaces » sont animés, vivants.

De même que la représentation de la nature offre deux parties bien contrastées, le traitement du temps est double. Dans la première partie, deux choses le caractérisent : le présent est le temps dominant et les figures de répétition sont nombreuses. Parmi les 20 verbes conjugués des vers 1 à 21, 15 sont au présent de l'indicatif, trois au futur et deux au passé composé. Celui qui dit « je » souffre de l'absence de la femme aimée (son cœur « revient le soir comme une bête atteinte », v. 6), il s'inquiète de ne pas savoir où elle est (« Qu'es-tu devenue », v. 7) et le poème rend cette souffrance concrète en la situant dans l'instant de sa création: « moi j'ai noir éclaté dans la tête / j'ai froid dans la main / j'ai l'ennui comme un disque rengaine / j'ai peur d'aller seul de disparaître demain » (v. 8 à 11). Ce présent est non seulement pénible, mais il est aussi répétitif. L'ennui de la répétition machinale et quotidienne de certains gestes (« tous les jours », v. 2) se joint à l'image éloquente du « disque rengaine » (v. 10). Cette répétition est bien illustrée par l'utilisation, dans chacune des trois strophes de la première partie du poème, de la figure de l'anaphore : « le cœur parti » (v. 2 à 5), « j'ai » (v. 8 à 11), « sans ta » (v. 12 et 13), « que » (v. 17 à 21). La douleur et l'urgence liées au passage du temps sont explicites au quinzième vers : « Le temps saigne », la collusion entre l'être aimé et le temps étant établie dès le septième vers « Qu'es-tu devenue toi comme hier ».

En revanche, dans la deuxième partie du poème, le temps n'est plus ressenti de la même façon que dans la première, la souffrance est atténuée et le sentiment d'urgence qui s'exprimait dans la troisième strophe (« quand donc aurai-je de tes nouvelles », v. 16) fait place au rêve d'une union dans l'avenir. Certaines caractéristiques stylistiques de la première partie ne se retrouvent pas ici : plus d'anaphore, plus de rythme syncopé, tout est régularité et sérénité. Dans cette union espérée (« Quand nous serons couchés côte à côte », v. 22), les personnages devraient atteindre le temps de la plénitude amoureuse, du « rendez-vous des amants » (v. 28). Le sujet lyrique qui était en état de manque amoureux dans la première partie a rejoint celle qu'il aimait et ils partagent « la saison de nous deux » (v. 19). Même si les verbes conjugués au présent de l'indicatif restent plus nombreux (cinq) que ceux au futur de l'indicatif (deux), la position de ces derniers détermine tout le sens des deux dernières strophes, car ils se trouvent au vingt-deuxième vers et au vingt-quatrième et c'est donc par eux que le temps de l'union est indiqué. En outre, il faut noter que le temps des deux dernières strophes est un temps historique, ce que n'était pas celui des trois premières : il a l'âge de la terre (« dans la crevasse du temps limoneux », v. 23), il est celui de « notre fin du monde » (v. 28), il évoque « des mémoires » (v. 30). Les amoureux ne sont pas seuls au monde; l'histoire et les morts à chanter les accompagnent dorénavant.

La structure duelle du poème ne laisse pas son empreinte que sur le rapport du poète au temps; elle met aussi en opposition deux façons de concevoir la communication, deux rapports différents à la parole. En effet, la première partie est écrite sur le mode de la lettre et la seconde, de la poésie lyrique, du chant (« c'est avec toi que je veux chanter », v. 29). La lettre met en relation un « je » et un « tu » : à trois exceptions près (« tout », v. 18; « nous », v. 19; « il », v. 21), qui se trouvent toutes à la fin de la première partie et annoncent la seconde, ce sont les deux seuls pronoms personnels utilisés dans les trois premières strophes, de la même façon que le poète n'emploie que des possessifs (« mon », « ta », « ton », « tes ») des deux premières personnes (sauf « sa », v. 20). Cette lettre-poème, comme n'importe quelle lettre, essaie de substituer une présence à une absence. Si le poète ne cesse de se répéter (« Je t'écris pour te dire que », v. 1 et 17), c'est qu'il lui est impossible d'être avec l'autre, mais qu'il aimerait s'unir à elle par l'écriture. Son poème est une fausse conversation dans laquelle il n'y a plus que « je » et « tu ».

Dans la deuxième partie, il y a encore un « je » et un « tu », mais c'est la première personne du pluriel qui domine (« nous », v. 22, 24 et 31; « notre », v. 28). Alors que la lettre suppose une communication à sens unique (« Je t'écris »), le chant demande la participation de chacun (« c'est avec toi que je veux chanter », v. 29), la communion. Mais cette union du couple, tant souhaitée dans la première partie, serait pourtant rapidement dépassée une fois réalisée, car elle est liée au sort plus grand d'une mémoire collective dont il faut tenir compte. En effet, le « nous » du couple amoureux est immédiatement noyé dans celui des « morts d'aujourd'hui » qu'il faut célébrer, il ne s'en dissocie plus.

L'opposition des deux parties du poème « Je t'écris » pourrait laisser croire que ce poème est un chant d'espoir. Du soir au matin, de la nature désolante au monde accueillant, du présent douloureux au futur utopique, de la solitude de la lettre au partage du chant, les choses ne se sont-elles pas améliorées ? L'absence n'a-t-elle pas laissé place à une présence pleine et entière ? La syntaxe heurtée de la deuxième strophe n'a-t-elle pas fait place à la régularité des deux dernières ? Répondre oui à ces trois questions, ce serait oublier que la fusion amoureuse est liée explicitement dans ce poème aux images du destin collectif qui, lui, ne saurait être aussi facilement résolu.

Exemple 2

Extrait à commenter[1]

1 « Lélio. — [...] Je vous prie, Madame, de n'être point fâchée
de ce que j'avais votre portrait, j'étais dans l'ignorance.
La comtesse, *d'un air embarrassé*. — Ce n'est rien que cela, Monsieur.
Lélio. — C'est une aventure qui ne laisse pas que d'avoir un air singulier.
5 La comtesse. — Effectivement.
Lélio. — Il n'y a personne qui ne se persuade là-dessus que je vous aime.
La comtesse. — Je l'aurais cru moi-même, si je ne vous connaissais pas.
Lélio. — Quand vous le croiriez encore, je ne vous estimerais guère
moins clairvoyante.
10 La comtesse. — On n'est pas clairvoyante quand on se trompe,
et je me tromperais.
Lélio. — Ce n'est presque pas une erreur que cela, la chose est
si naturelle à penser!
La comtesse. — Mais voudriez-vous que j'eusse cette erreur-là ?
15 Lélio. — Moi, Madame! vous êtes la maîtresse.
La comtesse. — Et vous le maître, Monsieur.
Lélio. — De quoi le suis-je ?
La comtesse. — D'aimer ou de n'aimer pas.
Lélio. — Je vous reconnais : l'alternative est bien de vous, Madame.
20 La comtesse. — Eh! pas trop.
Lélio. — Pas trop... si j'osais interpréter ce mot-là!
La comtesse. — Et que trouvez-vous donc qu'il signifie ?
Lélio. — Ce qu'apparemment vous n'avez pas pensé.
La comtesse. — Voyons.
25 Lélio. — Vous ne me le pardonneriez jamais.
La comtesse. — Je ne suis pas vindicative.
Lélio, *à part*. — Ah! je ne sais ce que je dois faire.
La comtesse, *d'un air impatient*. — Monsieur Lélio, expliquez-vous,
et ne vous attendez pas que je vous devine.
30 Lélio. [*Il se jette aux genoux de la comtesse*.] — Eh bien, Madame!
me voilà expliqué, m'entendez-vous ? Vous ne répondez rien,
vous avez raison : mes extravagances ont combattu trop longtemps
contre vous, et j'ai mérité votre haine.
La comtesse. — Levez-vous, Monsieur.
35 Lélio. — Non, Madame, condamnez-moi, ou faites-moi grâce.
La comtesse, *confuse*. — Ne me demandez rien à présent :
reprenez le portrait de votre parente, et laissez-moi respirer.
Arlequin. — *Vivat*! Enfin, voilà la fin. »

Sans dissocier la forme et le fond, faire un commentaire composé de ce passage en présentant ses remarques de manière ordonnée. Étudier, par exemple, comment les répétitions de mots et les choix syntaxiques témoignent d'une conception particulière du langage de l'amour.

1. Pierre Carlet de Chamblain de Marivaux, *la Surprise de l'amour*, 1722, acte III, scène VI.

Commentaire composé

Alors que cela est fréquent dans le domaine de la philosophie, il est peu d'écrivains dont le nom propre a donné lieu à la création d'un nom commun. Si l'on parle aujourd'hui de confucianisme (Confucius), d'aristotélisme (Aristote) et de platonisme (Platon), une pareille transformation est plus rare en littérature, du moins en France, où l'on ne parle guère que de sadisme et de marivaudage. Ce dernier terme a été défini diversement depuis le XVIIIe siècle. Jean Terrasse, dans un ouvrage intitulé *le Sens et les signes : Étude sur le théâtre de Marivaux* (1986), résume les définitions modernes du marivaudage en les regroupant en quatre catégories : psychologie (l'évolution des personnages), herméneutique (le marivaudage comme façon de comprendre le monde), structure (la construction des pièces), langage (la façon de s'exprimer des personnages). *La Surprise de l'amour* (1722), une comédie en trois actes et en prose de Marivaux, illustre particulièrement bien la dimension linguistique du marivaudage. À la sixième scène du troisième acte, le spectateur assiste à la déclaration d'amour de Lélio à la comtesse, mais cette déclaration est sans cesse empêchée par le fait que les personnages s'attachent aux mots de leur partenaire plus qu'à leurs sentiments, par le fait qu'ils refusent d'affirmer clairement ce qu'ils ressentent et par le fait qu'il existe d'autres moyens d'expression que la parole.

Le critique Marmontel, dans ses *Éléments de littérature* publiés en 1787, écrivait que, dans le théâtre de Marivaux, « c'est sur le mot qu'on réplique, et non sur la chose ». C'est pourquoi les personnages de *la Surprise* attachent une importance aussi grande aux mots que choisissent leurs vis-à-vis. Lorsque la comtesse, par exemple, déclare : « Je l'aurais cru moi-même » (l. 7), Lélio lui répond : « Quand vous le croiriez encore » (l. 8). Si elle lui demande une explication (« expliquez-vous », l. 28), il lui réplique en utilisant sa propre expression (« me voilà expliqué », l. 31). D'autres mots seront également le sujet de répétitions et permettront des enchaînements par la reprise des mots du partenaire : « clairvoyante » (l. 9 et 10), « erreur » (l. 12 et 14), « maître » et « maîtresse » (l. 15 et 16), « Madame » et « Monsieur » (l. 15 et 16), « pas trop » (l. 20 et 21). Cette façon de faire a pour conséquence de souvent ralentir les échanges, d'obliger les personnages à continuellement préciser la nature de leur pensée en cherchant le mot le plus juste.

La révélation de l'amour est aussi ralentie par le constant recours du dramaturge à des tournures interrogatives, négatives ou hypothétiques. Au lieu d'affirmer une fois pour toutes leurs sentiments, les personnages s'interrogent les uns les autres, en plus de s'interroger eux-mêmes. La comtesse demande à Lélio : « Mais voudriez-vous que j'eusse cette erreur-là ? » (l. 14) et « Et que trouvez-vous donc qu'il signifie ? » (l. 22), qui, à son tour, lui pose les questions suivantes : « De quoi le suis-je ? » (l. 17) et « m'entendez-vous ? » (l. 31). La négation est un autre moyen du dramaturge pour montrer que l'amour ne parvient à se dire que difficilement. Du début de l'extrait choisi (« Je vous prie, Madame, de n'être point fâchée de ce que j'avais votre portrait », l. 1-2) jusqu'à la fin (« Ne me demandez rien à présent », l. 36), on trouve ainsi 19 propositions négatives. Le rôle de la construction hypothétique est le même que celui de l'interrogation et de la négation. Par exemple, quand l'une dit : « Je l'aurais cru moi-même, si je ne vous connaissais pas » (l. 7), l'autre enchaîne avec : « Quand vous le croiriez encore, je ne vous estimerais guère moins clairvoyante » (l. 8-9). Ces différentes tournures ne sont pas indépendantes les unes des autres et on les voit à l'occasion se combiner, comme dans les répliques « Vous ne me le pardonneriez jamais » (l. 25, hypothèse et négation) ou « Mais voudriez-vous que j'eusse cette erreur-là ? » (l. 14, hypothèse et interrogation). Dans cet extrait, la syntaxe empêche les personnages de se dire qu'ils s'aiment.

Devant de tels obstacles linguistiques, que faire ? Comment parvenir à exprimer ses sentiments amoureux ? Marivaux varie les réponses dans ses pièces. Dans *le Jeu de l'amour et du hasard*, il faut que l'amoureux se déclare de la façon la plus nette possible. Dans *la Surprise de l'amour*, la déclaration est muette. À la lecture de la sixième scène du troisième acte, il faut en effet se rendre à l'évidence : malgré de nombreuses tentatives de Lélio (l. 17 et 21), puis de la comtesse (l. 24 et 28-29), ni l'un ni l'autre n'avouera son amour par l'entremise du langage. L'homme se jettera à genoux (l. 30), la femme sera « confuse » (l. 36). Seul Arlequin, le valet de Lélio, criera tout haut ce que les maîtres pensent tout bas : « *Vivat!* Enfin, voilà la fin » (l. 38).

Marivaux impose donc à ses personnages un langage qu'il leur est difficile de maîtriser. Soit parce qu'ils répètent les mots de l'autre à défaut d'avoir les leurs en propre, soit parce qu'ils s'engluent dans un tissu de négations, d'interrogations et d'hypothèses, ils n'arrivent pas vraiment, du moins dans *la Surprise de l'amour*, à partager leurs sentiments par la parole. N'est-ce pas cette difficulté qui donne sa spécificité aux œuvres dramatiques de Marivaux ? Ses personnages, pour parvenir à séduire l'autre, doivent-ils lutter contre un langage qui n'est pas à eux et découvrir une façon de s'exprimer qui leur soit personnelle ? Le marivaudage est peut-être cette expérience de la découverte commune de l'amour et des moyens de son expression.

Voir tableau **Citation**
Voir tableau **Conclusion**
Voir tableau **Développement**
Voir tableau **Introduction**
Voir tableau **Plan**

Communications d'affaires écrites

Écrits de toutes sortes dont se sert l'organisation pour communiquer, tant à l'intérieur qu'à l'extérieur, pour informer ou convaincre un destinataire, pour provoquer une décision chez ce dernier.

Plan du tableau

Éléments fondamentaux de la communication

Afin de choisir le type de communication d'affaires le plus approprié à la situation de communication, on recommande de passer en revue les éléments suivants.

1. **Choix du porte-parole**
   - Détermination du rédacteur (expéditeur du message) approprié en fonction de la situation et du destinataire.
2. **Définition du message**
   - Adaptation du contenu, de la forme, du style, de la structure du message au contexte de la communication.
3. **Détermination précise du destinataire**
   - Détermination du destinataire d'une communication.
   - Description des effets possibles ou probables d'une communication sur le destinataire.
   - Définition des besoins d'information du destinataire en fonction de son rôle, de sa position hiérarchique, de ses connaissances ou de son savoir-faire.
4. **Définition de l'objectif de la communication**
   - Établissement du but recherché : informer, persuader ou provoquer une décision.
5. **Choix du mode : le moyen**
   - Détermination du ou des modes de communication (communication directe ou indirecte, immédiate ou différée).
6. **Choix du moment**
   - Justification du moment choisi (synchronisme).
7. **Choix du type de communication**
   - Détermination du type de communication qui convient le plus au but visé et au destinataire.

Destinataire de la communication

Les **destinataires** de communications d'affaires sont souvent très sollicités. Il faut donc tenter de cibler leurs besoins le plus possible et de leur présenter l'information de façon claire et agréable en respectant les points suivants.

- **Clarifier l'objet** dès l'introduction du document.
- **Simplifier la lecture** de la communication par l'emploi de titres, de jalons destinés à mettre en évidence la progression des idées et à faire de la communication un document à plusieurs entrées.
- **Rédiger des conclusions partielles** à la fin de chaque section du document.
- **Rappeler l'objet, la problématique** avant de formuler des propositions et de conclure.

Typologie des communications d'affaires écrites

Avis de convocation

- Écrit qui sert à informer les participants de la tenue d'une assemblée, d'une réunion, etc., et qui indique la date, l'heure, le lieu et l'objet de la rencontre.

Voir tableau **Avis de convocation**

Avis de nomination

- Court texte paraissant dans les périodiques et présentant succinctement le nouveau ou la nouvelle titulaire d'un poste.

Voir tableau **Avis de nomination**

Carte d'invitation

- Petit rectangle cartonné sur lequel on prie une ou des personnes de prendre part à une activité.

Voir tableau **Carte d'invitation**

Carte professionnelle

- Petit rectangle cartonné sur lequel on fait imprimer son nom, son titre, la dénomination de son unité administrative, la raison sociale de son entreprise ou la désignation de l'organisme qu'on représente, son adresse postale, ses numéros de téléphone, de téléphone cellulaire et de télécopie, ainsi que ses adresses de courrier électronique et de site W3.

Voir tableau **Carte professionnelle**

Communiqué

- Avis transmis par voie officielle que l'on adresse aux médias pour publication.

Voir tableau **Communiqué**

Compte rendu

- Document qui rend compte de la façon la plus objective possible d'une situation particulière et dont l'objet n'est pas d'analyser ou de critiquer, mais strictement de constater des faits, d'informer, de relater.
- Le signataire ne formule aucune proposition, ne fait pas de recommandation, ne propose pas de solution.
- Le compte rendu est plus ou moins détaillé et sa présentation n'est pas standardisée.

Voir tableau **Compte rendu**

Curriculum vitæ

- Document dont l'objet est de résumer les renseignements relatifs à la formation, aux aptitudes et à l'expérience d'une personne en dégageant les points forts de son activité professionnelle et en faisant ressortir ses réalisations ainsi que les responsabilités qu'elle a assumées.

Voir tableau **Curriculum vitæ**

Lettre

- Écrit relativement bref dont l'objet est de transmettre des informations à des particuliers, à des entreprises ou à des administrations.
- La plupart des communications s'effectuent par lettre.
- Le format et la présentation d'une lettre sont standardisés.

Voir tableaux **Lettre**

Note (de service)

- Écrit très concis dont l'objet est de communiquer des renseignements, des consignes, des ordres à une personne, à un groupe de personnes, à un service ou à l'ensemble du personnel d'une entreprise ou d'une administration.
- La note remplace la lettre lorsque signataire et destinataire appartiennent à la même entreprise, au même organisme.
- Le format et la présentation de la note sont standardisés.

Voir tableau **Note (de service)**

Note de synthèse

- Document concis et structuré qui résulte de la synthèse d'informations obtenues dans un dossier constitué de textes de nature différente, parfois contradictoires, dont on tente de dégager une ligne directrice.

Voir tableau **Note de synthèse**

Offre de service

- Document dont l'objet est de présenter les produits et les services offerts par une entreprise à un client éventuel.
- L'offre de service étant en quelque sorte le curriculum vitæ de l'entreprise, sa présentation doit être particulièrement soignée et rigoureuse.

Voir tableau **Offre de service**

Ordre du jour

- Liste des questions ou des sujets qui seront débattus lors d'une assemblée, d'une rencontre, d'une réunion, que l'on joint fréquemment à l'avis de convocation.

Voir tableau **Ordre du jour**

Procès-verbal

- Document officiel qui rend compte d'une activité, d'une réunion, d'un événement et dont l'objet est de constituer un témoignage écrit et officiel de certains actes importants.
- Ce compte rendu doit recevoir l'approbation des personnes présentes pour être authentifié.
- Le procès-verbal, qui peut être exhaustif ou résumé, doit comprendre un certain nombre de mentions obligatoires : lieu, date et heure de la réunion ou de l'activité, ordre du jour, liste des participants, signature du secrétaire.

Voir tableau **Procès-verbal**

Rapport

- Document de taille variable dont l'objet est de formuler des propositions, des recommandations ou des avis, de proposer des actions à partir de l'étude approfondie d'un problème ou de l'examen attentif d'une situation.
- Contrairement au compte rendu qui s'apparente à une description, le rapport est une démonstration dont l'articulation est conçue de manière à convaincre le lecteur du bien-fondé de la position de l'auteur.
- Le format et la présentation du rapport ne sont pas standardisés.

Voir tableau **Rapport**

Résumé

- Document de synthèse qui expose de façon concise les éléments principaux d'un texte long ou d'un dossier et dont l'objet est de permettre au destinataire de prendre connaissance très rapidement des aspects importants d'une question.

Voir tableau **Résumé**

Communiqué

Plan du tableau

Éléments d'information transmis aux médias en vue d'une publication ou d'une diffusion.

Éléments

- Mention « Communiqué »
- Provenance (souvent dans l'en-tête)
- Date d'envoi
- Autorisation de publication
  - À publier le 8 janvier 1996
  - À publier immédiatement
  - À publier dès réception
  - Embargo jusqu'au 8 janvier 1996
  - Ne pas publier avant le 8 janvier 1996
- Surtitre (facultatif)
- Titre
- Préambule (facultatif)
- Texte
- Indicatif, — 30 —, annonçant la fin du texte à diffuser
- Source : nom, titre, numéro de téléphone et adresse électronique de la personne à joindre pour avoir des renseignements supplémentaires

Qualités d'un bon communiqué

- Intérêt de la nouvelle pour le public
- Exactitude des renseignements
- Qualité de la langue
- Brièveté

Conseils pour la rédaction

pas d'introduction classique
- Il faut dès le début entrer dans le vif du sujet pour éveiller immédiatement l'attention du destinataire. L'introduction classique en trois parties (amener le sujet, poser le sujet, annoncer le plan) n'est pas recommandée dans un communiqué, car la première partie est trop vague et décourage le lecteur.

plan
- Dans l'organisation des renseignements à communiquer, on va de l'essentiel à l'accessoire, les médias coupant le texte par la fin s'il est trop long.

approche journalistique
- Le premier paragraphe, ou le préambule si l'on choisit d'en inclure un, doit répondre aux six grandes questions fondamentales : Qui ?, Quand ?, Quoi ?, Comment ?, Où ?, Pourquoi ? Il doit contenir, si possible, tous les éléments importants du message à transmettre.

corps du texte
- Les autres paragraphes servent à étoffer les informations contenues dans le premier paragraphe en fournissant détails, circonstances, anecdotes, citations, exemples : bref, ce qu'il faut pour rendre un texte vivant.

pas de conclusion classique
- Il n'y a pas de conclusion classique. On termine tout simplement en donnant le dernier élément d'information pertinent.

sous-titres
- Si le communiqué est long, l'ajout de sous-titres est utile pour guider le lecteur.

loi de la proximité

- Une personne a plus de chances d'être attirée par un communiqué qui respecte la loi de la proximité. Selon cette théorie, le lecteur moyen s'intéresse davantage à une nouvelle qui se passe près de chez lui (proximité géographique), à son époque (proximité temporelle), dans son milieu (proximité sociale) et qui touche à sa vie privée (proximité psychologique). Lorsque l'information à transmettre ne respecte pas cette loi, il est bon, dès le début du communiqué, d'établir un lien entre les renseignements à diffuser et la vie du lecteur au moyen d'une anecdote, d'une citation, etc.

Mise en pages

On suggère une mise en pages aérée :

- double interligne,
- sous-titres,
- larges marges.

Si le communiqué est retenu, les utilisateurs pourront inscrire directement leurs commentaires ou des indications typographiques dans les marges.

Exemples de communiqués

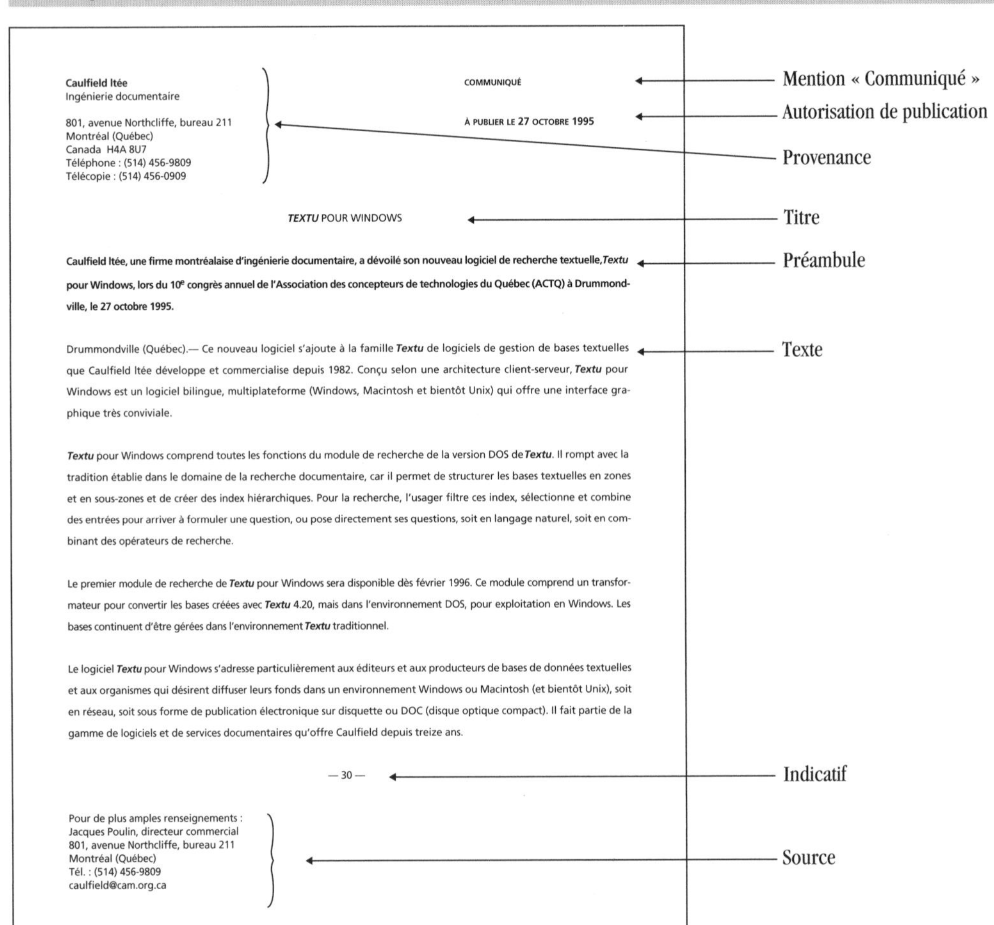

Caulfield ltée
Ingénierie documentaire

801, avenue Northcliffe, bureau 211
Montréal (Québec)
Canada H4A 8U7
Téléphone : (514) 456-9809
Télécopie : (514) 456-0909

COMMUNIQUÉ

À PUBLIER LE 27 OCTOBRE 1995

TEXTU POUR WINDOWS

Caulfield ltée, une firme montréalaise d'ingénierie documentaire, a dévoilé son nouveau logiciel de recherche textuelle, *Textu* pour Windows, lors du 10e congrès annuel de l'Association des concepteurs de technologies du Québec (ACTQ) à Drummondville, le 27 octobre 1995.

Drummondville (Québec).— Ce nouveau logiciel s'ajoute à la famille ***Textu*** de logiciels de gestion de bases textuelles que Caulfield ltée développe et commercialise depuis 1982. Conçu selon une architecture client-serveur, ***Textu*** pour Windows est un logiciel bilingue, multiplateforme (Windows, Macintosh et bientôt Unix) qui offre une interface graphique très conviviale.

Textu pour Windows comprend toutes les fonctions du module de recherche de la version DOS de ***Textu***. Il rompt avec la tradition établie dans le domaine de la recherche documentaire, car il permet de structurer les bases textuelles en zones et en sous-zones et de créer des index hiérarchiques. Pour la recherche, l'usager filtre ces index, sélectionne et combine des entrées pour arriver à formuler une question, ou pose directement ses questions, soit en langage naturel, soit en combinant des opérateurs de recherche.

Le premier module de recherche de ***Textu*** pour Windows sera disponible dès février 1996. Ce module comprend un transformateur pour convertir les bases créées avec ***Textu*** 4.20, mais dans l'environnement DOS, pour exploitation en Windows. Les bases continuent d'être gérées dans l'environnement ***Textu*** traditionnel.

Le logiciel ***Textu*** pour Windows s'adresse particulièrement aux éditeurs et aux producteurs de bases de données textuelles et aux organismes qui désirent diffuser leurs fonds dans un environnement Windows ou Macintosh (et bientôt Unix), soit en réseau, soit sous forme de publication électronique sur disquette ou DOC (disque optique compact). Il fait partie de la gamme de logiciels et de services documentaires qu'offre Caulfield depuis treize ans.

— 30 —

Pour de plus amples renseignements :
Jacques Poulin, directeur commercial
801, avenue Northcliffe, bureau 211
Montréal (Québec)
Tél. : (514) 456-9809
caulfield@cam.org.ca

École des Hautes Études Commerciales Affiliée à l'Université de Montréal	Provenance
COMMUNIQUÉ	Mention « Communiqué »
À PUBLIER IMMÉDIATEMENT	Autorisation de publication
Le 19 décembre 1994	Date
Naît-on entrepreneur ou le devient-on ?	Surtitre
Les HEC et l'Institut de la PME de la Banque de Montréal annoncent un projet de recherche sur les entrepreneurs	Titre
Naît-on entrepreneur ou le devient-on ? Qu'est-ce qui est inné chez l'entrepreneur et qu'est-ce qui est acquis par influence extérieure, qu'il s'agisse de la famille, de la société, de la culture ou de l'éducation ? Pour répondre à ces questions, Jacques Baronet, étudiant du programme de doctorat de l'École des Hautes Études Commerciales, effectuera principalement ses recherches dans la Beauce où il existe, comme on le sait, une concentration d'entrepreneurs supérieure à la moyenne. Pour ce faire, il bénéficiera au cours des deux prochaines années d'une contribution de 50 000 $ au financement de son projet accordée par l'Institut de la PME de la Banque de Montréal. L'annonce de l'entente visant la réalisation de ce projet de recherche sur les entrepreneurs a été faite le 14 décembre, aux HEC, par M. Jean Guertin, directeur de l'École des HEC, et M. Anthony Comper, président et chef de l'exploitation de la Banque de Montréal. Le comité de doctorat qui assure la supervision de ce projet est présidé par Mme Patricia Pitcher, professeure des HEC, ex-vice-présidente de la Fédération canadienne de l'entreprise indépendante et auteure d'un ouvrage majeur qui vient de paraître, *Artistes, artisans et technocrates dans nos organisations : Rêves, réalités et illusions du leadership.* Pour Mme Pitcher, la Banque de Montréal « a eu du génie » en acceptant de subventionner cette recherche fondamentale, l'une des premières, sinon la première, portant sur ce grand sujet d'intérêt. Elle ne doute pas que les résultats de cette recherche permettront une meilleure compréhension entre les entrepreneurs et l'Institut de la PME, tout comme ils auront des répercussions importantes sur l'enseignement universitaire. La recherche de M. Baronet vise à découvrir les particularités psychologiques des entrepreneurs. Déjà il estime que ceux-ci partagent avec les artistes, les scientifiques et les leaders certaines caractéristiques, comme un processus décisionnel intuitif et une grande estime de soi, mais aussi cette structure psychologique dite « bipolaire » caractérisée par des changements d'humeur très marqués. M. Baronet cherchera à trouver de quelle façon les entrepreneurs gèrent ces différentes facettes de leur personnalité. Il tentera aussi d'isoler les facteurs personnels, externes et collectifs qui permettront d'évaluer ce qui est inné et ce qui est acquis chez les entrepreneurs. « Les résultats de ces travaux constitueront une première étape importante dans notre plan qui consiste à établir une stratégie propice au développement de l'esprit d'entreprise dans les collectivités », a déclaré M. Geoff Cannon, directeur général de l'Institut de la PME. Fier de ce nouveau partenariat, M. Jean Guertin croit que l'expertise des HEC en matière d'entrepreneurship ainsi mise à profit sera utile non seulement à l'Institut de la PME mais aussi aux entrepreneurs, et de façon plus large à la société. Il s'agit certainement là, a-t-il souligné, d'une voie à emprunter.	Texte
— 30 —	Indicatif
Source : Sylvie Belhumeur Adjointe à la directrice des relations publiques École des HEC (514) 379-4119	Source

Voir tableau **Correction**
Voir tableau **Révision**

Compte rendu

Bref document organisé autour d'un certain nombre de grands titres qui rend compte de la façon la plus objective et fidèle possible d'une situation particulière (entretien, mission, avancement d'une recherche, progression de travaux, colloque, réunion, séance de travail, etc.) et dont l'objet n'est pas de juger, de proposer des solutions ou de formuler des recommandations, comme le rapport, mais strictement d'exposer des faits, d'informer, de relater.

Plan du tableau

Buts

Informer autrui

- Relater des faits, transmettre des données, informer les personnes intéressées par une activité à laquelle elles n'ont pas participé. Ex. : compte rendu de mission.

Conserver des traces pour soi

- Conserver des données sur une activité à laquelle on était présent. Ex. : compte rendu d'une visite commerciale, d'une entrevue, d'une conversation téléphonique.

Conserver des traces pour la mémoire collective

- Conserver des données sur une activité à des fins de vérification ou de consultation. Permettre au groupe de se référer à un texte qui fait état avec exactitude et précision d'un fait. Ex. : compte rendu de réunion.

Types de comptes rendus

Compte rendu littéral ou exhaustif

- Les propos, les faits sont notés et retransmis intégralement avec les nom et titre de fonction de chaque participant, par exemple la transcription littérale des débats parlementaires, des minutes d'un procès.

Compte rendu résumé ou sélectif

- Les faits importants sont retenus **en fonction des besoins des destinataires**. La sélection des informations doit être faite consciencieusement et avec discernement afin de conserver toutes les données utiles et seulement ces données. Ainsi, une même situation peut donner lieu à plusieurs comptes rendus, selon ce qu'en attendent les destinataires. Les comptes rendus sélectifs ou résumés sont les plus fréquents.

Compte rendu centré sur les décisions

- Seules sont rapportées les propositions, les décisions ; les échanges, les discussions qui ont précédé la prise de décision ne sont pas retenus par souci de concision.

Compte rendu et procès-verbal

Le compte rendu et le procès-verbal visent un même objectif : rendre compte fidèlement et objectivement. Cependant, certaines différences les caractérisent.

Compte rendu

- Le compte rendu est un document d'une **nature moins officielle** que le procès-verbal.
- Il est également d'une **moins grande rigidité** dans la description des faits.
- Le compte rendu est établi par une personne ayant assisté et **participé** à l'événement.

Procès-verbal

- Le procès-verbal est rédigé par un secrétaire qui **n'intervient pas** dans les débats.
- Le procès-verbal doit recevoir l'**approbation** des membres de l'assemblée pour laquelle il a été rédigé, ce qui n'est pas le cas du compte rendu.

Structure du compte rendu

Le compte rendu peut être plus ou moins détaillé et sa présentation n'est pas standardisée. Un compte rendu comprend les parties suivantes :

- Un **exposé** fait connaître le cadre et les circonstances de l'activité.
  - Désignation de l'activité
  - Énumération des participants (présences et absences)
  - Lieu de l'activité
  - Date de l'activité
  - Objet de l'activité
- Un **développement** est consacré à la narration des différentes étapes, à la relation proprement dite de l'activité selon un plan chronologique ou un plan thématique.
  - Plan chronologique
    On rend compte des événements, des échanges, des prises de décision dans l'ordre dans lequel ils se sont déroulés.
  - Plan thématique
    À propos de chaque aspect traité, on dégage : les principales idées formulées, les diverses tendances qui se sont manifestées, les décisions prises. Ce plan convient en particulier aux comptes rendus de réunion ; on évite ainsi au lecteur les répétitions ou le désordre des discussions.

    ☞ Les paragraphes peuvent être présentés avec des titres et une numérotation décimale.
- Une **finale** marque la fin de l'activité. On annonce les événements à venir, s'il y en a (date de la prochaine réunion, par exemple), puis la fin de l'activité. Le compte rendu doit être signé par le rédacteur. Dans le cas d'un compte rendu de réunion, il comporte également la signature du président d'assemblée.

Conseils pour la rédaction

notes
- Lors de l'activité dont on rend compte, il faut veiller à prendre les notes les plus complètes possibles.

liste d'émargement
- Si le nombre de participants est important, le ou la secrétaire peut faire circuler une feuille, dite liste d'émargement, pour que chaque personne présente y inscrive son nom.

représentation
- Si les personnes convoquées à l'activité se font représenter, on le signale dans la liste des présences.

mode, temps, forme
- On conseille de rédiger les comptes rendus à l'indicatif présent, qui est le temps le plus simple et le plus vivant, et à la forme impersonnelle.

désignation des participants

• Dans la rédaction du compte rendu, on peut nommer les participants par leur nom lorsqu'ils interviennent, on peut également les désigner par leur titre de fonction uniquement (le directeur du Service des relations publiques a suggéré que...) ou on peut ne rien préciser si les participants sont nombreux ou si cette information n'est pas pertinente (un auditeur a proposé que...).

style

• Le compte rendu peut être rédigé en phrases complètes ou, lorsque c'est commode, en style télégraphique.

objectivité

• Le rédacteur doit mettre de côté ses impressions personnelles, ses goûts et présenter tous les aspects d'une question, et pas seulement ceux qui lui plaisent.

pas de conclusion classique

• Le signataire du compte rendu ne formule aucune proposition, ne fait pas de recommandation. Le compte rendu ne comporte pas de conclusion, d'avis ou de jugement personnel. On peut terminer en disant tout simplement : « La réunion s'est terminée à 20 h. » Il faut s'en tenir aux faits, informer, relater.

Exemple de compte rendu de réunion

Compte rendu de la 9e réunion du gopher Freud qui a eu lieu le 29 septembre 1995 dans la salle 8097 du pavillon Joseph-François-Lafitau

Sont présents : Michèle Bourque
Catherine Dorais
Christian Thomas
Benoît Tremblay, président
Linda Zago, secrétaire

S'est excusé : Pierre Sauvé, trésorier

1 Ouverture de la réunion
Tous les membres du bureau étant présents, à l'exception du membre qui s'est excusé, la réunion commence à l'heure.

2 Nomination du secrétaire
Linda Zago accepte d'agir à titre de secrétaire de la réunion.

3 Adoption de l'ordre du jour
Les membres adoptent à l'unanimité l'ordre du jour de la réunion.

4 Postes à créer ou à combler
La première moitié de la séance porte sur la réévaluation d'un projet abandonné l'an dernier et que l'on envisage de relancer : la création d'un demi-poste (13 000 $ - 15 000 $) de responsable des activités électroniques. Ce poste qui serait proposé sur une base annuelle à un étudiant devrait être financé par l'ensemble des départements de la faculté. L. Zago accepte de donner suite à ce projet.

Selon M. Bourque, les deux aspects de nos activités électroniques devraient être séparés. On devrait créer deux postes : un poste de secrétaire administratif de la liste Œdipe rémunéré sur une base contractuelle et un poste de responsable de l'entretien du gopher Freud, dont le titulaire serait en liaison dynamique avec les autres instances de l'université. Les participants évoquent tous la question du recrutement pour combler ces deux postes, les candidats n'étant pas légion. B. Tremblay annonce qu'il tentera de convaincre une de ses étudiantes de maîtrise (Gabrielle Maisonneuve) d'accepter le poste.

5 Mise en ligne de documents
Nous abordons le sujet de la mise en ligne des résumés de thèse de doctorat et de mémoire de maîtrise. Nous soulevons les questions suivantes reliées à ce projet : Y a-t-il des permissions à demander ? À qui ? Où sont les fichiers ? On remonte jusqu'à quelle année ? C. Dorais s'engage à commencer les recherches de ce côté et à nous en informer lors de la prochaine réunion.

Nous passons alors à la question de la mise en ligne des instruments pédagogiques. Les ouvrages étant fort nombreux, nous établissons une liste de priorités ainsi qu'une grille de présentation jointe en annexe. On s'entend sur le fait que C. Thomas s'attaque à cette tâche avant la prochaine réunion, afin de tester la grille. Nous pourrons ainsi, lors de notre prochaine rencontre, la modifier si jamais elle ne convenait pas.

Quant à la participation de l'association des étudiants du département au projet de mise en ligne du répertoire des cours de l'établissement, nous estimons qu'elle est essentielle et que l'un de nous doit être invité à aller parler de ce projet lors de la prochaine assemblée étudiante. Ce projet concerne la communauté universitaire entière et les étudiants doivent être mis dans le coup dès le début.

6 Clôture de la réunion
L'ordre du jour étant épuisé, la réunion se termine à 11 h 10 après entente sur la date de la prochaine réunion qui aura lieu le 23 octobre 1995 dans la même salle.

Rédigé par L. Zago

Exemple de compte rendu de visite commerciale

Les sacs à main
Chatterton ltée

DANIEL BUTLER, REPRÉSENTANT

Compte rendu de la tournée de représentation auprès de la clientèle de l'Estrie des 12 et 13 décembre 1995

1. Boutique Thomas d'Acton Vale tenue par M. Bertrand Lesage

C'est un nouveau client, recommandé par Mme Jeanne Colette de Sherbrooke.

1.1. Nature de sa clientèle
C'est une clientèle de vacanciers à l'aise financièrement, sur place les fins de semaine durant l'année scolaire et une grande partie de l'été.

1.2. Produits qui l'intéressent
M. Lesage dit que sa clientèle recherche essentiellement de petits objets en cuir tels des porte-clés, des porte-monnaie, des portefeuilles, des porte-cartes, etc., à offrir en cadeau lors de petites fêtes ou de réceptions. Il accepte également de prendre quelques sacs à main. Les serviettes, porte-documents et cartables ne l'intéressent pas.

1.3. Commande
[...]

2. Maroquinerie Tate du centre commercial Les Galeries du Nord de Sherbrooke

C'est un client depuis 1987.

2.1. Réactions aux produits livrés en octobre
- points négatifs : emballage
  résistance
- points positifs : coloris
  prix

2.2. Commande
[...]

Voir tableau **Avis de convocation**
Voir tableau **Correction**
Voir tableau **Ordre du jour**
Voir tableau **Procès-verbal**
Voir tableau **Révision**

Compte rendu critique

Présentation factuelle d'un texte, accompagnée d'un jugement ou d'une critique.

Plan du tableau

Éléments

- Notice bibliographique de l'ouvrage
- Présentation de l'auteur et de l'ouvrage
- Jugement ou critique de l'ouvrage

Buts

Rendre compte de l'ouvrage

- Dans le compte rendu critique, il faut chercher à être le plus complet possible, sans pour autant s'encombrer de détails. Après avoir lu un compte rendu, le lecteur doit avoir une compréhension claire et exacte du texte : son contenu, son organisation, ses caractéristiques principales, ses thèmes, ses thèses majeures, son importance, son originalité, etc.

Rendre justice à l'ouvrage

- Il faut être le plus objectif et fidèle possible, du moins dans la présentation factuelle de l'ouvrage.
- Il ne faut laisser dans l'ombre aucun aspect déterminant du texte, même si l'on est en désaccord avec ce qui y est exprimé.

Rendre raison de l'ouvrage

- L'on peut proposer une explication ou une critique du texte en le situant par rapport à d'autres ouvrages du même auteur ou par rapport à des ouvrages qui s'y apparentent, ou encore en fonction de critères plus personnels.
- Toute hypothèse d'explication d'un texte, comme toute critique personnelle, suppose une réflexion sur le contexte historique, théorique, social, politique, littéraire, etc., de l'ouvrage.
- Il faut être personnel dans sa critique, sans pour autant céder à la seule impression de lecture. On évitera donc de tout ramener à ses goûts, à sa seule subjectivité (« J'ai aimé cet ouvrage », « Je n'ai pas aimé ce livre »).

Conseils pour la rédaction

- Parce que les lecteurs sont très souvent submergés de comptes rendus critiques, le début d'un tel écrit est particulièrement important ; il importe de **piquer immédiatement l'intérêt du lecteur**, soit par une citation forte, soit par un jugement d'ensemble, soit par une plongée directe dans l'ouvrage.
- On ne présente des renseignements sur la **vie** de l'auteur que dans la mesure où ils sont pertinents.

- Dans la **critique**, il ne faut pas tenter de commenter tout le contenu, mais choisir certains aspects que l'on traite en profondeur.
- On peut inclure des **références** et des **citations** pour étoffer sa présentation ou sa critique.
- La présentation factuelle de l'ouvrage et son commentaire doivent être clairement distingués : il ne faut pas que le lecteur confonde la **description** et le **commentaire**.

Exemples de comptes rendus critiques

Exemple 1

Hervé Prudon, *Champs-Élysées*, Paris, Mazarine, 1984, 214 p.

[Martin Bollène aime éperdument Jasmina, « la plus belle fille du monde », qu'il a rencontrée dans le train le ramenant à Paris. Après quatre années passées en montagne à la recherche de son « âme », il rentre, engagé par la Prestige Élysées Films, pour tourner une publicité de trente secondes. Alors plongé en pleine guerre des gangs, il voit disparaître Jasmina et se trouve au centre d'affrontements (auxquels il ne comprend rien) entre bandes rivales. Mais Bollène n'est pas un héros ; il se sentirait plutôt, comme la bille d'un flipper, à la merci d'un « grand manager » inconnu. Les Champs-Élysées, « mirages bordés de cactus » ou « traînée lumineuse de l'Occident chrétien », ne sont que le décor de cette histoire d'amour ; la vie est ailleurs, dans les parkings et les galeries souterraines, les bureaux insonorisés ou les wagons désaffectés.] [Comme dans *Banquise*, un de ses romans précédents, Prudon fait avec *Champs-Élysées* autant dans la « poésie suburbaine » que dans le néopolar.] [Enlevée, brillante, jouant des modes et des niveaux linguistiques, la prose de Prudon rend aussi bien la tendresse de Bollène pour son père que la violence urbaine. Sur fond de désillusion post-soixante-huitarde, l'auteur met en scène divers mythes modernes (les bas-fonds de la ville, l'amour fou, le héros solitaire), sans clichés ni pathos.] [Même si « Paris écrase tout », Bollène et Jasmina s'en sortiront.]

Benoît Melançon, « En bref », *Spirale*, n° 46 (octobre 1984), p. 12.

Exemple 2

Jacques Poulin, *Volkswagen Blues*, Montréal, Québec / Amérique, 1984, 290 p. ← Notice bibliographique de l'ouvrage

[Le mythe du grand roman national traverse plusieurs littératures : l'Espagne a *Don Quichotte*, l'Irlande, *Ulysse*, les États-Unis, *Moby Dick*. Au Québec, Victor-Lévy Beaulieu incarne cet idéal par l'annonce d'une longue suite romanesque, *la Grande Tribu*. Dans *les Grandes Marées* (Leméac, 1978) de Jacques Poulin, le personnage de l'Auteur rêvait lui aussi d'écrire « le grand roman de l'Amérique », sans y parvenir. *Volkswagen Blues* prend l'exact contre-pied de ce rêve : toute en nuances, cette évocation du « Grand Rêve de l'Amérique » est un roman important, certes, mais qui ne repose pas sur le parti pris épique qu'on serait en droit d'attendre d'un texte fondateur. L'écriture n'est pas ici totalisation ; c'est plutôt une « forme d'exploration ».] ← Situation du texte par rapport à d'autres du même genre

[Jack Waterman est écrivain. Durant une période improductive où il cherche à quoi s'accrocher, il se met en quête de son frère Théo disparu depuis une vingtaine d'années. De Gaspé à San Francisco, en passant par Québec, Toronto, Chicago, Saint Louis et Kansas City, suivant la Piste de l'Oregon après avoir remonté le fleuve Saint-Laurent, Jack interroge le moindre signe laissé par ce frère quasi mythique dans une Amérique qui ne l'est pas moins. Aidé par la Grande Sauterelle, une mécanicienne métisse rencontrée à Gaspé, Jack retrouve à San Francisco un Théo infirme qui ne le reconnaît pas : « *I don't know you.* » Le but du périple américain de Jack et de la Grande Sauterelle n'était toutefois plus uniquement de retrouver Théo ; il avait été remplacé par une recherche de l'identité culturelle chez la jeune fille et de la vie hors des livres chez le romancier. Se greffera également à ces recherches une quête, fondamentale celle-là, du bonheur, mais ce dernier « est rare et pour l'obtenir il faut beaucoup d'efforts, de peines et de fatigues ». La Grande Sauterelle restera à San Francisco, Jack reviendra au Québec sous l'aide protectrice des « dieux indiens » et des « autres ». Avant d'en arriver là, il leur aura fallu traverser un continent et sa violence à bord d'un vieux minibus Volkswagen. ← Présentation de l'œuvre

Les indices sur lesquels se guident Jack et la Grande Sauterelle sont ténus : « une carte postale bizarre, un dossier de police, un article dans un vieux journal... et une traînée de lumière sur un visage de femme ». Jouant sur le modèle du roman d'aventures, *Volkswagen Blues* est une suite de rencontres chaleureuses : un gardien de bibliothèque philosophe, un grand écrivain né à Montréal (Saul Bellow), un garçon de stationnement, un journaliste enquêtant sur les francophones des États-Unis, la femme d'un « *bull rider* », un vagabond se prenant pour Hemingway, un poète de la *beat generation* (Lawrence Ferlinghetti), une vieille chanteuse de rue. Chaque fois que la piste de Théo s'efface, survient une rencontre qui relance la quête.

Les cartes géographiques tiennent une place toute spéciale dans ce roman de la route. L'itinéraire de Théo, et donc celui de Jack, est calqué sur celui des premiers colons français et américains, comme le montre la carte reproduite en hors-texte. Le trajet des protagonistes est clairement délimité dans l'espace : routes suivies, arrêts, rencontres. Le périple est également temporel, historique. Comme dans un roman pour enfants, Jack et la Grande Sauterelle se racontent toutes sortes de légendes, revivent l'histoire des pionniers, explorent autant un passé qu'un territoire. Enfin, les relations entre l'écrivain vieillissant et la jeune fille rencontrée miraculeusement dans la brume de Gaspé dessinent une véritable Carte du Tendre.

L'univers de Poulin est riche en livres de toutes sortes. Dans une des plus belles pages du roman, la Grande Sauterelle explique à Jack qu'il ne faut pas juger les livres un par un : « Ce que l'on croit être un livre n'est la plupart du temps qu'une partie d'un autre livre plus vaste auquel plusieurs auteurs ont collaboré sans le savoir. » Ainsi, les cinq romans qu'a écrits Jack, les livres qu'« emprunte » la Grande Sauterelle et ceux dont ils sont tous les deux « amoureux » et qu'ils lisent durant leur traversée de l'Amérique font partie d'un vaste ensemble qu'on pourrait appeler le texte de l'Amérique. Lire et voyager, c'est un tout : un parcours.

Américain, ce roman l'est encore par la récurrence du thème de la frontière. La maison d'enfance de Jack et de Théo était située près de la frontière américaine. Jack et la Grande Sauterelle traversent successivement la frontière des États-Unis, « Le milieu de l'Amérique » (Kansas City) et « La ligne de partage des eaux » (au Wyoming). Entre rêve et réalité, la frontière est mince : Théo n'est-il pas « à moitié vrai et à moitié inventé » ? Le romancier de poursuivre, plongeant dans l'onirique : « Et s'il y avait une autre moitié... La troisième moitié serait moi-même, c'est-à-dire la partie de moi-même qui a oublié de vivre. » Au travers de ce frère voyageur faussement héroïque, Jack tente de refaire sa vie, de repousser la dernière frontière, la mort.]

[On a beaucoup parlé, dans la presse, de l'influence de Jack London et de Jack Kerouac, celui de *On the Road*, au sujet de *Volkswagen Blues*. Il faudrait aussi mentionner Hemingway, Réjean Ducharme, Gabrielle Roy, Salinger, Boris Vian, Brautigan, et quelques autres, tous « écrivains favoris » de Jack. Le voisinage est flatteur et a de quoi surprendre ;] ← Situation du texte par rapport à d'autres

[pourtant, avec *Volkswagen Blues*, Jacques Poulin témoigne encore une fois d'un merveilleux talent de romancier. Par son refus de la chute, du *punch*, et la précision de sa prose, Poulin s'impose comme le romancier québécois dont le ton est le plus juste. Chaque mot pèse ici de tout son poids. Les quelques illustrations du livre, même si elles tendent à authentifier le récit, à le faire basculer dans le réalisme, n'enlèvent rien à la richesse de l'imaginaire, au contraire : elles ajoutent une autre dimension à ce roman déjà fort riche. *Volkswagen Blues*, qui n'est pas le grand roman de l'Amérique, est un grand roman américain.] ← Critique

---

Benoît Melançon, « Roman américain : Jacques Poulin, *Volkswagen Blues* », *Canadian Literature*, n° 103 (hiver 1984), p. 111-113.

Exemple 3

D. Rouach et J. Klazmann, *Les Transferts de technologie*, Paris, PUF, coll. « Que sais-je ? », 1994, 126 p. ← Notice bibliographique de l'ouvrage

[Que le titre *Transferts de technologie* paraisse dans la collection « Que sais-je ?» pourrait laisser l'impression qu'on peut maintenant ranger sur un rayon un sujet désormais bien défini et savamment vulgarisé. Hélas, ce n'est pas le cas! On vient tout au plus de traiter de façon assez superficielle d'un sujet à la mode. Ce livre a comme un arrière-goût de *fast food*.] ← Entrée en matière : jugement d'ensemble

[Pourtant le plan de travail des auteurs semble assez net. Ils nous proposent d'apporter des réponses à six questions : ← Présentation du texte

- De quoi s'agit-il ? (chapitre 1)
- Que se passe-t-il dans le monde ? (chapitres 2 et 3)
- Quelles formes de transferts méritent d'être présentées ? (chapitres 4 et 5)
- Qui sont les accompagnateurs du transfert ? (chapitre 6)
- Que faire pour bien vendre ? (chapitre 7)
- Quel est le bilan des avantages et des inconvénients des transferts ? (chapitre 8)

Le chapitre 9 traite de la culture et des hommes. Selon les auteurs, « les échanges de techniques se font entre des hommes et la meilleure technique ne se vendra pas si l'on ne connaît pas la culture et les hommes du pays acheteur » (p. 4).]

[Dans cet échafaudage, près de 60 % du livre est à peu près dépourvu d'intérêt. Les chapitres 2 et 3 qui se proposent de nous décrire ce qui se passe dans le monde en matière de transfert de technologie auraient pu servir de solide toile de fond au livre, mais ils sont trop incomplets et superficiels. La « géotechnologie » que veulent faire les auteurs est tout au plus un portrait rapide de la coopération technologique européenne. Les États-Unis en sont absents, le Japon est à peine évoqué et les pays en développement sont traités en un bloc monolithique moins pour en définir les caractéristiques technologiques que pour évoquer sommairement les particularités des ventes de technologies à ces régions. Le chapitre consacré aux flux technologiques internationaux est tout au plus une description des flux de la France. Le reste du monde est occulté. Surtout, la firme multinationale qui marque les flux internationaux de façon déterminante est absente de l'analyse. En somme, la toile de fond est bien pauvre. ← Critique

Le chapitre sur les accompagnateurs du transfert (chapitre 6) présente davantage une liste d'épicerie qu'un cadre cohérent qui permet d'entrevoir la variété des acteurs mêlés au transfert. Le chapitre ne dépasse pas l'énoncé des auteurs : « Nous présentons à titre d'illustration quelques acteurs de la filière » (p. 77). C'est une étrange galerie où défilent les technopoles, les banques de données, les bureaux d'information, etc. sans que le lecteur sache trop ce que ces accompagnateurs viennent faire dans cette galère.

Le chapitre 9 qui coiffe le livre se propose d'aborder le sujet du transfert de technologie et de la connaissance des cultures et des hommes. Il s'agit d'un ramassis de lieux communs. Il ne fait que rappeler qu'en matière de commerce international les différences culturelles ont du poids. Nulle part les auteurs ne s'efforcent de démontrer qu'au-delà du commerce, le transfert de technologie se butte particulièrement aux freins qu'imposent les modes d'organisation et les modes d'apprentissage. C'est qu'en fait les auteurs n'ont jamais abordé la dimension fondamentale du transfert ; ils s'en sont tenus au transfert comme transaction commerciale.

Le lecteur pourra trouver un certain intérêt à parcourir les cinq chapitres restants à condition d'accepter la prémisse qu'un transfert de technologie est une simple transaction commerciale. Il trouvera dans ces chapitres une définition du transfert et de ses formes, des considérations sur les stratégies des vendeurs et les avantages et inconvénients du transfert.

Il y a dans ces pages des choses assez conventionnelles et honnêtement traitées ; il y en a d'autres plus intéressantes, mais insuffisamment expliquées. Il en va ainsi des formes du transfert qu'on nous décrit par la licence, la franchise, la coentreprise et le contrat clés en main. Rien n'est plus conventionnel. Il en va également ainsi des propos sur la stratégie où l'intérêt suscité par cinq grilles d'analyse s'émousse sur deux minces pages de texte qui n'arrivent pas à présenter au lecteur la matière.

En somme, voilà un livre décevant pour le lecteur qui chercherait de bonnes assises pour jeter la lumière sur le phénomène des transferts de technologie. Ce phénomène y est traité comme une simple transaction commerciale à la mode avec toute la fanfare des petits exemples, des extraits de déclarations d'experts et des formules lapidaires.]

Fernand Amesse, « *Les Transferts de technologie* », *Gestion*, vol. 19, n° 4 (décembre 1994), p. 93-94.

Voir tableau **Conclusion**
Voir tableau **Correction**
Voir tableau **Développement**
Voir tableau **Introduction**
Voir tableau **Plan**
Voir tableau **Résumé**
Voir tableau **Révision**
Voir tableau **Transition et marqueur de relation**

Conclusion

Partie qui termine un texte, en résume l'idée générale, en dégage le sens.

☞ La conclusion est un aboutissement : elle doit répondre à la question posée dans l'introduction.

Plan du tableau

But

La conclusion sert à démontrer l'unité du texte. On y dit explicitement ce que l'on démontrait ou laissait entrevoir de façon plus implicite dans le développement.

Structure

Une conclusion se divise généralement en deux parties : la synthèse et l'élargissement.

1. Synthèse

- Dans la première partie de la conclusion, le rédacteur fait la synthèse, le **bilan** des grands thèmes et des propositions du développement.
- On ne doit y trouver ni citations, ni arguments nouveaux : il faut se limiter strictement au **rappel** du contenu du développement.
- On présente le bilan de façon à faire ressortir ce qu'on a apporté de nouveau dans le domaine de la recherche, l'**originalité** du travail.
- C'est dans cette partie de la conclusion qu'on énoncera clairement la **réponse** à la question posée ou la **solution** au problème exposé dans l'introduction.
- Dans les cas où cela s'applique, on débouchera sur des **propositions pratiques**, des **recommandations pertinentes**.

2. Élargissement

- La deuxième partie de la conclusion comprend ce qu'on appelle l'élargissement du sujet où l'on resitue le document dans son contexte particulier en ouvrant sur d'autres perspectives. Dans son travail, l'auteur a tenté de résoudre un ou des problèmes de recherche, mais il a soulevé au passage d'autres questions, a mis au jour d'autres zones inconnues. Il suggère donc de **nouvelles pistes de recherche** à ses lecteurs ou pour lui-même.

Conseils pour la rédaction

ordre de rédaction

- Dans l'ordre, on rédigera le développement, l'introduction, puis la conclusion.
  ☞ Il est bon de relire introduction et conclusion à la suite pour s'assurer que la seconde répond à la première.

notes

- Même si l'on écrit la conclusion à la fin, on peut prendre des notes tout au long du développement sur ce que l'on veut y inclure.

soin

- Il faut apporter un soin particulier à la rédaction de la conclusion. Le lecteur restera sous l'impression des dernières phrases et ce sont souvent elles qui détermineront son jugement ou emporteront son adhésion.

conclusions partielles
- Tout chapitre, toute section, toute partie comporte une conclusion partielle qui resitue le lecteur, qui lui fait comprendre où en est le développement, qui lui montre la progression de la démonstration, qui met en valeur le fil conducteur du raisonnement.

somme des conclusions partielles
- Même si cela peut sembler répétitif, il est important de reprendre succinctement l'ensemble des conclusions partielles afin que le lecteur puisse trouver la totalité des propositions auxquelles le développement a conduit sans avoir à parcourir l'ensemble du document.

document long
- La conclusion, dans un texte d'envergure, constitue un chapitre à part qui sera plus court que les autres.

suite du développement
- La conclusion doit découler naturellement de la démonstration faite dans le développement ; on ne doit ni démontrer ni justifier dans la conclusion : c'est le rôle du développement.

Situation et pagination

- La conclusion fait partie du corps du texte.
- Elle vient immédiatement après le dernier chapitre ou le dernier paragraphe du développement.
- La conclusion est paginée en chiffres arabes.

Exemple de conclusion

CONCLUSION GÉNÉRALE

[Dans cette analyse, on s'est demandé si l'information financière consolidée telle qu'elle découle des normes actuelles est utile. On a tenté d'étudier et d'évaluer différentes réformes proposées. À la lumière de ces réformes, on a tenté de voir où la théorie en était rendue par rapport aux besoins dictés par la pratique et quelle direction devaient prendre les recherches à venir. ← Synthèse

On peut conclure que la normalisation actuelle est inadéquate et que, en réponse à la problématique dominante, l'information financière consolidée ne représente pas vraiment la réalité. Des changements en voie d'être appliqués éliminent plusieurs lacunes, mais il reste que certains besoins fondamentaux ne sont toujours pas satisfaits. Le fait de ne pas consolider certaines filiales permet aux entreprises d'y cacher leurs problèmes, alors que la consolidation permet de noyer ces problèmes derrière de gigantesques nombres peu révélateurs. Il est utopique de croire que l'information complémentaire que la direction des entreprises est prête à inclure dans les états financiers permettra de contrecarrer ces lacunes inhérentes à la consolidation.

Il est évident que notre étude est limitée. Elle est basée principalement sur des textes exposant la réalité actuelle et les changements en cours ainsi que les opinions d'experts et de praticiens. Certaines sources ne sont pas d'origine canadienne et, par conséquent, ne conviennent pas nécessairement au cadre régional. De plus, la réalité économique étant en constante évolution, les normes établies et les positions adoptées ne sont jamais valables qu'à court ou à moyen terme. Enfin, cette étude n'a pas permis de trouver des solutions à tous les problèmes touchant les états financiers consolidés.]

[Les organismes de normalisation, dont l'ICCA, ont adopté ces dernières années une approche plus dynamique et beaucoup plus attentive à la réalité. De manière générale, les normes sont beaucoup plus directives que par le passé, ce qui oblige ceux qui préparent l'information financière à faire preuve de plus de transparence. On peut donc croire que les principes comptables généralement reconnus touchant la consolidation continueront de s'harmoniser, à la satisfaction des utilisateurs. N'est-il cependant pas illusoire de penser que les normes régissant les états financiers consolidés permettront un jour aux utilisateurs de trouver tous les renseignements recherchés, du premier coup d'œil ?] ← Élargissement

Richard Carrière, « L'information financière consolidée », travail trimestriel de Théorie comptable II, Montréal, École des Hautes Études Commerciales, décembre 1990, p. 46-47.

Voir tableau **Développement**
Voir tableau **Introduction**
Voir tableau **Plan**

Correction

Contrôle final de la présentation typographique et linguistique d'un texte.

Plan du tableau

Règles générales

- Indiquer toutes les corrections au stylo rouge.
- Signaler les corrections dans le texte et dans la marge.
- Au besoin, utiliser les deux marges et indiquer les corrections en partant du texte et en allant vers le bord de la page.
- Vérifier tout élément qui suscite un doute.
- S'en tenir à la vérification d'un seul des aspects décrits ci-dessous au cours d'une même lecture. Faire autant de lectures qu'il le faut.
- Idéalement, faire relire son texte par quelqu'un d'autre.

Langue

- Faire une lecture mot par mot du texte pour corriger les fautes d'orthographe, d'accord, de construction, de vocabulaire, de saisie, de césure, de ponctuation, etc.
- Vérifier l'orthographe des noms propres, des abréviations, des sigles et des acronymes, et leur uniformité.
- S'assurer du respect des règles d'écriture des nombres, de division des mots, de ponctuation.

Mise en pages et typographie

- S'assurer de la bonne organisation du texte, de la hiérarchie des titres et des sous-titres.
- Vérifier les énumérations, les renvois, les numéros des tableaux, des figures, des annexes et des appendices.
- Surveiller tous les couples (parenthèses, guillemets, crochets, etc.).
- S'assurer du bon emploi et de l'uniformité des majuscules, des traits d'union, des mises en valeur typographiques.
- Faire preuve de vigilance tout particulièrement lorsque la mise en pages est complexe et les mises en valeur typographiques, nombreuses.

Pagination

- Vérifier la concordance entre le document et les numéros de page de la table des matières, des différentes listes, de l'index.
- Si le document est imprimé en recto verso, s'assurer de la pagination paire-impaire, les numéros impairs se trouvant au recto des feuilles.

Saisie

- Lors de la saisie des corrections, veiller à ne pas introduire d'autres erreurs. Vérifier tout le paragraphe où l'on a fait une correction pour un changement d'accord, de pronom, de genre, etc.

Quelques signes de correction

Lettre à ajouter	⅄ *a*
Lettre à changer	/ *e*
Lettre à enlever	४
Mot à ajouter	⅄ *illusoire*
Mot à changer	/*atmosphère* /
Mot à supprimer	४
Majuscule	*P* (souligné trois fois)
Italique	(*ital.*)
Espace à insérer	⅄ #
Minuscule	*i* /
Romain	(*rom.*)
Mots à transposer	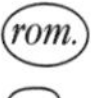
Lettres à transposer	∩∪
Gras	(*gr.*)
Alinéa à faire	∟
Ne rien changer	(*bon*)
Majuscules et minuscules	(*cap. / bdc*)
Majuscules	(*cap.*)
Blanc à augmenter	—‡
Blanc à diminuer	—𝟋—

Elle se dirige vers une fontaine et Azalaïs accepta le gobelet de vin qu'elle lui tandit. Au diable son quant-à-soi de châtelaine! Elle était devenues pour quelques heures, une femme du peuple et entendait profiter de la liberté que lui procuraient son identité empruntée et l'esprit du carnaval. Elles prirent place dans le groupe et Marion fut interpellée par ses bons amis. Elle leur présenta Azalaïs comme une cousine vivant hors des murs et la nouvelle venue fut aussitôt intégrée à la bande. personne n'était ce qu'il avait l'air d'être : la plupart des hommes étaient déguisés en femmes, enceintes le plus souvent, alors que les femmes étaient enhommes. Ceux qui n'avaient pas renoncé à leur sexe arboraient des masques qui faisaient honneur à leur talent; Ils s'étaient souvent inspirés des sculptures qui ornaient les tympans des églises et des peintures qui en décoraient l'intérieur. Les faces terribles des *démons* voisinaient avec celles des animaux du zodiaque ou, prosaïquement plus, de bêtes familières, comme les buocs ou les chiens, ou redoutées, tels les ours et les loups. Rares étaient les masques qui exprimaient la douceur, mais Azalaïs vit tout de même quelques anges et une licorne. Quand la procession s'arrêta devant une petite église qui lui était inconnue, elle put voir enfin le personnage porté en triomphe. La couronne en forme de tour posée sur sa tête permettait de l'identifier tout de suite : c'était la MAUBERGEONNE. Azalaïs, qui n'avait aucune sympathie pour la vicomtesse de Châtellerault, ne bouda pas son plaisir : elle s'unit vigoureusement aux moqueries scandées par ses voisins et Marion, amusée, remarqua en riant :
– Toi, tu es du côté de la duchesse.

Maryse Rouy, *Azalaïs ou la Vie courtoise*, Montréal, Québec / Amérique, 1995, 275 p., p. 245.

Voir tableau **Mises en valeur typographiques**

Curriculum vitæ

Document qui résume les renseignements relatifs à la formation, aux aptitudes, à l'expérience professionnelle et à l'état civil d'un candidat ou d'une candidate à un poste, à une bourse, à une subvention, à un prix, etc.

Plan du tableau

Objectif du curriculum vitæ

Mettre en valeur les responsabilités et les réalisations du postulant.

☞ Le curriculum vitæ étant une clé d'accès à une première sélection, il est important de donner immédiatement une impression favorable. Une impression négative sera très difficile à modifier par la suite, car le candidat aura été éliminé de la course!

Qualités d'un bon curriculum vitæ

- Clarté et lisibilité du document
- Concision (deux à trois pages, au maximum)
- Exactitude des renseignements
- Correction de la langue

Conseils pour la rédaction

Fond

- L'ensemble des éléments d'information vise à démontrer **la compétence du candidat et son aptitude** à remplir le poste convoité, et toutes les indications non pertinentes sont supprimées ; le choix des renseignements est capital : il témoigne de la **faculté de synthèse** de la personne qui postule.
- Le curriculum vitæ constitue une **projection des capacités** du candidat ou de la candidate à
  - **sélectionner** les éléments pertinents de sa formation, de son expérience et de sa personnalité,
  - **structurer** les renseignements utiles,
  - **mettre en valeur** ses réalisations,
  - **faire preuve** de rigueur et de concision,
  - **s'exprimer** correctement et efficacement.

☞ Le destinataire doit être en mesure de saisir **en un coup d'œil** les éléments du curriculum vitæ qui militent en faveur du postulant.

- On peut d'abord, selon le **modèle américain**, mettre en valeur son expérience professionnelle puis sa formation ou, selon le **modèle classique**, présenter sa formation et par la suite son expérience professionnelle.
- On suggère de présenter les éléments d'information de chaque section (expérience, formation, etc.) en **ordre chronologique inversé**, c'est-à-dire en partant du moment présent et en remontant vers le passé.
- Il est préférable de mettre en valeur son **expérience concrète** plutôt que de laisser parler son titre.

- L'énumération des renseignements ne doit pas être fastidieuse et l'accent est mis sur le **degré d'autonomie** des postes décrits, sur les **responsabilités**, sur les **réalisations concrètes**, sur les **mandats précis**, sur les **résultats obtenus**.

Exemple

Responsabilités
- Diriger les activités des secteurs comptabilité, finance et informatique.
- Gérer un budget de 100 millions de dollars.
- Superviser 30 employés.

Réalisations
- Conception et implantation d'un système d'information de gestion qui a amélioré le processus décisionnel.
- Réorganisation du service après-vente en vue d'optimiser la qualité du service.
- Mention d'honneur décernée par l'entreprise pour la qualité des mandats réalisés par mes équipes.

- Dans la mesure du possible, il faut **quantifier ses réalisations**. Les résultats frappent davantage l'imagination s'ils sont chiffrés.

Exemples

Augmentation de 20 % des ventes.

Atteinte de 100 % des objectifs fixés.

Conception de trois nouveaux ateliers de formation.

- Dans le cas de **postulants en début de carrière** qui ont peu d'expérience de travail à mettre en valeur, on suggère d'insister sur la formation, sur les réalisations en cours d'études (bourse, mention spéciale, participation à un stage ou à un programme d'échanges, travail trimestriel particulièrement fouillé sur un sujet, engagement dans la vie étudiante ou dans son milieu, etc.).

Exemple

1995 Travaux pratiques réalisés en entreprise dans le cadre de ma formation universitaire :
Gaz Métropolitain : Intervention en gestion des stocks avec analyse de la situation et proposition d'un plan d'action.

1994 Lauréate du prix Esso consistant en une bourse au mérite attribuée aux étudiants ayant effectué les meilleurs travaux trimestriels – Cours « Processus administratifs ».

- La formulation peut permettre de présenter certains aspects négatifs sous un jour favorable, mais l'**exactitude des renseignements** et l'**honnêteté** sont toujours de mise.
- Il peut être utile de **décrire l'employeur** de façon concise en mentionnant le type d'entreprise, le secteur d'activité et le nombre d'employés.

Exemple

ENTREPRISE XYZ
(Distributeur de produits électriques — secteur industriel, 150 employés)

Langue et style

- Le style doit être **simple**, **concis et de niveau soutenu**, et le texte doit être **exempt de fautes** d'orthographe, de construction, de vocabulaire.

  L'aptitude à s'exprimer correctement et efficacement est devenue un impératif et témoigne du professionnalisme du postulant.

- On **évitera** les anglicismes, les mots savants, les sigles non suivis de leur désignation au long.

  On recommande d'expliciter tout sigle, tout terme technique non courant. Il faut prévoir tout ce qui pourrait nuire à la compréhension du document.

- Les **verbes d'action** sont à privilégier pour décrire ses responsabilités.

Exemples

Assurer le service...
Communiquer avec...
Intervenir de façon efficace lors de...
Superviser les...
Conseiller la clientèle...
Promouvoir la vente...
Corriger et transmettre les données...
Effectuer divers travaux...
Commander le matériel...
Coordonner les activités...
Analyser les données relatives à...
Vérifier...
Recevoir les commandes...
Mettre à jour et classer...
Soumettre des recommandations...
Accueillir et orienter...

- On utilise des **substantifs** pour indiquer ses réalisations.

Exemples

Mise sur pied d'une publication mensuelle.
Hausse des commandites de 20 %.
Réorganisation de la fonction comptes clients de façon à réduire les coûts annuels de 100 000 $.

- Il faut veiller à respecter les **règles de l'énumération** lorsque l'on a recours à cette façon d'organiser l'information, c'est-à-dire présenter des éléments de la même catégorie grammaticale (soit des noms, soit des verbes, en règle générale).

Exemple à suivre 1

verbes

- Analyser les plans architecturaux de plus de 150 bâtiments ;
- Coordonner le travail d'équipes multidisciplinaires sur les chantiers de construction ;
- Gérer les ressources humaines, financières et matérielles de dix projets nationaux et internationaux ;
- Représenter la société au sein des comités de santé-sécurité sur les chantiers.

Exemple à suivre 2

noms

- Analyse des plans architecturaux de plus de 150 bâtiments ;
- Coordination du travail d'équipes multidisciplinaires sur les chantiers de construction ;
- Gestion des ressources humaines, financières et matérielles de dix projets nationaux et internationaux ;
- Représentation de la société au sein des comités de santé-sécurité sur les chantiers.

Exemple à ne pas suivre

verbes noms

- Analyser les plans architecturaux de plus de 150 bâtiments ;
- Coordination du travail d'équipes multidisciplinaires sur les chantiers de construction ;
- Gérer les ressources humaines, financières et matérielles de dix projets nationaux et internationaux ;
- Représentation de la société au sein des comités de santé-sécurité sur les chantiers.

Mise en pages

- La présentation doit être **soignée** tout en restant **sobre**, sur un **papier** de bonne qualité et de format standard.
- La mise en pages est **aérée** et le curriculum vitæ ne comporte du texte qu'au **recto** des feuilles.
- Les thèmes développés sont regroupés en paragraphes précédés de **titres** et de **sous-titres uniformes** afin de permettre une lecture et une compréhension rapides.

Une mise en pages attrayante et structurée témoigne, tout comme le choix des renseignements, de la rigueur et du sens de l'organisation du candidat ou de la candidate.

Lettre de candidature

- La lettre d'accompagnement du curriculum vitæ est **conçue sur mesure** pour répondre aux spécificités de chaque situation (demande d'emploi, réponse à un appel de candidatures, demande de bourse ou de subvention, réponse à un appel d'offres).
- Alors que le curriculum vitæ est une synthèse plutôt objective de sa formation, de son expérience professionnelle et de ses réalisations, la lettre de candidature **répond précisément** aux exigences de l'offre qui est faite et **insiste** sur les éléments pertinents du curriculum vitæ.
- La lettre d'accompagnement est un **texte d'argumentation** qui sert à démontrer en quoi le profil du candidat, sa formation et son expérience conviennent particulièrement à l'offre qui est faite ou au poste convoité.
- Chaque élément d'information pertinent du curriculum constitue un argument et permet de bâtir une **stratégie de démonstration** pour convaincre le destinataire.
- Il faut éviter les **écueils** suivants :
  - un style trop narratif,
  - des anecdotes,
  - des qualificatifs trop élogieux,
  - des détails naïfs ou inutiles.

Exemples de curriculum vitæ

Exemple 1 : étudiant ou étudiante[1]

Rosa **GUALTIERI**

222, avenue des Ursulines
Laval (Québec)
H1H 1H1
Tél. : (514) 654-0987

Formation	1994-1997	Baccalauréat en administration des affaires (en cours) Option mixte : marketing et gestion internationale École des Hautes Études Commerciales
	Hiver 1996	Participation au programme d'échanges internationaux École Supérieure de Commerce de Paris Paris, France
	1992-1994	Diplôme d'études collégiales Sciences administratives Collège de Bois-de-Boulogne
Formation complémentaire	1996	Cours sur le commerce des valeurs mobilières
	1995	Cours TéléForce de Bell Canada
Langues		Français, anglais, notions d'espagnol
Connaissances informatiques		Word, Excel, Lotus 1-2-3, SPSS, Bedford (comptabilité), Harvard Graphics, PowerPoint, DBase, Storm (recherche opérationnelle)
Bourses	1996	Bourse au mérite HEC 75e
	1995	Bourse *Ad Hoc Marketing* pour le meilleur travail dans le cadre du cours « Recherche commerciale »
Expérience	1996 été	ENTREPRISE LA JOIE DE VIVRE **Commis, service à la clientèle** – Conseiller la clientèle – Prendre les commandes et les acheminer – Produire et analyser les statistiques de ventes • ***Habileté d'organisation et de service à la clientèle***
	1993-1995 temps partiel étés	BANQUE ARGENT COMPTANT **Agente, prêts personnels** – Soumettre des recommandations relativement à l'attribution de prêts – Corriger, valider et transmettre les données de prêts • ***Capacité à travailler sous pression***
Autres activités	1995-1996	Vice-présidente, Association Marketing HEC – Organiser le souper-conférence de Procter & Gamble – Gérer un budget de plus de 20 000 $ • ***Hausse des commandites de 130 %***
	1994	Membre actif de la Société de relations d'affaires – Participer au service d'impôt annuel
		Ski de fond, volley-ball (capitaine de l'équipe collégiale en 1993), plongée sous-marine, tennis.
Disponibilité		Mai 1997

1. Ce curriculum vitæ a été fourni par le Service de placement de l'École des Hautes Études Commerciales, 3000, chemin de la Côte-Sainte-Catherine, Montréal (Québec) H3T 2A7.

Exemple 2 : étudiant ou étudiante[1]

MICHEL BELLEVIE
222, rue de l'Espoir
Pointe-Claire (Québec)
H5T 8I9
Tél. : (514) 234-9087
C. élec. : bellevie@erg.com.ca

OBJECTIF DE CARRIÈRE
Facultatif — indiquer ici son objectif à court ou à moyen terme.

LANGUES PARLÉES ET ÉCRITES — Français et anglais; Connaissances de base en espagnol

CONNAISSANCES INFORMATIQUES — WordPerfect, Lotus 1-2-3, Word, SPSS, DBASE III+, GPSS, QSOM; Système d'exploitation DOS, SQL

FORMATION

1994- École des Hautes Études Commerciales
Baccalauréat en administration des affaires (B.A.A.)
Option : marketing et gestion internationale
Obtention du diplôme prévue en mai 1997

Semestre hiver 1996 Participation au programme d'échanges internationaux
Rotterdam School of Management
Erasmus University

1992-1994 Cégep Marie-Victorin
Diplôme d'études collégiales
Sciences administratives

FORMATION COMPLÉMENTAIRE

En cours Cours sur le commerce des valeurs mobilières
Institut des valeurs mobilières du Canada

Été 1994 University of British Columbia
Stage intensif d'anglais — six semaines

RÉALISATION PARTICULIÈRE

1995 Travaux pratiques réalisés en entreprise dans le cadre de ma formation universitaire (cours « Organisation et méthodes ») :
Gaz Métropolitain : Intervention en gestion des stocks : analyse de la situation et proposition d'un plan d'action.

EXPÉRIENCE DE TRAVAIL

Mai - déc. 1996 *Entreprise La joie de vivre*
Commis, service à la clientèle
Responsabilités
- Assurer le service...
- Communiquer avec les clients...
- Intervenir de façon efficace lors de...
- Superviser les...
- Conseiller la clientèle...
- Promouvoir la vente de produits
- Accueillir et orienter...
- Effectuer divers travaux de...
- Agir à titre de personne-ressource

Principales réalisations
- Atteinte de 100 % des objectifs de vente
- Maintien d'un excellent service à la clientèle

Été 1995 *La Banque argent comptant*
Agent, prêts personnels
Responsabilités
- Recevoir les demandes...
- Analyser les données relatives à...
- Soumettre des recommandations...
- Corriger, valider et transmettre les données...
- Vérifier les comptes et...
- Mettre à jour et classer...

Habiletés acquises
- Capacité à travailler sous pression
- Habileté de communication avec diverses clientèles

Mai-oct. 1994 *Coopérative des bonnes fermes*
Coordonnateur de la production
Responsabilités :
- Élaborer le calendrier de production...
- Répartir le transport de...
- Commander le matériel...
- Inscrire les...
- Tenir l'inventaire...

Principale réalisation
- Rédaction d'un rapport concernant l'encombrement dans l'entrepôt...

ACTIVITÉS PARASCOLAIRES
Vice-président de l'Association Marketing HEC 1995-1996
- Organiser des activités sociales
- Gérer les comités des déjeuners-conférences
- Gérer un budget de plus de 20 000 $

Membre actif de la Société de relations d'affaires 1995
- Participer au service d'impôt annuel

Rédaction d'articles pour le journal étudiant *l'Intérêt*

ACTIVITÉS CULTURELLES ET SPORTIVES
Théâtre, lecture, cinéma
Natation, randonnée pédestre, raquette

RÉFÉRENCES SUR DEMANDE

Exemples de formulations possibles

1. Ce curriculum vitæ a été fourni par le Service de placement de l'École des Hautes Études Commerciales, 3000, chemin de la Côte-Sainte-Catherine, Montréal (Québec) H3T 2A7.

Exemple 3 : postulant ou postulante en début de carrière

CURRICULUM VITÆ

Geneviève Cardinal

312, rue Verchères
Greenfield Park (Québec)
J8Y 6R5
Tél. : 849-1562

Acheteuse

Expérience

1993 **Bombardier inc.**
Canadair, Division Fabrication
Acheteuse de pièces d'avion manufacturées
- Gérer des demandes, des soumissions
- Assurer le suivi des bons de commandes
- Résoudre des cas problèmes
- Maintenir le lien entre les fournisseurs et les divers services de production internes (ingénierie, méthodes, planification...)

1991-1993 **Lévesque Beaubien Geoffrion inc.**
Agente de bureau intermédiaire, Service institutionnel actions
- Gérer des transactions
- Produire différents rapports informatisés
- Gérer et superviser des comptes clients
- Assurer le lien entre LBG et ses clients institutionnels

Étés 1989, 1990 et 1991 **Banque Nationale du Canada**
Caissière aux devises étrangères (siège social)
- Recevoir et expédier des devises aux diverses succursales de la Banque (Québec, Maritimes, Ontario)
- Comptabiliser les achats et les ventes

Formation

1988-1991 Baccalauréat en administration des affaires, option management
École des sciences de la gestion, UQAM

Mars 1990-juin 1990 École de management européen de Strasbourg (France)
Diplôme Erasmus avec mention *Très bien*

1986-1988 D.E.C. en sciences pures et appliquées
Collège Édouard-Montpetit

Exemple 4 : candidat ou candidate avec expérience et aux études[1]

FRÉDÉRIQUE JUTRAS
999, chemin du Tremblay
Saint-Jérôme (Québec)
J8N 8P3
444-5555 (domicile) 333-6666 (bureau)

FORMATION

1988 - ... Baccalauréat ès sciences (cumul de trois certificats)
École des Hautes Études Commerciales

1994 - ... Certificat en gestion d'entreprise

1993 Certificat en gestion du marketing
École des Hautes Études Commerciales

1991 Certificat en publicité
Université de Montréal

FORMATION CONTINUE

Publicité-Club de Montréal : participation à différents colloques et séminaires.
Centre de perfectionnement HEC : cours Marketing et créativité, Gestion du temps.
Connaissances informatiques : Lotus 1-2-3, WordPerfect, Harvard Graphics, DBase.

EXPÉRIENCE PROFESSIONNELLE

1991 à ... ENTREPRISE XYZ
(Fabricant et distributeur de produits de consommation congelés sous vide — 450 employés)

Adjointe au directeur du marketing

- Assurer le lien avec l'agence de publicité et la maison de recherche marketing chargées de la création publicitaire et de l'évaluation des concepts.
- Coordonner en studio la réalisation des messages par des maisons de production.
- Participer à l'élaboration du plan marketing triennal.
- Réaliser des études de marché tant quantitatives que qualitatives pour les nouveaux produits.
- Participer à des foires nationales et internationales.

Réalisations

- Recommandation d'une nouvelle stratégie de mise en marché pour un produit existant qui a permis un accroissement des ventes de 25 % en une année.
- Mise sur pied du premier journal d'entreprise — publication mensuelle.

1984-1989 SOCIÉTÉ ABC
(Agence de publicité — 90 employés)

Chargée de projets

- Participer à l'élaboration de concepts de produits sous la supervision du directeur de la création.
- Rédiger des brochures et des dépliants publicitaires variés.
- Rechercher des noms de produits (Croustilles M+, Restaurants 1234, Savon Bubulle).
- Assurer la liaison entre les clients, les concepteurs de l'agence et les maisons de recherche marketing.

Réalisations

- Conception de deux nouvelles brochures de communication interne pour les entreprises TV+ et Districanal afin de sensibiliser les employés au concept de qualité du produit et au service à la clientèle.
- Implantation d'un système informatisé de gestion de projets facilitant le suivi des différents dossiers de l'agence.

1980-1984 ALIMENTS EFG
(Détaillants en alimentation — 300 employés)

Adjointe administrative — Service du marketing et ventes

- Gérer et mettre à jour les fichiers-clients de l'entreprise (1000 clients).
- Préparer et coordonner l'envoi trimestriel des publipostages adressés aux groupes cibles du service.
- Compiler et analyser les résultats des ventes par classe de produits et par région, en dégager les tendances et rédiger un rapport mensuel sur les tendances.
- Superviser deux secrétaires et cinq commis.

Réalisations

- Conception et implantation d'un système informatisé de fichiers-clients permettant d'accéder à l'ensemble des données concernant chacun des clients.
- Mise sur pied d'une campagne de télémarketing qui a permis un accroissement de 10 % de la clientèle sur une période de six mois.

ENGAGEMENT SOCIAL ET PARASCOLAIRE

1992 à ... Association des étudiants aux certificats HEC
Participation à l'organisation d'activités (remise des diplômes, soirées-rencontres) et rédaction d'articles pour le journal de l'association (*Quart du soir*).

1980 à ... Hôpital Sainte-Justine
Bénévole — visites aux enfants hospitalisés.

RENSEIGNEMENTS PERSONNELS

Date de naissance : 30 juillet 1962.
Langues parlées et écrites : français, anglais.

1. Ce curriculum vitæ a été fourni par le Service de placement de l'École des Hautes Études Commerciales, 3000, chemin de la Côte-Sainte-Catherine, Montréal (Québec) H3T 2A7.

Exemple 5 : candidat ou candidate avec expérience[1]

LUCIE SANSREGRET, CA
3333, rue Optimiste
Drummondville (Québec)
G7X 3V3
222-2222 (domicile) 333-3333 (message)

EXPÉRIENCE PROFESSIONNELLE

Depuis 1991 — ENTREPRISE 12345
(Fabricant et distributeur international d'équipement lourd pour l'industrie aéronautique)
Vice-présidente finance

Responsabilités
- Diriger les activités des secteurs comptabilité, coût de revient, finance et informatique.
- Gérer un budget de 100 millions de dollars.
- Superviser 30 employés.

Réalisations
- Création d'une comptabilité par centre de responsabilité permettant de rationaliser les enveloppes budgétaires.
- Développement et mise en place d'un système d'information de gestion qui a amélioré le processus décisionnel.
- Refonte et élaboration des états financiers consolidés de trois usines et du siège social.
- Élaboration et mise en place d'un système informatique intégré pour le siège social donnant lieu à une économie de 10 % en ressources et à un accroissement de 25 % d'efficacité.

1987 à 1991 — ENTREPRISE RSVP
(Fabricant et distributeur de produits électriques pour les secteurs commercial et industriel)
Contrôleuse

Responsabilités
- Diriger les activités des secteurs comptabilité et coût de revient.
- Gérer un budget de 25 millions.
- Superviser dix employés.

Réalisations
- Conversion d'un système de coût de revient manuel en système informatisé basé sur les coûts standards par produit et par contrat.
- Réorganisation de la fonction comptes clients de façon à réduire les coûts annuels de 100 000 $.

1983-1987 — TANGUAY, DUGAS ET ASSOCIÉS
(Cabinet de comptables agréés)

Chef d'équipe (1985-1987)

Responsabilités
- Superviser quatre équipes de vérificateurs.
- Participer à des mandats spéciaux de vérification à l'étranger (Paris, Pays-Bas, États-Unis).

Réalisations
- Mention d'honneur décernée par la firme pour la qualité des mandats réalisés par mes équipes (1986 et 1987).
- Préparation et rédaction d'un prospectus dans le cadre d'une émission d'actions pour un client du secteur manufacturier.

Vérificatrice (1983-1985)

FORMATION

1983 — Baccalauréat en administration des affaires (B.A.A.)
Option : comptabilité
École des Hautes Études Commerciales

FORMATION CONTINUE

Centre de perfectionnement HEC : cours Gestion du temps, Leadership et gestion, Entrevue de sélection, Comptabilité par activités.

Ordre des comptables agréés du Québec : cours Réforme de la taxe de vente, Comptabilité et gestion.

ASSOCIATION PROFESSIONNELLE

Ordre des comptables agréés du Québec

ACTIVITÉS PARAPROFESSIONNELLES

1991 à ... — Membre du Conseil d'administration de l'Association des distributeurs internationaux

1990 à ... — Conférencière dans le cadre des activités de perfectionnement de l'Ordre des comptables agréés du Québec

COMMUNICATIONS

Sansregret, L. 1991, « Systèmes d'information de gestion : une intégration réussie ». Communication présentée lors du Congrès annuel de l'Ordre des comptables agréés du Québec.
Sansregret, L. 1990, « Comptabilité par activités ». Communication présentée lors du Congrès annuel de l'Association des distributeurs internationaux.

RENSEIGNEMENTS PERSONNELS

Date de naissance : 12 février 1958
Langues parlées et écrites : Français, anglais
Espagnol (connaissance sommaire)
Connaissances informatiques : Lotus 1-2-3, DBASEIV+, Harvard Graphics, WordPerfect

1. Ce curriculum vitæ a été fourni par le Service de placement de l'École des Hautes Études Commerciales, 3000, chemin de la Côte-Sainte-Catherine, Montréal (Québec) H3T 2A7.

Exemple 6 : candidat ou candidate avec expérience

CURRICULUM VITÆ

Christine Lefebvre

168, rue de l'Église
Montréal (Québec)
H3T 5M7
Tél. : 735-1532 (bureau)
456-7890 (domicile)

Adjointe administrative

Expérience

1990- **Société Techniplus inc. — Adjointe administrative**
- Gestion et mise à jour des fichiers-clients de l'entreprise (450 clients)
- Préparation des publipostages adressés aux groupes cibles du service (envoi trimestriel)
- Gestion des agendas des quatre conseillers commerciaux
- Supervision de deux employées de secrétariat

1987-1990 **Blouin, Benoît et associés — Secrétaire de direction**
- Suivi administratif du bureau du directeur général
- Procès-verbaux des réunions hebdomadaires du conseil de direction
- Liaison entre le bureau du directeur général et les associés
- Saisie de la correspondance et de divers textes administratifs

1984-1987 **Bélanger et Dupont inc. — Sténo-dactylo principale**
- Coordination du groupe de secrétariat (trois personnes)
- Suivi administratif général
- Comptabilité des honoraires (deux personnes)
- Correspondance anglaise et française

1980-1984 **Duguette et Duguette, comptables — Agente de bureau**
- Dactylographie de la correspondance commerciale
- Dépouillement et classement du courrier
- Accueil des clients

Formation

1990 **Certificat en administration**
École des HEC

1988 **Cours de bureautique (trois crédits)**
Collège de Bois-de-Boulogne

1979 **Diplôme de secrétariat**
École de secrétariat moderne

1978 **Diplôme d'études secondaires**
École Lajoie

Exemple 7 : candidat ou candidate avec expérience[1]

MICHEL LEGRAND
1020, rue Jean-Talon
Montréal (Québec) H3T 3V4
234-5678 (domicile) 333-7890 (répondeur)

PROFIL DE CARRIÈRE

Plus de six années d'expérience à titre de gestionnaire de projets et d'ingénieur dans les secteurs de la construction et de l'ingénierie-conseil.

Compétences spécifiques

- Expertise en planification, en affectation et en gestion des ressources humaines, financières et matérielles.
- Supervision d'équipes techniques multidisciplinaires (techniciens, architectes, ingénieurs).
- Gestion de projets nationaux et internationaux.
- Utilisation de logiciels d'analyse structurale (R-Frame, Ad-30 et Road-test) et de gestion (Lotus 1-2-3, WordPerfect, DBase IV+).

FORMATION

1994-	Maîtrise en administration des affaires (M.B.A.) Profil : gestion internationale et finance École des Hautes Études Commerciales Obtention du diplôme prévue en 1997
1986-1990	Baccalauréat en génie civil Spécialisation en conception de structures École Polytechnique

BOURSE

1996	Bourse C.V.M. : bourse au mérite pour l'équipe ayant présenté le meilleur travail trimestriel (95 %) dans le cadre du cours « Financement de projets internationaux ».

RÉSUMÉ DE CARRIÈRE

1994-1996	Société de construction Labelle Directeur de projets
1991-1994	Société d'ingénierie Lavallée & Labadie Ingénieur de projets
1990-1991	Ministère du Transport du Québec Ingénieur stagiaire

EXPÉRIENCE PROFESSIONNELLE

1994-1996	SOCIÉTÉ DE CONSTRUCTION LABELLE Division des structures

Directeur de projets

- Analyser les plans architecturaux de plus de 150 bâtiments pour l'installation d'équipements de télécommunications sur les toits.
- Concevoir les plans de travail en vue d'exécuter l'installation de systèmes de support d'antennes et d'abris d'équipement.
- Coordonner le travail d'équipes multidisciplinaires sur les chantiers de construction (ouvriers, ingénieurs, architectes).
- Gérer les ressources humaines, financières et matérielles de dix projets nationaux et internationaux (Canada, États-Unis et Espagne). Projets variant de 500 000 $ à 4 000 000 $.

Réalisations

- Développement d'une banque informatisée de sous-traitance pour projets et assistances permettant d'accélérer la préparation des soumissions.
- Conception et implantation d'un système informatisé de gestion des coûts permettant un meilleur suivi des projets.
- Réalisation de tous les projets à l'intérieur des échéanciers et budgets prévus.

1991-1994	SOCIÉTÉ D'INGÉNIERIE LAVALLÉE & LABADIE (Firme d'ingénieurs-conseils)

Ingénieur de projets

- Préparer des plans et devis pour 150 projets de réfection de pavages et de réparation de ponts.
- Participer à la gestion des chantiers de réfection de pavages (ressources humaines, financières et matérielles).
- Représenter la société au sein des comités de santé-sécurité sur les chantiers.

Réalisations

- Mise sur pied d'un système de maintenance préventive des ponts qui a permis la réduction de 25 % des effectifs attribués à l'entretien.
- Élaboration d'un guide de prévention des accidents du travail sur les chantiers.

1990-1991	MINISTÈRE DU TRANSPORT DU QUÉBEC Division de l'entretien

Ingénieur stagiaire

- Préparer les plans et devis pour un projet de réfection de pavages.
- Réaliser dix projets d'estimation pour la réfection de structures de ponts.

ACTIVITÉS PARASCOLAIRES ET IMPLICATION SOCIALE

1995-1996	Vice-président — promotion de l'Association des étudiants du M.B.A. : préparation de l'album des sortants et organisation d'activités entreprises-étudiants.
1994-1995	Membre de l'équipe représentant l'École des HEC lors de la Compétition de cas réunissant plus de dix universités canadiennes.
1993 à ...	Bénévole au sein de l'Association des grands frères et grandes sœurs du Québec.

ASSOCIATIONS PROFESSIONNELLES

- Ordre des ingénieurs du Québec
- Membre-étudiant de l'Association des M.B.A. du Québec
- Ordre des administrateurs agréés du Québec

RENSEIGNEMENTS PERSONNELS

Date de naissance :	3 juillet 1967
Langues parlées et écrites :	Français, anglais, espagnol Allemand (connaissance sommaire)

1. Ce curriculum vitæ a été fourni par le Service de placement de l'École des Hautes Études Commerciales, 3000, chemin de la Côte-Sainte-Catherine, Montréal (Québec) H3T 2A7.

Exemple 8 : étudiant ou étudiante

CURRICULUM VITÆ

Arnaud Leforestier
4536, rue Denis
Outremont (Québec) H3T 1T3
Téléphone : (514) 788-0987
Courrier électronique : leforesa@ere.umont.ca

FORMATION

Baccalauréat spécialisé en biochimie 1993-1996 (en cours)
Université de Montréal

Diplôme d'études collégiales et baccalauréat international 1991-1993
Concentration sciences naturelles
Collège Jean-de-Brébeuf

Diplôme d'études secondaires 1986-1991
Collège Jean-de-Brébeuf

BOURSES ET MENTION

- **Bourse d'excellence de la fondation de la famille Birks (1995)**
- **Bourse Canada (1993-1994-1995)**
- **Mention d'excellence pour les résultats obtenus tout au long du baccalauréat international (1993)**

RÉALISATIONS

- **Implication active pour la promotion des sciences au collège Jean-de-Brébeuf (1991-1996)**
  Juge au concours scientifique annuel du collège Brébeuf (1994, 1995, 1996)
  Membre fondateur d'un comité mixte parents-professeurs-élèves visant la réalisation d'un concours scientifique au collège Brébeuf au secondaire (1992-1996)
  Membre fondateur d'un club sciences au collégial en 1991-1992
- **Projet d'innovation scientifique «Cholestérol en excès : une solution ?»**
  Médaille d'or à l'Expo-Sciences pancanadienne (niveau national) de 1992, catégorie «sciences de la vie»
- **Projet d'expérimentation scientifique : «Déplacement linéaire par magnétisme»**
  1er prix de l'Expo-Sciences de Montréal
  Médaille de bronze à l'Expo-Sciences pancanadienne de 1990, catégorie «sciences appliquées et technologie»

EXPÉRIENCE PROFESSIONNELLE

- **Stage d'été à temps plein au laboratoire de neuroendocrinologie de l'hôpital Notre-Dame (été 1995)**
  Synthèse de peptides en phase solide à la main et à la machine
- **Stage d'été à temps plein au laboratoire de neuroendocrinologie de l'hôpital Notre-Dame (été 1994)**
  Synthèse de peptides en phase solide à la main et HPLC (High Performance Liquid Chromatography)
- **Préposé aux bénéficiaires au Centre d'accueil Marcelle-Ferron (étés 1992 et 1993)**

RENSEIGNEMENTS GÉNÉRAUX

Date de naissance :	6 janvier 1974
Nationalité :	canadienne
Langues :	français, anglais

LOISIRS

Sports: cyclisme, badminton, plongée sous-marine, ski de fond, musculation
Voyages, lecture, cinéma, musique

RÉFÉRENCES SUR DEMANDE

Exemples de lettres de candidature

Exemple 1

Le 1er août 1996

Madame Pierrette Champagne
Département d'économie
Collège Édouard-Montpetit
945, chemin de Chambly
Longueuil (Québec) J4H 3M6

Madame,

À la suite de mon entretien avec M. Yvon Latraverse, j'aimerais vous offrir mes services à titre de professeur d'économie. Je connais bien le collège Édouard-Montpetit puisque j'en suis diplômé (D.E.S. 1990) et j'ai la conviction qu'un poste de professeur au sein de votre établissement répond en tout point à mes aspirations professionnelles.

Mes expériences en tant que stagiaire d'enseignement au Cégep de Joliette et chargé de cours en économie à l'École des Hautes Études Commerciales m'ont permis de découvrir jusqu'à quel point l'enseignement présente un caractère à la fois stimulant et valorisant. C'est avec l'intention ferme de susciter l'intérêt des élèves pour l'économie et ses outils d'analyse que je souhaite entreprendre une carrière de professeur.

J'ai la volonté d'inculquer aux élèves le désir d'apprendre et de réussir, en partageant avec eux ma passion pour l'économie. Je crois posséder des qualités particulières de rigueur et de clarté, indispensables afin de fournir un enseignement de qualité. Je souhaite également participer à la rédaction de matériel pédagogique, dont un volume d'introduction à la microéconomie.

J'ai déjà obtenu mon diplôme de maîtrise en économie et je terminerai très prochainement un certificat en pédagogie pour l'enseignement au collégial. J'aimerais alors me joindre au corps professoral de votre collège. Entre-temps, je suis évidemment disponible pour une entrevue au moment qui vous conviendra.

Dans l'attente d'une réponse favorable, je vous prie de recevoir, Madame, l'expression de mes sentiments les meilleurs.

Paul Corbeil

Paul Corbeil

p. j. curriculum vitæ

Exemple 2

Le 15 avril 1996

Madame Marie Malo
Direction de la qualité de la communication
École des Hautes Études Commerciales
3000, chemin de la Côte-Sainte-Catherine
Montréal (Québec) H3T 2A7

Madame,

Pour donner suite à votre annonce parue dans *Le Devoir* de samedi dernier, je vous fais parvenir mon curriculum vitæ.

Comme vous pourrez le constater, j'ai l'habitude de la révision de textes et de la correction d'épreuves, tâches auxquelles ma pratique de la traduction et de la révision m'a préparée. J'ai en outre une bonne expérience des publications à caractère technique, administratif et informationnel.

Je possède une solide formation linguistique, acquise au contact du grec et du latin ainsi que de la philologie dans le cadre d'un baccalauréat en études anciennes et d'une maîtrise en linguistique, option terminologie. Par ailleurs, le domaine de la gestion ne m'est pas inconnu et présente pour moi un vif intérêt.

La révision de textes d'étudiants doit, à mon avis, faire appel aux mêmes habiletés que l'aide à la rédaction ou à la correction de textes offerte aux employés en entreprise, ce dont j'ai également l'habitude, ayant travaillé au sein du service linguistique d'une grande entreprise pendant quelques années.

Veuillez noter que je dispose du matériel nécessaire (compatible IBM 386 DX et Macintosh, modem, télécopieur) pour faciliter les communications.

Dans l'espoir d'avoir bientôt le plaisir de travailler avec vous, je vous prie d'agréer, Madame, mes salutations distinguées.

Lise Rochette

Lise Rochette

p. j. curriculum vitæ

Exemple 3

Le 26 février 1996

Service des ventes
Del Busso-Tessier inc.
34256, boul. des Seigneurs
Terrebonne (Québec)
J6X 5T6

Madame,
Monsieur,

En réponse à l'annonce parue dans le journal *La Presse* du 24 février 1996, j'aimerais poser ma candidature au poste de technicienne en mécanique du Service des ventes de Del Busso-Tessier.

Je suis titulaire d'un diplôme en génie mécanique et, comme vous le constaterez en parcourant mon curriculum vitæ, mon profil professionnel correspond à ce que vous cherchez. En effet, mes neuf années de travail m'ont permis d'acquérir une expérience dans plusieurs domaines reliés aux constructions mécaniques : projets techniques, analyse des contraintes, méthodes technologiques, contrôle de la production, etc.

Plus précisément, mes responsabilités dans le secteur de la fabrication m'ont permis d'utiliser mes aptitudes et mes connaissances dans la direction de fabrication de matériel roulant de voie ferrée et dans l'organisation des charges de travail. J'ai perfectionné mes connaissances afin de pouvoir travailler à un projet technique et ai élaboré des technologies d'entretien et de réparation de matériel roulant de voie ferrée.

Veuillez prendre note que je suis présentement inscrite à un cours intensif de 480 heures avec le logiciel Autocad version 12. Ce cours mène à l'obtention d'une attestation d'études collégiales (A.E.C.) en « Conception assistée par ordinateur CAO / DAO ».

Je suis une personne consciencieuse et dynamique qui aime relever les défis ainsi qu'une candidate motivée qui s'adapterait aisément à votre équipe de travail. Si vous estimez que l'expérience que j'ai acquise peut être profitable à votre entreprise, n'hésitez pas à prendre contact avec moi au 546-9834. Pour ma part, je souhaite vivement vous rencontrer afin de vous fournir de plus amples renseignements à mon sujet.

En vous remerciant de l'attention que vous portez à mon offre de service, je vous prie d'accepter, Madame, Monsieur, mes salutations respectueuses.

Nathalie Bécaud

Nathalie Bécaud

p. j. curriculum vitæ

Exemple 4

Le 28 mai 1996
Monsieur Charles Langlois
Service du marketing
Poitevin inc.
2345, avenue Tissier
Montréal (Québec) H7Y 6T5

Monsieur,

C'est avec grand intérêt que je vous fais parvenir mon curriculum vitæ en vue d'obtenir le poste d'analyste junior en étude de marché (poste affiché au Service de placement de l'Université du Québec à Montréal).

Je cherche un emploi à temps plein au sein d'une équipe dynamique, compétente et professionnelle afin de pouvoir relever constamment de nouveaux défis et de progresser dans ma carrière.

En consultant le document ci-joint, vous constaterez que je suis un candidat sérieux possédant des qualités appréciables telles que le sens de l'initiative et de l'organisation, des aptitudes à communiquer aisément tant à l'oral qu'à l'écrit et le goût des affaires. Je puis vous assurer que ma collaboration vous sera d'une aide précieuse. Je suis disposé à vous rencontrer lorsque vous le jugerez à propos.

Dans l'attente d'une réponse favorable, je vous prie de recevoir, Monsieur, l'expression de mes sentiments les meilleurs.

Michel Condé

Michel Condé

p. j. curriculum vitæ

Voir tableau **Lettre — Corps** Voir tableau **Lettre — Généralités** Voir tableau **Lettre — Présentation**

DÉDICACE

Plan du tableau

Formule placée en tête d'un texte par laquelle un auteur en fait hommage à une ou à plusieurs personnes.

Conseils pour la rédaction

- La dédicace est réservée aux **travaux d'envergure**, c'est-à-dire les livres, les thèses, parfois les mémoires. On ne la recommande pas pour un article, un rapport, un dossier.
- La dédicace est souvent de **nature plus personnelle** que le reste du document.

Dans une thèse écrite au « nous de modestie », la dédicace sera rédigée à la première personne du singulier. On évitera donc les dédicaces comme : « À notre compagnon. »

- **Attention** aux dédicaces humoristiques ou trop extravagantes, car elles peuvent vieillir avant le reste du texte.

Mise en pages et typographie

- La dédicace se compose dans la **moitié supérieure droite**, en belle page (page de droite ou impaire) si on imprime en recto verso.
- Elle doit être **courte** et tenir en quelques lignes.
- Certains auteurs recommandent de mettre un dédicataire par page. Cependant, la tendance est de **regrouper les différents hommages** sur une seule et même page.
- La dédicace se compose en **italique**, car elle n'appartient pas au corps de l'ouvrage.
- On emploie la **même grosseur de caractère** que celle du texte principal.

Situation et pagination

- La dédicace fait partie des **pages liminaires** d'un ouvrage.
- Elle se place tout de suite **après** la table des matières et les listes (des tableaux, des figures, des abréviations et des sigles) et **avant** les remerciements et l'avant-propos.
- Bien qu'elle compte dans la **pagination en chiffres romains**, la page de dédicace ne comporte **pas de numéro de page**.

Ponctuation

- La dédicace ne comporte **pas obligatoirement de ponctuation finale**.
- Il peut cependant y avoir une **ponctuation interne**.

Exemples de dédicaces

Exemple 1[1]

À Jeanne Lapointe
À la mémoire de Suzanne Lamy

Exemple 2[2]

à H.L., in memoriam
à Tonio

Exemple3[3]

Je dédie cet ouvrage
à Éliane, mon épouse,
ainsi qu'à mes deux enfants,
Marc et Caroline, dont la compréhension
m'a soutenu tout au
long de ce travail.
F. S.

Voir tableau **Ordre des parties d'un texte**

1. Lori Saint-Martin, *Lettre imaginaire à la femme de mon amant,* Montréal, L'Hexagone, 1991, p. VII.
2. Pierre Popovic, *la Contradiction du poème : Poésie et discours social au Québec de 1948 à 1953*, Candiac (Québec), Les Éditions Balzac, 1992, p. VII.
3. Fernand Sylvain, *Dictionnaire de la comptabilité et des disciplines connexes*, 2e éd. ent. rev., corr. et aug., Toronto, ICCA, 1982, p. V.

Développement

Plan du tableau

Construction fortement structurée exposant et explicitant avec cohérence les idées directrices et les idées secondaires qui se sont dégagées sur un sujet au cours d'une recherche.

☞ Selon l'importance du document, le développement correspondra :
- à une suite de parties, puis de chapitres dans une thèse ou un mémoire ;
- à une suite de sections ou de chapitres dans un rapport ;
- à une suite de paragraphes dans une dissertation ou une lettre.

☞ Selon l'importance du document, une idée directrice correspondra :
- à un chapitre, dans une thèse ou un mémoire ;
- à une section ou à un chapitre, dans un rapport ;
- à un paragraphe, dans une dissertation ou une lettre.

Buts

- Partie fondamentale du texte, le développement contient toute la matière étudiée et **répond** à la question soulevée dans l'introduction.
- L'argumentation qui sous-tend le développement doit **convaincre** le lecteur du bien-fondé de la position de l'auteur.

Structure

Un développement est un enchaînement d'idées directrices et d'idées secondaires qui se fait selon une progression qui dépend de la stratégie de démonstration et du plan adoptés (voir tableau **Plan**).

1re idée directrice

1. Énonciation de l'idée
2. Analyse ou démonstration
   ☞ Cette partie sera illustrée d'arguments, de théories, d'exemples, de citations, de tableaux, de schémas, de croquis, de diagrammes.
3. Conclusion partielle
   ☞ On répète, sous une autre forme, l'idée de départ, mais telle qu'elle se dégage de la démonstration.
4. Transition vers l'idée suivante
   ☞ Ce sont les conclusions et les transitions qui donnent un mouvement au texte, qui assurent sa progression vers la fin, vers la conclusion.

2e idée directrice

1. Énonciation de l'idée
2. Analyse ou démonstration
3. Conclusion partielle

3e idée directrice

1. Transition vers l'idée suivante
2. Énonciation de l'idée
3. Analyse ou démonstration
4. Conclusion partielle
5. Transition vers l'idée suivante

4e idée directrice

etc.

☞ Le traitement d'une idée secondaire est le même que celui d'une idée directrice.

Conseils pour la rédaction

progression	• Il est impératif qu'il y ait une progression (un plan) dans le développement qui sert à amener le lecteur d'un point à un autre, selon une direction précise.
absence de digressions	• Tout renseignement retenu doit servir la démonstration. Il faut éviter les digressions. En se reportant fréquemment au plan retenu, on évite de s'écarter du droit chemin et de se perdre dans les avenues secondaires.
enchaînement des idées	• Les idées doivent s'enchaîner les unes aux autres de façon claire et logique. Chacune vient à point nommé dans la discussion.
pertinence de chaque idée	• Il ne faut pas chercher à défendre trop d'idées sur un même sujet. Il en résulterait une impression de morcellement pour le lecteur. Il faut choisir les plus pertinentes en fonction du plan retenu.
démonstration rigoureuse	• La démonstration s'appuiera sur des données (faits, informations, observations) qui seront exposées et analysées. Les prises de position seront bien justifiées. Les exemples seront reliés à l'idée soutenue et iront dans le sens du raisonnement retenu.
transitions	• Les transitions assurent la progression d'une idée à une autre afin d'éviter que l'ensemble du document ne soit un simple collage, une juxtaposition d'éléments disparates.
jalons énumératifs et titres	• Pour que le lecteur puisse suivre facilement la démonstration, il importe de bien organiser et présenter le texte et, au besoin, d'utiliser des jalons énumératifs avec des titres et des sous-titres appropriés.
uniformité des subdivisions	• On ne peut développer de façon très détaillée certaines parties du texte et traiter rapidement d'autres parties de semblable importance.

Situation et pagination

- Le développement est la **deuxième** des parties essentielles d'un texte.
- Le développement est paginé en **chiffres arabes**, à la suite de l'introduction.

Exemple de développement

[...]

Une passion américaine

[Fasciné par l'histoire — il a reçu en 1990 le prix Pulitzer pour la série *The Civil War* —, Ken Burns n'a cessé dans sa plus récente série de dresser des parallèles entre l'évolution sociopolitique de son pays et celle de son sport national.] [Tout y passe : la transition de la ville à la campagne (en apparence pastoral, le baseball est une création urbaine), une guerre civile et deux guerres mondiales (Hank Greenberg déclarait frapper des circuits contre Hitler, tandis que les Japonais interdisaient la pratique du baseball), l'industrialisation (le baseball a longtemps occupé une place centrale dans la culture industrielle américaine), la lutte pour la reconnaissance des droits des femmes (la tante de Bill Lee, la mère de Casey Caendale et la grand-mère de Joe Phelan jouaient dans ces ligues féminines racontées au grand écran dans *A League of their Own*).] [Le traitement des luttes des Noirs était exemplaire à cet égard.]

← Idée directrice
← Démonstration
← Transition

[Burns a fait en sorte que le spectateur n'oublie jamais l'ostracisme dont ils ont souffert :] [Ty Cobb a beau détenir nombre de records et être vénéré à ce titre, il n'en souffrait pas moins d'un délire raciste dont les récits sont à vomir ; il est inutile de chanter les louanges de Satchel Paige, de Rube Foster et de Josh Gibson, si l'on n'ajoute pas du même souffle que ces joueurs ont été cantonnés jusqu'à la fin des années quarante dans des ligues ségrégées (qu'elles aient été des modèles d'organisation ne change rien à l'affaire) ; après un passage quasi triomphaliste sur l'intégration des Noirs au baseball, Mario Cuomo demandait « *Mais alors pourquoi avoir attendu aussi longtemps?* ».] [Le parallélisme entre l'histoire et le sport structurait *Baseball*.]

← Idée secondaire
← Démonstration
← Conclusion partielle

[...]

Écrire le sport

[Chacun le sait : il n'y a guère de sport moderne qui se prête mieux à la littérature que le baseball.] [A. Bartlett Giamatti, avant de devenir commissaire du baseball majeur, enseignait la littérature de la Renaissance à Yale, et Moe Berg, receveur substitut malgré des études à Princeton, à la Sorbonne et à Columbia, a publié dans la *Romanic Review* (on lira sur cet étonnant personnage, absent de la série, la biographie récente de Nicholas Dawidoff, *The Catcher Was a Spy*) ; on ne sache pas que de pareils parcours soient courants dans le monde de la lutte professionnelle ou du curling. Les romans et recueils de nouvelles de W. P. Kinsella (*Shoeless Joe*, dont on a tiré le film *Field of Dreams*), de Bernard Malamud (*The Natural*) ou de Robert Coover (*The Universal Baseball Association, Inc., J. Henry Waugh, Prop.*) tiennent une place dans la littérature que les autres sports ne sauraient prétendre leur ravir : les chroniques cyclistes d'Antoine Blondin, les allusions à la lutte chez John Irving ou à la boxe chez Hemingway, les biographies de joueurs de hockey, cela est de peu de poids à côté de *The Great American Novel* (1973) de Philip Roth.] [*Baseball* n'a pas été insensible à cette précellence de son objet dans les Lettres.]

← Idée directrice
← Démonstration
← Conclusion partielle

[...]

[L'invention langagière, indissociable de l'invention littéraire, est constitutive du rapport au langage de certains baseballeurs :] [il n'est pas étonnant que Roger Angell, sempiternel partisan floué des Red Sox de Boston, ait inventé un palindrome pour résumer l'échec des rêves de son équipe favorite — « *Not so Boston* » —, quand on le voit côtoyer des poètes tels Casey Stengel ou Yogi Berra, le premier ayant déjà demandé à ses joueurs de se ranger sur le terrain par ordre alphabétique de taille et le second n'hésitant pas à répéter que « *ce n'est pas fini tant que ce n'est pas fini* ».] [Pour accéder au récit, écrit aussi bien que télévisuel, n'est-il pas nécessaire de se créer une langue à soi?]

← Idée secondaire
← Démonstration
← Conclusion partielle

Benoît Melançon, « Passe-temps national : *Baseball*, série télévisée de Ken Burns », *Spirale*, n° 140, mars 1995, p. 19.

Voir tableau **Conclusion**
Voir tableau **Hiérarchie des titres**
Voir tableau **Introduction**
Voir tableau **Plan**
Voir tableau **Transition et marqueur de relation**

Dissertation

Exercice scolaire portant sur une question littéraire, historique, philosophique, artistique ou d'actualité et consistant à écrire un texte personnel et fortement structuré où l'on expose, au moyen d'une démonstration rigoureuse, un ensemble d'arguments étayés par des preuves qui mène à une conclusion précise, en réponse à la question initiale.

- La dissertation ne se contente pas d'affirmations, car celles-ci seules convainquent rarement ; or, le but de la dissertation est précisément de persuader le lecteur de la justesse de l'opinion présentée. Il faut donc défendre son point de vue au moyen de preuves, de faits, d'exemples, de citations, etc. En fait, il faut argumenter, c'est-à-dire démontrer sa position de façon claire, à l'aide d'un raisonnement et de preuves (voir section Argumentation).
- Le texte argumentatif ou d'opinion est une dissertation où l'expression de l'opinion doit être beaucoup plus claire et évidente que dans la dissertation classique.

Plan du tableau

But

La dissertation est un exercice qui permet d'apprendre à argumenter et à s'exprimer de façon structurée sur un sujet, dans le but de convaincre le lecteur du bien-fondé de la position que l'on défend.

- Cet exercice permet d'acquérir des habiletés qui sont utiles dans plusieurs situations de communication scolaires et professionnelles.

Qualités d'une bonne dissertation

- Plan présent et apparent
- Idées liées de façon logique et progressive, sans répétitions
- Parties équilibrées et de longueur à peu près égale
- Transitions et marqueurs de relation pertinents
- Arguments forts, personnels et convaincants
- Orthographe grammaticale et d'usage correcte
- Phrases bien construites
- Style agréable
- Richesse et précision du vocabulaire
- Ponctuation adéquate

Étapes du travail

1. Analyse et compréhension du sujet

- Lire et relire très attentivement le sujet.
- Dégager, dans l'énoncé initial, l'objet de la dissertation puis l'intention.

  L'intention oriente l'objet et crée l'unité de la dissertation.

Exemple

« La Food and Drug Administration (FDA) américaine a soulevé la question de l'application aux cigarettes de la législation relative aux stupéfiants, en raison de leur teneur en nicotine. La FDA donne à penser que les fabricants de cigarettes dosent la quantité de nicotine de façon à développer leur pouvoir d'accoutumance. »

Reuter / Washington, *La Presse*, le 27 février 1994.

Devrions-nous, au Canada, interdire tout usage du tabac[1]?

Dans cet exemple, l'objet est l'usage du tabac au Canada. L'intention, qui se rapporte à l'objet, porte sur la nécessité d'interdire ou non l'usage du tabac. Il faut que toute dissertation sur ce sujet aborde les deux aspects de l'énoncé (l'usage du tabac et l'interdiction que l'on envisage). Si la dissertation d'un élève ne traitait que du tabac au Canada sans aborder la question de l'interdiction, ou vice versa, elle serait inévitablement hors sujet.

- Décortiquer le sujet pour en comprendre le sens exact au moyen de l'analyse sémantique (le sens des mots) et syntaxique (la structure grammaticale) de l'énoncé.
- Bien cerner le problème et résumer, en ses propres mots, le travail à faire.

  Il est essentiel de bien comprendre la question dès cette étape afin de ne pas être hors sujet.

2. Recherche des idées

- Favoriser l'éclosion d'idées sur le sujet à partir de son expérience, d'une réflexion personnelle (remue-méninges, associations d'idées, etc.), de l'actualité et, si le contexte le permet, de lectures et de recherches en bibliothèque (consultation d'ouvrages généraux, d'encyclopédies, de dictionnaires, d'index, de catalogues, de revues).
- Noter toutes les idées qui viennent, sans exercer d'autocensure, ainsi que les preuves, les faits, les exemples, les citations, etc., qui peuvent servir à défendre ses arguments.

  Au cours de l'étape suivante, on éliminera les idées farfelues, non pertinentes ou trop éloignées du sujet.

- Faire une première classification des idées selon les grandes catégories qui se dégagent à la suite de l'analyse du sujet.

3. Élaboration du plan détaillé

- Après mûre réflexion, formuler en quelques mots, sur une feuille, sa réponse précise à la question, la position que l'on décide de défendre, son opinion.

  Ce petit exercice de rédaction facilitera le choix du type de progression et la construction du plan détaillé.

- Choisir les idées que l'on retiendra pour répondre à la question dans sa totalité.
- Choisir le type de progression (voir tableau **Plan**) que l'on adoptera pour défendre ses idées.
- Élaborer le plan détaillé, en incluant les idées directrices, les idées secondaires, les preuves, les faits, les exemples, les citations, les arguments, etc.

  Le plan de la dissertation sera comme le plan de tout texte, c'est-à-dire une hiérarchie d'idées directrices et d'idées secondaires. Cependant, les idées d'une dissertation sont défendues à l'aide d'arguments qui sont des preuves appuyant ou contredisant une proposition, une affirmation ou une idée. Les arguments sont destinés à convaincre plus que ne le ferait une simple information.

1. Sujet emprunté à Serge-Pierre Noël, *Ateliers de français écrit B.A.A.*, Montréal, École des Hautes Études Commerciales, Direction de la qualité de la communication, 1994, s.p.

4. Rédaction

- Rédiger le **développement** (80 % de la longueur) :
  - énoncer les idées directrices,
  - énoncer les idées secondaires,
  - assurer une progression dans les idées,
  - illustrer ces idées de preuves, de faits, d'exemples, de citations, d'arguments, etc.
- Rédiger l'**introduction** (10 % de la longueur) :
  - amener le sujet, c'est-à-dire partir d'une idée plus générale que le sujet pour l'introduire,
  - poser le sujet, c'est-à-dire reproduire l'énoncé de départ intégralement, s'il est court, ou le résumer en ses propres mots s'il est long,
  - annoncer son plan.
- Rédiger la **conclusion** (10 % de la longueur) :
  - faire la synthèse de ce qui a été dit et exposer de façon claire la conclusion à tirer du développement,
  - ouvrir la perspective.

5. Révision

- S'assurer de la clarté du plan, de la présence des bonnes transitions et charnières, de l'équilibre des parties.
- Voir à ce que les idées directrices et secondaires soient étayées par des arguments, des exemples, des preuves, des citations, etc.
- S'assurer que l'introduction situe le lecteur, que la conclusion découle de ce qui précède et qu'une conclusion partielle termine le traitement de chaque idée directrice.
- Réviser le tout en prêtant attention à l'orthographe d'usage, aux accords grammaticaux, aux constructions syntaxiques, à la ponctuation, au vocabulaire.

6. Présentation

- Diviser la dissertation en paragraphes qui correspondent au découpage des idées directrices et des idées secondaires.

  ☞ Une dissertation ne comporte pas de sous-titres.
- Il faut s'assurer de souligner ou de mettre en italique les titres d'ouvrage et de guillemeter les citations qui doivent être reproduites avec exactitude.
- Présenter la copie de façon aérée. On recommande l'emploi de blancs :
  - trois interlignes entre l'introduction et le développement,
  - trois interlignes entre le développement et la conclusion,
  - deux interlignes entre les différentes parties du développement,
  - un interligne entre les paragraphes des parties.

Argumentation

Une argumentation est un ensemble d'arguments destiné à prouver ou à réfuter une proposition, à défendre une opinion, une conclusion. Grâce à l'argumentation, on dépasse le niveau de la simple communication d'informations pour en arriver à convaincre un destinataire de la pertinence de son opinion et ce, en utilisant certaines techniques de raisonnement.

☞ Chaque idée directrice et chaque idée secondaire sont étayées par des arguments qui les soutiennent.

Structure d'une argumentation

Une argumentation est une construction qui se développe en plusieurs étapes.

1re idée directrice

- Affirmation de départ (idée, jugement, etc.)
- Argument (preuves, faits, exemples, citations, etc.)
- Analyse (justification et explication) liant l'affirmation de départ et l'argument

  ☞ Il ne sert à rien de donner des preuves, des faits, des exemples, des citations, etc., si on n'établit pas le lien entre l'affirmation de départ et l'argument.
- Conclusion partielle, transition vers la prochaine idée, le prochain paragraphe

2e idée directrice

- Affirmation de départ (idée, jugement, etc.)
- Argument (preuves, faits, exemples, citations, etc.)
- Analyse (justification et explication) liant l'affirmation de départ et l'argument
- Conclusion partielle

3e idée directrice

- Transition vers la prochaine idée, le prochain paragraphe
- Affirmation de départ (idée, jugement, etc.)
- Argument (preuves, faits, exemples, citations, etc.)
- Analyse (justification et explication) liant l'affirmation de départ et l'argument.
- Conclusion partielle, transition vers la prochaine idée, le prochain paragraphe

4e idée directrice

- etc.

  L'enchaînement des différentes parties de l'argumentation dépend du type de progression adopté et de la réponse à laquelle on veut arriver.

Types d'arguments

Une argumentation peut faire appel uniquement à des arguments rationnels ou, au contraire, elle peut ne miser que sur des arguments affectifs ou émotifs. Elle peut également être du domaine émotivo-rationnel. Dans le cadre d'une dissertation, il faut surtout offrir des arguments logiques et rationnels, bien que les arguments émotifs ne soient pas entièrement à exclure. Chose certaine, sans bons arguments, une opinion peut passer inaperçue ou ne pas passer du tout.

- Référence aux faits (événements, incidents, témoignages personnels, lois, etc.)
- Citation
- Appel aux conclusions (données, statistiques, résultats, etc.)
- Appel aux sentiments
- Argument d'autorité (vérités universelles, proverbes, paroles ou écrits de spécialistes, etc.)
- Appel aux valeurs, aux grands principes
- Recours à la tradition, à l'histoire
- Appel à la nouveauté
- Appel à la majorité
- Appel aux besoins généraux et universels
- etc.

  Les exhortations, les prières, les demandes ne sont pas des arguments.

Techniques de raisonnement

Dans l'analyse qui lie l'affirmation de départ et l'argument servant à défendre cette affirmation, on pourra utiliser un des procédés de raisonnement suivants pour développer l'argument, pour en tirer le maximum de conviction.

- Comparaison, analogie, métaphore
  Faire appel à des images pour faciliter la compréhension, illustrer pour transmettre une idée, avoir recours au symbolique.
- Induction
  Passer du particulier au général, de l'exemple à la règle ou à la loi.
- Déduction
  Passer du général au particulier, de la règle à un cas précis.
- Causalité
  Établir des liens de cause à effet entre les différents éléments de l'analyse, ou l'inverse.
- Définition
  Aider à faire comprendre en précisant le sens des mots, passer d'un langage technique à la langue courante.
- Hypothèse
  Faire des suppositions, raisonner sur l'éventualité, la probabilité de certains faits et sur leurs conséquences possibles.
- Explication
  Fournir de l'information en cherchant à faire comprendre.
- etc.

Conseils pour la rédaction

caractère concret

- On ne raisonne pas dans l'abstrait, mais toujours en donnant des preuves, des faits, des exemples, des citations, des arguments, etc.

lien idée-argument

- Le lien entre l'argument et l'idée qu'il défend doit être expliqué, justifié et établi de façon claire.

style impersonnel
- Tout en défendant ses propres idées, il faut adopter un style plutôt impersonnel où l'on n'interpelle pas le lecteur (vous, tu) et où l'on engage ses idées et non sa personne.

lecteur
- On écrit comme si le lecteur (le correcteur) ne connaissait rien du sujet.

longueur
- Une dissertation compte, en règle générale, de quatre à dix pages. Elle comporte de deux à quatre idées principales qui s'appuient chacune sur des idées secondaires (de deux à quatre).

Exemple de dissertation littéraire[1]

Question :

On a parfois comparé le Trivelin de *la Fausse Suivante* de Marivaux au Figaro des pièces de Beaumarchais. Ce jugement vous semble-t-il pertinent? Pourquoi?

De Trivelin à Figaro :

recherche d'une descendance

par

Sophie Montreuil

Travail remis à monsieur Benoît Melançon

dans le cadre du cours FRA 3370

Théâtre du XVIIIe siècle

Université de Montréal

Le 16 décembre 1993

1. Sophie Montreuil, « De Trivelin à Figaro : recherche d'une descendance », travail trimestriel du cours FRA 3370 Théâtre du XVIIIe siècle, Montréal, Université de Montréal, décembre 1993, 10 p.

INTRODUCTION

Sujet amené — *Sujet posé*

[Beaumarchais, dramaturge du XVIIIe siècle, doit certainement une part importante de son succès au personnage de Figaro. Dans un ouvrage dans lequel il traite de cet auteur et de ses œuvres, Philippe van Tieghem affirme que « de tous les valets de comédie, seul Figaro est inoubliable » (1960, p. 123). Il faut toutefois reconnaître que ce personnage de valet n'est pas le résultat d'une création spontanée. Un ancêtre possible de Figaro, « le plus sûr » selon Marcel Arland (Marivaux, 1949, p. 1540), serait le valet Trivelin, présent dans la comédie *la Fausse Suivante* (1724) de Marivaux.] [Nous tenterons de démontrer la justesse de cette comparaison en relevant les ressemblances entre le valet de Marivaux et le Figaro du *Barbier de Séville* (1775) et du *Mariage de Figaro* (1784) de Beaumarchais.]

Annonce du plan — *3 idées directrices du développement*

[Quoiqu'il s'inscrive dans une tradition, Figaro présente des caractéristiques nouvelles qui le différencient de ses ascendants. ① Tout en insistant sur les traits qui le rapprochent de Trivelin, nous soulignerons aussi les particularités qui permettent de saisir son originalité. En prenant pour point de départ la ruse qui caractérise les deux personnages, nous chercherons d'abord à comprendre le rôle joué par les valets dans l'intrigue ainsi que leur fonction respective dans l'économie de chacune des pièces étudiées. ② Après avoir ainsi mis au jour la raison de la ruse, nous verrons comment cette habileté propre aux deux valets se manifeste par un atout essentiel sur lequel se fonde son efficacité, soit l'art de la parole. ③ Enfin, si l'adresse de Trivelin et de Figaro est sans contredit un talent précieux dont ils savent tirer avantage, elle ne représente cependant pas à elle seule la nature complète des personnages ; nous terminerons donc l'analyse en dévoilant les aspects qui attestent la complexité des deux valets.]

DÉVELOPPEMENT

1re idée secondaire — *Argument* — *Analyse*

[Trivelin n'est pas le seul personnage auquel est associée la condition de valet dans les comédies de Marivaux. Voir en lui l'ancêtre de Figaro implique par conséquent qu'on lui accorde une valeur particulière.] [Selon Marcel Arland, Trivelin appartient au type de valets qu'il nomme les « meneurs de jeu » (Marivaux, 1949, p. 1540) et qu'il considère comme « la figure la plus complexe et la plus hardie » de cette catégorie (p. 1540).] [Bien qu'on ne puisse considérer Trivelin comme le personnage principal de *la Fausse Suivante* — il ne fait que s'insérer dans une intrigue établie avant son arrivée dans l'histoire —, on doit admettre qu'il joue malgré tout un rôle important dans la pièce. Les actions qu'il entreprend ont pour résultat de modifier le cours de l'histoire : se reconnaissant « habile homme », il décide de s'impliquer directement dans l'intrigue, dans le but de « hâter le succès du projet » de celle qu'il croit « sa chère suivante » (p. 351).]

2e idée secondaire

À l'inverse du Trivelin de Marivaux, le [Figaro de Beaumarchais est lui-même à l'origine des intrigues auxquelles il prend part,] en plus de tenir dans les deux pièces le rôle central : dans *le Barbier de Séville*, c'est à lui que revient la tâche de faire réussir le mariage du comte Almaviva et de Rosine, aux dépens de Bartholo, tuteur de la promise ; dans *le Mariage de Figaro*, le valet doit user de ruses pour empêcher ce même comte d'utiliser son « droit de seigneur[1] » auprès de sa fiancée Suzanne.

1re idée directrice — *3e idée secondaire* — *Argument (1re moitié)* — *Analyse*

[Tous deux habiles à ruser, Trivelin et Figaro se rejoignent par leur présence nécessaire à l'avancement de l'action. Ils partagent la fonction commune de tromper autrui, grâce à la mise en œuvre de divers procédés.] [La ruse agit cependant différemment, et dans des contextes particuliers, dans chacune des pièces.] [Dans *la Fausse Suivante*, la reconnaissance du talent de Trivelin est partielle] : [si son pair, le valet Frontin, le définit comme « un garçon d'esprit, et d'une intrigue admirable » (Marivaux, 1949, p. 332), son maître, le Chevalier[2], ne fait jamais de même. Apprenant par erreur l'intrigue cachée lors d'une conversation avec Frontin (acte I, scène I), Trivelin n'était en fait appelé à jouer qu'un rôle de remplaçant auprès du maître. Son aide n'est aucunement sollicitée, et il est même berné en partie, puisque l'identité réelle du Chevalier lui est cachée (acte I, scène V). Ne pouvant demeurer inactif — « est-il naturel que je reste ici les bras croisés? », dit-il (p. 351) —, il décide d'agir seul et trompe Lélio sans le faire savoir au Chevalier. Une fois la ruse découverte, Trivelin ne reçoit pas pour autant des félicitations ou des remerciements de la part de son maître : de « coquin » qu'il était (p. 339), « coquin » il reste (p. 363), en plus de se voir gratifié des appellations peu élogieuses de « fourbe » (p. 363) et de « faquin » (p. 364).]

Argument (2e moitié) — *Analyse*

[Même si le Figaro du *Barbier de Séville* est aussi qualifié de « coquin » par son maître (Beaumarchais, 1982, p. 52), la situation dans laquelle se trouve le valet sert plutôt ici à reconnaître et à valoriser son talent.] [Le comte Almaviva mise entièrement sur son ancien valet pour faire réussir son projet de mariage ; il voit en Figaro « son ami, son ange, son libérateur, son Dieu tutélaire » (p. 64). C'est donc au valet que revient la responsabilité de l'invention des ruses et tactiques pour déjouer l'adversaire ; « il en résulte, selon René Pomeau, qu'Almaviva est réduit, dans la comédie, à un rôle assez passif » (1987, p. 98). De fait, les actions d'Almaviva reposent sur l'autorité de Figaro : le valet est celui qui vient « aider » (Beaumarchais, 1982, p. 123), celui qui sert de référence et qui rassure (à l'interrogation d'un Almaviva « effrayé » à la suite de l'évanouissement de Rosine, Figaro répond de ne pas s'inquiéter, p. 161). Malgré la présence d'un adversaire de taille dans le personnage de Bartholo — celui-ci apprend à se méfier de « ce maudit Barbier » (p. 135) —, Figaro triomphe et se montre ainsi à la hauteur des attentes du comte.]

---

1. Droit issu d'une ancienne coutume selon laquelle les filles nées sur un domaine étaient la propriété du seigneur, qui avait dès lors le droit de précéder le mari sur la couche nuptiale.
2. Le Chevalier est dans les faits une femme déguisée en homme, qui use de cette tactique pour se rapprocher de Lélio, le mari qui lui est destiné, sans se faire connaître.

[La situation qui existe entre Almaviva et Figaro dans *le Barbier* prend une allure diamétralement opposée dans *le Mariage*. Le maître qu'il fallait aider devient ici celui à qui il faut nuire, celui qui est maintenant un « grand trompeur » (1970, p. 58). Figaro doit ruser dans son propre intérêt : afin de ne pas partager sa fiancée, il doit arriver à « renverser les projets » du comte (p. 82). Si habile soit-il, il n'agit pas seul : se joignent à lui Suzanne et l'épouse d'Almaviva, la comtesse, victime elle aussi des agissements de son mari. La ruse du valet se fait ainsi à l'insu de son maître Almaviva, mais avec le concours de l'épouse de ce dernier. Si celle-ci semble tout d'abord se laisser séduire par les talents de Figaro (« l'assurance [du valet] finit par [lui] en inspirer », p. 84), elle est plus tard méfiante quant à ses réelles aptitudes : après l'avoir qualifié « d'étourdi » (p. 100), elle refuse qu'il « met[te] du sien » (p. 110) dans une ruse imaginée par elle-même et Suzanne pour attraper le comte en flagrant délit de séduction. Figaro le rusé devient dès lors le trompeur trompé, ou le « renard muselé » (p. 173) : il est en partie victime — en partie, puisqu'il trompe à son tour Suzanne — de la mise en scène élaborée par les deux femmes.] [En fait, même si Figaro joue un rôle important dans la pièce, on peut admettre, tel que le propose René Pomeau, qu'« il n'en conduit pas l'action » (Pomeau, 1987, p. 160). Lorsque Suzanne avoue qu'« aucune des choses [que Figaro] avai[t] disposées [...] n'est pourtant arrivée » (Beaumarchais, 1970, p. 139), elle résume le cours d'une histoire marquée par la perte de contrôle du valet sur les événements.]

← Analyse
← Conclusion partielle

[Que la ruse soit couronnée de succès ou qu'elle échoue, qu'elle soit reconnue ou désavouée, elle demeure un fondement essentiel des personnages de Trivelin et de Figaro.] [La capacité des valets à ruser trouve son assise la plus solide en leur art accompli de la parole : tous deux n'ont pas leur pareil pour conduire un entretien et déjouer inopinément un adversaire.] [Dès la première rencontre entre Trivelin et le Chevalier dans *la Fausse Suivante*, l'accent est mis sur la parole du valet (acte I, scène V) :] [le maître ne reconnaît pas le « langage » employé par Trivelin (Marivaux, 1949, p. 338) et avoue que cela lui cause de l'inquiétude. C'est une parole qui surprend son destinataire — le Chevalier affirme qu'il « ne sai[t] plus que penser de tout ce que Trivelin [lui] dit » (p. 339) — et qui permet à celui qui en fait usage de ne pas donner les réponses demandées. Lélio, personnage qui subit l'assaut verbal de Trivelin (acte III, scène II), avoue qu'il est « joué » par le valet (p. 377). Lors de leur entretien, celui-ci déploie en effet toute son adresse quant à l'art d'esquiver les questions qui lui sont posées ; en déclarant qu'il « se passer[a] de l'aveu qu'[il] lui demand[ait] » (p. 378), Lélio concède la victoire au valet et révèle par le fait même la supériorité de Trivelin.]

← Transition
← 2e idée directrice
← Argument (1re moitié)
← Analyse

Argument (2e moitié)

[La valorisation du valet par l'art de la parole est aussi présente dans les deux pièces de Beaumarchais.] [Philippe van Tieghem attribue à Figaro « le don de la réplique instantanée » (1960, p. 24), « don » qui, comme dans *la Fausse Suivante*, contribue à détourner l'adversaire de son intention initiale. À l'œuvre dans la scène V de l'acte III du *Barbier de Séville*, le talent de Figaro permet au valet d'éviter les accusations que Bartholo lui destine quant à l'état de ses deux domestiques, La Jeunesse et L'Éveillé. Une situation semblable se produit dans *le Mariage* lorsque Figaro, par ses reparties imprévues, déjoue les interrogations d'Almaviva, qui l'accuse d'avoir menti (acte IV, scène VI). Le comte reconnaît l'arrogance de Figaro — « En voit-on de plus audacieux[1] ? », dit-il (Beaumarchais, 1970, p. 147) —, ne faisant ainsi que constater qu'il a été victime de l'adresse de son valet.]

← Analyse

1re idée secondaire

[En qualifiant la parole de Trivelin de « verbiage » (*la Fausse Suivante*, p. 376), Lélio la reconnaît à sa juste valeur.] [En effet, cette parole, tout comme celle de Figaro, peut être définie comme « une abondance de paroles, de mots vides de sens ou qui disent peu de choses » (Robert, 1991, p. 2076). Lorsqu'ils le mettent en œuvre, les deux valets utilisent leur talent verbal dans le but de retourner une situation qui ne leur est pas favorable ou qui compromet l'avancement de projets établis. Cette parole sert à nuire à l'adversaire, à empêcher qu'un discours soit formulé. Elle atteint son but, au profit d'un échange où règne la non-communication : Figaro et Trivelin évitent de répondre aux questions qu'on leur pose.]

← Analyse

Conclusion partielle

[À cette parole vide de sens] [s'oppose une autre parole, dont les valets usent, à l'inverse de la précédente, pour tenir un discours cohérent. Si Figaro et Trivelin excellent dans l'art de jouer avec les mots, il leur arrive parfois de délaisser le caractère ludique de leur langage pour formuler une pensée réfléchie ; tous deux ont des choses à dire. Leur situation sociale est l'un de leurs sujets de prédilection : la condition de valet, ainsi que leur relation avec leur maître, suscite de l'insatisfaction.]

← Transition

[Dans *la Fausse Suivante*, la première rencontre entre Trivelin et le Chevalier (et avant qu'il ne la croie suivante) est l'occasion pour le valet de manifester son mécontentement devant l'appellation traditionnelle qui lui revient : il demande « une formule plus douce » (p. 339) pour remplacer le « terme dur » de valet (p. 338). Le Figaro du *Barbier de Séville* va plus loin dans l'examen de sa condition et pose les fondements d'un véritable débat, lorsqu'il interpelle Almaviva et lui pose cette question : « Votre Excellence connaît-elle beaucoup de Maîtres qui fussent dignes d'être Valets? » (p. 55). Cette petite sortie de la part de Figaro n'entraîne cependant aucune conséquence : ne relevant pas l'insulte personnelle, le comte opte pour le rire et un commentaire banal (« Pas mal », p. 55). La suite de l'entretien fait découvrir un Figaro qui choisit de respecter la traditionnelle position du valet face au maître : se considérant « assez heureux pour retrouver [Almaviva] » (p. 57), il se déclare « prêt à le servir de nouveau en tout ce qu'il lui plaira de lui ordonner » (p. 57).]

← Analyse

1.« Audacieux » selon le sens vieilli d'« une hardiesse impudente » (Robert, 1991, p. 130).

[Si elle ne contient pas de propos explicites quant à l'insatisfaction inhérente au statut social de valet, la pièce de Beaumarchais frôle tout de même la question,] [ne serait-ce que par l'étonnante valorisation du personnage de Figaro : comme on l'a vu précédemment, le valet conduit seul l'action et les initiatives lui reviennent.] [Plutôt que de recevoir et d'exécuter passivement les ordres de son maître, c'est le valet lui-même qui est à l'origine de ses comportements. S'il accepte d'aider Almaviva dans *le Barbier*, Figaro doit, dans *le Mariage*, affronter son maître afin de faire échouer son projet. S'il cherche à le déjouer selon cette perspective, il l'attaque aussi directement en tant que représentant d'une condition supérieure. La scène V de l'acte III donne lieu à de franches reparties qui sont autant de provocations : le comte remarque « qu'il y a toujours du louche en ce que [Figaro] fai[t] » (Beaumarchais, 1970, p. 116), alors que le valet se demande si « beaucoup de seigneurs [valent mieux que leur réputation] » (p. 116). Figaro est insolent à de nombreuses reprises (entre autres exemples, celui-ci : « Votre Excellence se permet de nous souffler toutes les jeunes filles », p. 118), témoignant d'une attitude de défiance et rejetant le respect traditionnellement dû au maître.]

← 1re idée secondaire
← Argument
← Analyse

[Du souhait formulé par Trivelin dans *la Fausse Suivante* à la prise de position de Figaro contre le maître dans *le Mariage*, le mécontentement fait partie des caractéristiques qui définissent le personnage du valet.] [La cause de cet état peut être découverte à l'aide du bilan que font Trivelin et Figaro de leur situation respective : tous deux relatent leur histoire personnelle, étrangement semblable l'une à l'autre, le premier lors de la scène première de l'acte I de *la Fausse Suivante*, le second dans la scène III de l'acte V du *Mariage*. À ce sujet, Marcel Arland croit d'ailleurs qu'il est fort probable que « dans le grand monologue [récité par Figaro dans *le Mariage*] Beaumarchais se soit inspiré des tirades de Trivelin » (Marivaux, 1949, p. 1540).]

← 3e idée directrice
← Argument

[La ressemblance qui existe entre les deux destins est certes frappante. Les deux valets ont tout d'abord une expérience de vie similaire : Trivelin affirme qu'il « a tâté de tout » (Marivaux, 1949, p. 333), « changeant à propos de métier, d'habit, de caractère, de mœurs » (p. 332), et Figaro déclare qu'il « a tout vu, tout fait, tout usé » (Beaumarchais, 1970, p. 164), « faisant tous les métiers pour vivre » (p. 164). En plus de leur polyvalence, ils possèdent tous deux plusieurs qualités appréciables : Trivelin se dit « habile » (p. 351) et se considère être un « homme raisonnable » (p. 331), tandis que Figaro s'attribue de la « science » (p. 160) et du « savoir » (p. 162). Les deux valets ont conscience des talents sur lesquels ils peuvent miser et proclament par le fait même leur individualité. Cette constatation ne s'accompagne cependant pas, ni chez l'un ni chez l'autre, de la certitude d'être reconnu à sa juste valeur ; Trivelin et Figaro sont aux prises avec des désirs inassouvis : le premier se range au rang des « infortunés » (p. 356) et estime avoir peu reçu d'un « monde ingrat » (p. 333), le second dit « [avoir été] partout repoussé » (p. 160), ce qui a fait de lui un être « désabusé » (p. 164) avec une « illusion détruite » (p. 164).

← Analyse

Trivelin voit dans les « mauvais tours joués par le sort » (p. 356) la cause de son malheur ; il a été « sujet à des accidents » (p. 356), à des « grimaces faites par la fortune » (p. 360). Figaro reprend les mots de son pair et donne la même explication de son destin : c'est aussi la « fortune » (p. 164) qui a tout organisé selon ce qui lui a plu. Le résultat pour lui se résume à considérer sa vie comme une « bizarre suite d'événements » (p. 164). « Bizarre suite » en effet, dans laquelle le valet se laisse porter d'un état à un autre : « orateur selon le danger ; poète par délassement ; musicien par occasion [...] » (p. 164). Cette façon de relater les événements est aussi présente dans *le Barbier de Séville* ; en se racontant à Almaviva, Figaro dit : « aidant au bon temps, supportant le mauvais ; me moquant des sots, bravant les méchants [...] » (p. 57). Ce même procédé de juxtaposition est employé dans les tirades de Trivelin : « toujours prudent, toujours industrieux ; [...] risquant beaucoup, résistant peu ; [...] démasqué par les uns, soupçonné par les autres [...] » (p. 332-333).]

[Attribuant à la fortune ou au sort la possibilité d'être maîtres de leur destin, Trivelin et Figaro se déchargent de toutes responsabilités. Tous deux conscients de ne pas avoir obtenu ce qui leur était dû, ils montrent cependant des attitudes différentes quant à ce constat d'insatisfaction.] [Trivelin a développé une « façon de penser » qui consiste à « ne pas se soucier d'être heureux » (p. 332). Plutôt que de préconiser l'indifférence, le Figaro du *Barbier* opte, lui, pour la « philosophie » du rire : « il se presse de rire de tout, de peur d'être obligé d'en pleurer » (p. 57). Le Figaro du *Mariage* se démarque fortement des choix de ses prédécesseurs. C'est peut-être par cet aspect que le personnage est le plus innovateur. À l'inverse d'une philosophie témoignant de l'acceptation d'un choix de vie, Figaro s'interroge : « Comment cela m'est-il arrivé? Pourquoi ces choses et non pas d'autres? Qui les a fixées sur ma tête? » (p. 164). Il affirme ainsi l'unicité de son destin, mais sans pour autant s'y décerner le rôle principal ; « sans le savoir » et « sans le vouloir » (p. 164), Figaro a vécu.]

← 2e idée secondaire
← Analyse

CONCLUSION
Rappel des 3 idées directrices
① ② ③

[La ressemblance entre le Trivelin de Marivaux et le Figaro de Beaumarchais joue à plusieurs niveaux : situation similaire dans l'intrigue, force de la parole et volonté d'exprimer un destin insatisfaisant. Les deux valets s'inscrivent dans un rapport de continuité qui fait apparaître la complexité de leur nature. Bien qu'ils ne changent ni l'un ni l'autre de statut social, ils se permettent certaines revendications et ouvrent ainsi la porte à un débat menant à l'examen de leur condition.] [C'est avec le Figaro du *Mariage* que se complète et se confirme la représentation novatrice du personnage de valet : celui-ci s'interroge sur cette « bizarre destinée » (Beaumarchais, 1970, p. 160) qui le laisse « désabusé » (p. 164), « destinée » qui ne lui a pas permis de voir tous ses talents étalés au grand jour.] [S'il se reconnaît certes des qualités qui révèlent son individualité, Figaro ne distingue cependant pas son identité personnelle : le « *moi* dont il s'occupe » n'est pour lui qu'un « assemblage informe de parties inconnues » (p. 164). Qu'il se perçoive ainsi n'est pas étonnant, puisqu'il ne fait que répéter le procédé utilisé pour définir sa vie : de la même manière qu'il conçoit son destin comme une suite illogique hors de son contrôle, il se présente comme un tout inachevé dont il ne connaît pas les composantes. L'homme qui se cache derrière les mérites demeure pour lui un mystère.]

← Synthèse des idées directrices
← Réponse à la question
← Ouverture

Bibliographie

BEAUMARCHAIS, Pierre Augustin Caron de. 1982, *le Barbier de Séville, Jean Bête à la foire*, édition présentée et annotée par Jacques Scherer, Paris, Gallimard, 275 p.

BEAUMARCHAIS, Pierre Augustin Caron de. 1970, *le Mariage de Figaro*, Paris, Bordas, coll. « Les petits classiques Bordas », 192 p.

MARIVAUX, Pierre Carlet de Chamblain de. 1949, *Théâtre complet*, édition préfacée et annotée par Marcel Arland, Paris, Gallimard, coll. « Bibliothèque de la Pléiade », 1564 p.

POMEAU, René. 1987, *Beaumarchais ou la Bizarre Destinée*, Paris, Presses universitaires de France, coll. « Écrivains », 226 p.

ROBERT, Paul. 1991, *Dictionnaire alphabétique et analogique de la langue française : Le Petit Robert 1*, Paris, Le Robert, 2172 p.

VAN TIEGHEM, Philippe. 1960, *Beaumarchais*, Paris, Seuil, coll. « Écrivains de toujours », 186 p.

Exemple de texte argumentatif[1]

Question :
« L'École doit être accessible à ceux qui s'y sont préparés, qui ont fait des efforts, qui ont de bonnes notes. Il y a trop de monde dans nos établissements postsecondaires, et cela a entraîné une dégradation de la qualité de l'enseignement... », répondait le sociologue Gary Caldwell au journaliste Luc Chartrand de la revue *l'Actualité* du 1er mars dernier.

Doit-on laisser les cégeps et les universités à la portée de tous ou ces établissements doivent-ils augmenter leurs exigences lors de l'admission des élèves?

Éducation : Un projet de société

INTRODUCTION

[La Révolution tranquille dont on fixe habituellement les débuts autour de 1960 a eu l'immense mérite d'ouvrir les portes de l'éducation postsecondaire québécoise au plus grand nombre de ceux qui voulaient y tenter leur chance. Cette démocratisation de l'enseignement a augmenté de façon considérable le nombre d'élèves et d'étudiants dans les salles de cours et elle aurait entraîné une dégradation de la qualité de l'enseignement, selon le sociologue Gary Caldwell.] ← Sujet amené [Afin de remédier à ce problème, les établissements d'enseignement postsecondaires devraient-ils augmenter leurs exigences lors de l'admission des élèves ou devraient-ils maintenir le *statu quo?*] ← Sujet posé [Selon nous, il est absolument impensable de revenir sur les acquis de la Révolution tranquille et il faut se battre pour assurer le maintien des exigences actuelles d'admission dans les divers programmes d'études des cégeps et des universités.] ← Opinion [Nous tenterons de faire valoir les mérites de notre position en démontrant tout d'abord les effets qu'aurait une augmentation des exigences à l'admission. Puis nous proposerons deux mesures qui nous semblent plus appropriées pour résoudre le problème de l'enseignement postsecondaire : un certain resserrement des exigences de programme tout au long des études et la réduction de la taille des groupes.] ← Annonce du plan

1. Sujet emprunté à Serge-Pierre Noël, « Programmes de B.Gest. et de B.A.A. : Épreuve de français écrit », Montréal, École des Hautes Études Commerciales, Direction de la qualité de la communication, le 23 avril 1995, s.p.

DÉVELOPPEMENT

[L'accessibilité universelle à l'éducation postsecondaire est un principe démocratique qu'il faut maintenir à tout prix, sinon on risque d'accroître le gouffre déjà grand qui sépare privilégiés et démunis.] [Plutôt que de favoriser « ceux qui s'y sont préparés, qui ont fait des efforts, qui ont de bonnes notes », comme le dit Gary Caldwell, un resserrement des exigences d'admission au cégep et à l'université privilégierait avant tout ceux qui peuvent se payer les meilleures écoles secondaires, les meilleurs professeurs, le meilleur environnement d'apprentissage, bref les mieux nantis financièrement.] [Il ne faut pas se leurrer : un tel resserrement favoriserait le système d'éducation privé vers lequel se tourneraient les parents qui craignent pour l'avenir de leurs rejetons et qui veulent dès le départ leur donner les meilleures chances dans la vie. Non seulement les gens aisés pourront payer des études dans des écoles secondaires privées à leurs enfants, mais ces derniers, n'étant pas obligés de travailler les fins de semaine et l'été, pourront se consacrer entièrement à leurs travaux scolaires et ainsi obtenir les premières places. Les plus pauvres auront beau travailler d'arrache-pied, malgré leurs bonnes notes et leurs louables efforts, ils n'auront pas accès à ce qui deviendra la chasse gardée des plus riches. Cela créera comme avant 1960 un système d'éducation à deux vitesses, semblable au système d'éducation américain actuel.] [Ainsi, il faut permettre l'accès de tous à l'enseignement postsecondaire] [et compter sur la sélection naturelle que permettent des exigences adéquates tout au long des études pour maintenir le nombre d'élèves et d'étudiants dans les classes à un niveau acceptable.]

← 1re idée directrice
← Argument
← Analyse
← Conclusion partielle
← Transition

[Des exigences de progression réalistes et appropriées au cours des études auront pour effet de dissuader les élèves et les étudiants trop faibles de persévérer dans un programme d'études qui ne leur convient pas.] [Il serait donc bon de les resserrer là où elles sont lâches, sans toutefois se lancer encore une fois dans une réforme qui ferait table rase de ce qui fonctionne bien et donne de bons résultats.] [Certains programmes, dans certains cégeps ou facultés universitaires, gagneraient à être revus, car il n'est pas rare que l'on entende des employeurs se plaindre de la mauvaise formation des nouveaux diplômés qu'ils engagent et du manque d'adéquation entre la théorie enseignée à l'école et la pratique du milieu du travail.] [Il faut donc prêter une oreille attentive à ces remarques et commentaires et faire le nécessaire pour corriger la situation. Mais, il faut aussi faire preuve de prudence et de retenue et agir ponctuellement là où le besoin se fait sentir, sans tout reprendre à zéro.] [Si c'est vraiment l'amélioration de la qualité de l'enseignement que l'on souhaite, il est grand temps que l'on implante la seule mesure qui aura un effet véritable et immédiat sur celle-ci, la réduction de la taille des groupes.]

← Analyse
← 2e idée directrice
← Argument
← Conclusion partielle
← Transition

[Les élèves et les étudiants étant trop nombreux dans les classes, il suffit de diminuer le nombre d'inscrits par classe en créant plus de classes. Plutôt que d'augmenter aveuglément les exigences à l'entrée, on pourrait en effet résoudre le problème en limitant la taille des groupes.] [De nombreuses études ont prouvé que des groupes plus petits d'élèves permettaient au professeur d'accorder plus d'attention à chacun et d'améliorer ainsi les conditions d'apprentissage.] [Le professeur peut s'arrêter plus souvent, offrir davantage d'explications et s'occuper plus intimement du cheminement de chaque personne. Les élèves apprennent mieux et bénéficient d'une meilleure formation. Cette solution, en plus de favoriser une réelle amélioration de la qualité de l'enseignement, ne pénalise personne, n'exclut personne. Tout le monde en profite : les élèves qui apprennent mieux, les professeurs qui ont de meilleures conditions de travail, les employeurs qui ont du personnel plus compétent et la société en général qui fonctionne mieux.]

← 3e idée directrice
← Argument
← Analyse

[Les détracteurs de cette solution opposeront comme argument son coût plus élevé à un moment où les caisses de l'État sont vides.] [Mais il reste que l'éducation est sans doute la clé qui résoudrait bien d'autres problèmes (chômage, maladie, violence, pauvreté, etc.) qui coûtent très cher au gouvernement et qu'en augmentant le budget accordé à l'éducation on réduirait, à moyen terme, les sommes nécessaires dans d'autres ministères.] [Il est grand temps que le Québec fasse de l'éducation sa priorité en prenant l'exemple de pays comme l'Allemagne et le Japon qui ont tout misé sur la formation de leur jeunesse pour améliorer le sort de leur société, car, comme le dit Claude Picher dans un article de *La Presse*, il « existe un lien important, incontournable, fondamental, entre le niveau de prospérité d'une société et la qualité de son réseau d'éducation[1] ». Les sommes investies pour créer un meilleur système d'éducation au Québec rapporteraient à long terme beaucoup plus que ne le ferait un resserrement arbitraire des exigences à l'admission, mesure qui ne ferait que créer un nombre encore plus grand de chômeurs.]

← 1re idée secondaire
← Argument
← Analyse

CONCLUSION

La question de la qualité de l'enseignement ne laisse personne indifférent, car chacun souhaite offrir à ses enfants la meilleure éducation possible. Cependant, il ne faut pas vouloir tout réformer et jeter le bébé avec l'eau du bain. [Certains acquis, tel l'accès universel à l'enseignement postsecondaire, constituent des progrès sociaux sur lesquels on ne peut revenir sans risquer le retour à une situation mille fois pire que la situation que l'on souhaite corriger. Il faut toutefois envisager la nécessité d'élever les exigences de progression de certains programmes d'études où a eu lieu un relâchement. Et, surtout, il faut chercher à convaincre les responsables du système d'éducation québécois d'adopter la seule mesure qui aura un effet réel sur la qualité de l'enseignement, la réduction de la taille des groupes.] [Pour cela, il faut que la société québécoise au grand complet en fasse sa priorité, qu'elle appelle de ses vœux les plus chers une réforme de l'enseignement véritable qui lui permettra de résoudre à moyen et à long terme de nombreux autres problèmes.]

← Rappel des idées directrices
← Ouverture

1.Claude Picher, « Du trait d'union », *La Presse*, 26 août 1995, p. E3.

Voir tableau **Conclusion**
Voir tableau **Correction**
Voir tableau **Développement**
Voir tableau **Introduction**
Voir tableau **Plan**
Voir tableau **Révision**
Voir tableau **Transition et marqueur de relation**

ÉNUMÉRATION

Action d'énoncer un à un les éléments d'un tout.

Une énumération peut être formée de plusieurs mots, de plusieurs membres de phrases, de plusieurs phrases et, dans certains cas, de plusieurs paragraphes.

Plan du tableau

But

Façon pratique, claire et schématique de présenter l'information, l'énumération permet de structurer pensée et texte du même coup.

Types de présentations

Présentation horizontale

- Les éléments énumérés sont généralement introduits par un deux-points et séparés par des virgules ou des points-virgules.
- Un point termine l'énumération et les éléments de l'énumération s'écrivent avec des minuscules.
- L'utilisation de jalons énumératifs est tolérée.

Exemples

Les principaux éléments d'un chapitre sont : le titre, le texte, les notes, les figures, les tableaux.

Un angle peut être caractérisé par sa mesure : *a*) un angle de 90° est un angle droit ; *b*) un angle de 180° est un angle plat ; *c*) un angle de moins de 90° est un angle aigu ; *d*) un angle de plus de 90° est un angle obtus.

Présentation verticale

- La phrase introductive est généralement suivie d'un deux-points.
- Les éléments énumérés sont précédés ou non d'un jalon énumératif et peuvent être suivis d'une virgule ou d'un point-virgule. Ils peuvent également être notés sans ponctuation.

Exemples

Nous avons acheté :
– des pommes,
– des poires,
– des ananas.

Nous avons acheté :
des pommes
des poires
des ananas

Nous avons acheté :
– des pommes qui étaient pourries ;
– des poires qui avaient des vers ;
– des ananas qu'on avait cueillis trop tôt.

- Lorsque les éléments de l'énumération sont d'une certaine longueur — des phrases ou des membres de phrases assez complexes —, on recommande l'utilisation de la majuscule au premier mot, même si l'énumération est introduite par un deux-points.

La longueur de l'énumération et l'importance que l'on veut accorder à chaque élément déterminent le choix de la ponctuation, du jalon, de la minuscule ou de la majuscule.

Conseils pour la rédaction

aucune rupture

- Il est indispensable que chaque élément puisse se lire à la suite de la proposition principale (ou de la phrase introductive) sans qu'il y ait rupture logique ni grammaticale.

uniformité

- Toute énumération, qu'elle soit simple ou complexe, présentée à la verticale ou à l'horizontale, doit être formée d'éléments de la même catégorie grammaticale (soit des noms, soit des verbes, en règle générale).

Exemple à suivre 1

verbes

Les exigences pour le poste sont les suivantes :
– posséder une excellente connaissance des langues française et anglaise parlées et écrites ;
– saisir rapidement et précisément à l'ordinateur ;
– bien connaître le logiciel WordPerfect ;
– être habile dans les relations interpersonnelles ;
– être disposé à fournir des efforts physiques.

Exemple à suivre 2

noms

Les exigences pour le poste sont les suivantes :
– excellente connaissance des langues française et anglaise parlées et écrites ;
– saisie rapide et précise à l'ordinateur ;
– bonne connaissance du logiciel WordPerfect ;
– habileté dans les relations interpersonnelles ;
– disposition à fournir des efforts physiques.

Exemple à ne pas suivre

verbes noms

Les exigences pour le poste sont les suivantes :
– posséder une excellente connaissance des langues française et anglaise parlées et écrites ;
– rapidité et précision en saisie ;
– connaissance du logiciel WordPerfect ;
– habileté dans les relations interpersonnelles ;
– être disposé à fournir des efforts physiques.

Jalons énumératifs

- Le tiret —
- Le gros point •
- La lettre d'ordre — A. ou A; *a*)
- Le chiffre d'ordre — I. ou I; 1. ou 1; 1°; i)

Dans une énumération simple, on peut utiliser des chiffres comme jalons énumératifs lorsque l'ordre des éléments est important (par exemple, lorsqu'on décrit des opérations à effectuer dans un ordre donné).

Quand le signe comporte un point, le premier terme de chaque élément de l'énumération commence par une majuscule.

Exemple

Un niveau d'énumération 1°

2°

Pour une énumération simple, on utilise un seul jalon énumératif, par exemple les adjectifs numéraux latins qui précèdent.

Deux niveaux d'énumération 1°

a)

b)

2°

a)

b)

Pour une énumération double, on se sert de deux types de signes.

Trois niveaux d'énumération

A.

1°

a)

b)

2°

a)

b)

B.

1°

a)

b)

etc.

Pour un énumération triple, on se sert de trois types de signes.

Exemple (suite)

Plus de trois niveaux d'énumération

I.

A.

1°

a)

i)

–

–

ii)

–

–

b)

...

2°

...

B.

...

II.

etc.

Pour une énumération à plusieurs niveaux, on se sert du nombre de signes nécessaire.

Ponctuation

phrase introductive

- Le deux-points termine généralement la phrase introductive, mais il n'est pas obligatoire dans tous les cas.

éléments

- Les éléments d'une énumération peuvent être séparés par des virgules, des points-virgules, des points ou peuvent s'écrire sans ponctuation. Lorsque les éléments sont séparés par une virgule ou par un point-virgule, le dernier élément est suivi d'un point final.

Exemples

Nous avons acheté :
– des pommes,
– des poires,
– des ananas.

Nous avons acheté :
des pommes
des poires
des ananas

Nous avons acheté :
– des pommes qui étaient pourries ;
– des poires qui avaient des vers ;
– des ananas qu'on avait cueillis trop tôt.

éléments complexes

- Le point-virgule s'emploie lorsque chaque élément est complexe, c'est-à-dire lorsqu'il constitue une proposition ou une phrase complète, ou qu'il comporte déjà une ou des virgules.

subdivision d'un élément

- Si l'un des éléments se subdivise à son tour, la ponctuation finale de chaque élément est le point-virgule ; chaque sous-élément, sauf le dernier, se termine par une virgule.

Exemple

Il est habituel de distinguer :

a) les articles définis :
- le,
- la,
- les ;

b) les articles indéfinis :
- un,
- une,
- des ;

c) les articles partitifs :
- du,
- de l',
- de la,
- des.

élément court

- La virgule s'emploie pour des éléments simples et courts.

phrase complète

- Un point peut aussi s'employer lorsque chaque élément est une phrase complète.

énumération intégrée dans phrase

- Si la phrase se poursuit après l'énumération, le dernier élément de celle-ci comportera une virgule ou un point-virgule, selon la ponctuation de l'énumération, à la place du point.

Exemple

Le sujet peut être :
– un nom,
– une proposition,
– un infinitif,
– un pronom,
mais un adjectif, un participe (présent ou passé) et certains mots invariables peuvent l'être aussi.

Majuscules et minuscules

majuscule

- Si l'on considère que la phrase est interrompue entre la proposition introductive et le début de l'énumération, on met une majuscule à chaque élément de l'énumération.

La proposition introductive se termine obligatoirement par un deux-points.

Exemple

On place avant le nom :
1. En général, l'adjectif monosyllabique qualifiant un nom polysyllabique ;
2. L'adjectif considéré comme épithète de nature ;
3. En général, l'adjectif ordinal ;
4. Certains adjectifs qui s'unissent au nom en dépouillant leur valeur ordinaire pour prendre une signification figurée.

minuscule

- Si l'on considère que la phrase n'est pas interrompue entre la proposition introductive et le début de l'énumération, on met une minuscule initiale au début de chaque élément.

Le deux-points devient alors facultatif.

Exemple

L'adjectif partitif est :
– ***du*** pour le masculin singulier,
– ***de la*** pour le féminin singulier,
– ***des*** pour le pluriel des deux genres.

majuscule et point-virgule

- Lorsque les éléments de l'énumération sont d'une certaine longueur, et particulièrement s'ils forment des propositions complètes, on peut employer la majuscule au premier mot de chaque élément, même si le segment se termine par un point-virgule.

Enveloppe

Pochette sur laquelle on inscrit les renseignements facilitant la transmission d'un envoi.

« L'adresse que la Société canadienne des postes qualifie d'"optimale" dans la *Norme canadienne d'adressage* n'est pas conseillée, car elle ne respecte pas le bon usage en matière d'abréviations, de ponctuation et d'emploi des majuscules et des minuscules. » (Guilloton et Cajolet-Laganière, 1996, p. 32.) Aucun tarif préférentiel pour des envois massifs ne peut être refusé sous prétexte que l'expéditeur n'a pas adopté ces normes.

Plan du tableau

Présentation de l'enveloppe

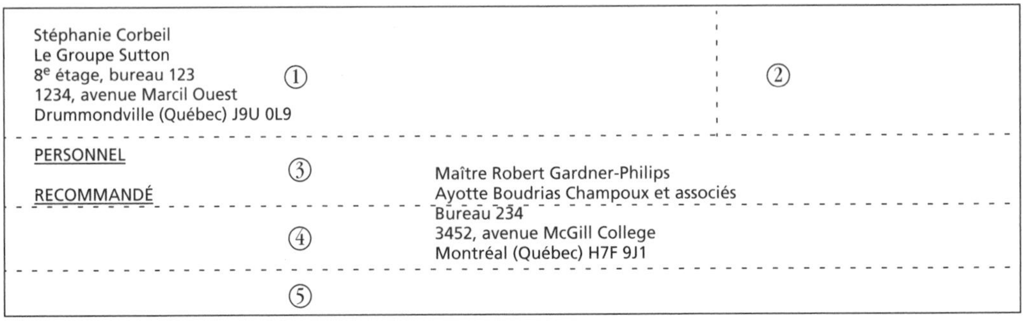

Stéphanie Corbeil
Le Groupe Sutton
8e étage, bureau 123
1234, avenue Marcil Ouest
Drummondville (Québec) J9U 0L9 ①

②

PERSONNEL

RECOMMANDÉ ③

④

Maître Robert Gardner-Philips
Ayotte Boudrias Champoux et associés
Bureau 234
3452, avenue McGill College
Montréal (Québec) H7F 9J1

⑤

1. Adresse de l'expéditeur ou de l'expéditrice
2. Espace réservé aux timbres
3. Espace réservé aux mentions complémentaires
4. Adresse du ou de la destinataire
5. Espace réservé au code de tri mécanique de la Société canadienne des postes

Aucune ponctuation n'est nécessaire à la fin des lignes d'une adresse.

L'ordre des éléments d'une adresse va du particulier au général.

Désignation du destinataire

Voir tableau **Lettre — Généralités**, section Vedette.

Adresse du destinataire

Voir tableau **Lettre — Généralités**, section Vedette.

Mentions complémentaires

Adresse de l'expéditeur

- L'adresse de l'expéditeur est indiquée dans le coin supérieur gauche de l'enveloppe.
- On respecte les mêmes règles que pour l'adresse de la ou du destinataire. (Voir tableau **Lettre— Généralités**, section Vedette.)

Nature de l'envoi

- Les mentions de nature (***confidentiel***, ***personnel***) se placent à gauche de l'adresse, au-dessus des trois dernières lignes, en **majuscules soulignées**.
- Elles sont toujours au **masculin**.
- **Personnel** : La lettre traitant d'un sujet de nature personnelle, l'enveloppe doit être remise au destinataire en personne sans avoir été ouverte.
- **Confidentiel** : Cette mention indique que le document doit rester secret.

Exemple

CONFIDENTIEL

Madame Geneviève Roxham
567, chemin Alexandre
Lévis (Québec) G0J 1V0

Mode d'acheminement

- Les mentions concernant le mode d'acheminement (***par avion***, ***par exprès*** ou ***exprès***, ***par messagerie***, ***recommandé***, ***urgent***) doivent être en majuscules soulignées et accentuées, s'il y a lieu.
- Elles se placent à gauche de l'adresse, au-dessus des trois dernières lignes, à la suite des mentions de nature s'il y a lieu.
- Les mentions ***urgent*** et ***recommandé*** sont toujours au ***masculin***.

Exemple

CONFIDENTIEL
PAR AVION

Monsieur Emmanuel Chailloux
Centre d'études québécoises
Université de Liège
Place Cockerill, 3, B-4000 Liège
BELGIQUE

Prière de faire suivre

- Cette mention sert à indiquer que l'on croit que le destinataire a changé d'adresse, mais que l'on ignore sa nouvelle adresse.
- On l'indique sur la partie gauche de l'enveloppe, soulignée et en lettres majuscules accentuées.

Exemple

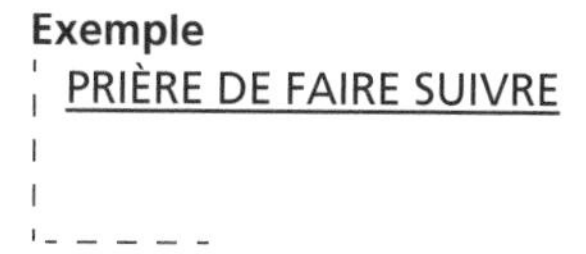

Monsieur Oscar Garcia
34, rue de la Sittelle
Hull (Québec) J9A 3Z8

En main propre ou en mains propres

- Cette mention sert à indiquer que l'envoi doit être remis en personne au destinataire. Elle est surtout nécessaire lorsqu'on se sert d'un service de messagerie.
- On l'indique sur la partie gauche de l'enveloppe, soulignée et en lettres majuscules.

Exemple

EN MAINS PROPRES

Monsieur Josef Kwaterko
50, avenue Hudson, bureau 34
Mont-Royal (Québec) H3R 1S6

Aux (bons) soins de

- Cette mention s'emploie dans la correspondance privée lorsqu'on demande à quelqu'un de remettre un envoi à son destinataire.
- Elle se place sous le nom du véritable destinataire.

La mention ***à l'attention de*** est de moins en moins utilisée, la tendance étant d'adresser directement l'envoi à la personne concernée dont le nom se trouve alors en premier lieu sur l'enveloppe.

Exemple

Madame Christiane Guilloux
a/s de Monsieur Arthur Greenspan
21, rue Sedaine
75012 PARIS
FRANCE

Voir tableau **Lettre — Corps**
Voir tableau **Lettre — Généralités**
Voir tableau **Lettre — Présentation**

Épigraphe

Plan du tableau

Courte citation placée en tête d'un article, d'un livre, d'une partie ou d'un chapitre pour en indiquer l'esprit ou l'objet.

Un exergue est un espace laissé libre sur une médaille pour recevoir une inscription ainsi que l'inscription elle-même. C'est par extension que le nom *exergue* en est venu à désigner l'épigraphe. Les termes *exergue* et *épigraphe* sont considérés aujourd'hui comme des synonymes.

Éléments

- Citation
- Nom de l'auteur de la citation
- Titre de la source (facultatif)

L'épigraphe ne comporte ni notice bibliographique ni appel de note renvoyant à une note qui donne sa source complète.

Typographie

- L'épigraphe se compose en **italique** ou en **romain**.
- On emploie la même **grosseur de caractère** que le texte si on la compose en italique, mais une taille plus petite, si on la compose en romain.
- La **source** se compose de préférence en **petites capitales avec initiale en majuscule**.

Mise en pages

Épigraphe en tête d'ouvrage

- L'épigraphe se compose dans la **moitié supérieure droite**, en belle page (page de droite ou impaire) si on imprime en recto verso.
- Elle est **alignée de préférence sur la marge de droite**.
- L'épigraphe se compose à **simple interligne**.
- Elle ne doit pas excéder les **2/5 de la largeur** de la page.

Épigraphe en tête d'article, de partie ou de chapitre

- Les **règles** pour les épigraphes en tête d'ouvrage s'appliquent sauf celle concernant la disposition de l'épigraphe dans la page.
- Si les titres des chapitres ou des parties sont disposés sur des **pages de titre séparées**, les épigraphes seront placées sur ces pages, sous le titre de la partie ou du chapitre (voir exemple 2).
- Si les titres des parties ou des chapitres sont placées sur la **même page que le début du texte**, l'épigraphe se place entre le titre et le début du texte (voir exemple 3). On laissera un blanc de part et d'autre de l'épigraphe.

Ponctuation

- Il n'est pas nécessaire de mettre des **guillemets**.
- L'épigraphe peut comporter une **ponctuation finale**.

Situation et pagination

- L'épigraphe en tête d'ouvrage se place dans les **pages liminaires** tout de suite après la dédicace et avant les remerciements.
- L'épigraphe de l'ouvrage fait partie des pages liminaires qui sont numérotées en **chiffres romains**.
- Cependant, bien qu'elle compte dans la pagination romaine, la page d'épigraphe ne comporte **pas de numéro de page**.

Conseil pour la rédaction

Il n'est pas nécessaire d'expliquer ou de justifier une épigraphe. Si l'on juge qu'il est absolument essentiel de la commenter, on le fera dans l'avant-propos ou dans l'introduction.

Exemples d'épigraphes

Exemple 1 : épigraphe en tête d'ouvrage

je n'attends pas à demain je t'attends
je n'attends pas la fin du monde je t'attends
dégagé de la fausse auréole de ma vie
GASTON MIRON, *l'Homme rapaillé*

Exemple 2 : épigraphe en tête de chapitre[1]

Chapitre III

Le temps épistolaire

Je sais combien l'absence est un temps douloureux.
FONTENELLE, « Ismène »,
Poésies pastorales, 1688

Pour moi, je ne distingue plus ni les lieux, ni les tems, ni les circonstances, ni les personnes. Votre absence a tout mis de niveau. [...] Si c'est votre retour qui me doit soulager, quand donc revenez-vous ?
DIDEROT à Sophie Volland,

Exemple 3 : épigraphe en tête de chapitre[2]

CHAPITRE XI

Quelques répercussions économiques et sociales

Things fall apart ; the centre cannot hold ;
Mere anarchy is loosed upon the world,
The blood-dimmed tide is loosed, and everywhere
The ceremony of innocence is drowned ;
The best lack all conviction, while the worst
Are full of passionate intensity[1].
W. B. Yeats
The Second Coming

L'artisanat est trop lent [...]

1. Tout se désagrège ; le centre ne peut tenir ;
Clairement, l'anarchie envahit le monde,
La marée ternie de sang se répand, et partout
La cérémonie de l'innocence est submergée ;
Les meilleurs sont sans conviction, et les pires
Sont remplis d'une fougueuse ardeur.
(Traduction libre.)

Voir tableau **Ordre des parties d'un texte**

1. Benoît Melançon, « Diderot épistolier : Éléments pour une poétique de la lettre au XVIIIe siècle », thèse de doctorat, Montréal, Université de Montréal, Faculté des arts et des sciences, Département d'études françaises, 1991, XXV-495 p., p. 86.
2. Patricia Pitcher, *Artistes, artisans et technocrates dans nos organisations : Rêves, réalités et illusions du leadership*, Montréal, Québec / Amérique • Presses HEC, 1994, 261 p., p. 233.

Féminisation des titres et des textes

Plan du tableau

But	Procédés à éviter
Féminisation des titres	*Madame, mademoiselle, madelle*
Féminisation des textes	
Conseil pour la rédaction	

Action de désigner une femme par l'appellation féminine de son titre, de son poste, de sa profession, de son métier, de sa fonction, ou de donner les marques du féminin aux textes émanant d'une administration, d'un organisme ou d'une entreprise.

But

Rendre visible, dans les textes officiels des administrations, des organismes et des entreprises, la présence grandissante des femmes tout en respectant les règles de la langue.

Féminisation des titres[1]

Dans tout texte officiel, on recommande de féminiser les appellations des titres, des fonctions, des postes, des professions, des métiers qui désignent des femmes.

On ne peut toutefois aller contre la volonté de la titulaire d'une désignation qui préférerait la forme masculine de son titre.

Féminisation des textes

Féminiser un texte est une tâche délicate qui peut facilement mener au non-respect des règles de la grammaire et de la syntaxe. Pour féminiser, on aura recours aux deux procédés suivants :

- écrire la forme masculine et la forme féminine au long ;
- formuler de façon neutre ce que l'on a à dire ou utiliser des termes génériques.

Selon l'Office de la langue française du Québec, la féminisation des textes est toujours facultative.

Écriture des deux formes en toutes lettres

doublet

- On écrira au long la forme masculine et la forme féminine à quelques reprises dans le texte, mais non de façon systématique.

Exemple

Les étudiantes et les étudiants inscrits au cours recevront la liste des ouvrages obligatoires.

1. Pour avoir une liste complète des titres, des fonctions et des appellations de personnes au féminin, consulter Biron, 1991, p. 27-32 et Villers, 1992 aux formes masculines des appellations féminines recherchées.

accord de l'adjectif ou du participe passé

- Les adjectifs et les participes passés s'accordent au masculin pluriel s'ils se rapportent à la fois au nom masculin et au nom féminin.

Exemple

Les éducatrices et les éducateurs seront prévenus du risque de contagion.

- Les adjectifs et les participes passés s'accordent au masculin singulier quand les deux noms sont au singulier et que l'accord n'entraîne pas d'ambiguïté.

Exemple

L'étudiante ou l'étudiant à qui on attribuera la meilleure note sera informé par son professeur ou sa professeure.

place de l'adjectif ou du participe passé

- Lorsque le nom féminin et le nom masculin sont accompagnés d'un adjectif ou d'un participe passé, le nom masculin se met plus près du mot à accorder, par euphonie.

Exemple

Les étudiantes et étudiants absents à l'assemblée auront tous les torts.
plutôt que
Les étudiants et les étudiantes absents...

répétition du déterminant et de l'adjectif

- On peut répéter ou non le déterminant et l'adjectif qui accompagnent chaque nom.

Exemples

Les nombreux professeurs et les nombreuses professeures du syndicat ont voté en faveur du gel de leur salaire.
ou
Les nombreux professeurs et professeures du syndicat ont voté en faveur du gel de leur salaire.

ellipse permise

- Dans certains cas, on peut faire l'économie d'un mot ou d'un groupe de mots si cela ne crée pas d'ambiguïté.

Exemples

Les professionnelles de recherche et les professionnels de recherche de l'École ont signé la pétition.
ou
Les professionnelles et les professionnels de recherche de l'École ont signé la pétition.

ellipse non permise

- On ne peut pas faire l'ellipse du deuxième élément d'un titre composé de deux mots unis par un trait d'union ou d'un titre formé d'un nom et d'un adjectif.

Exemples

Les agents-conseils et les agentes-conseils ont reçu des consignes sévères.
et non
*Les agents et les agentes-conseils ont...

Les conseillères linguistiques et les conseillers linguistiques présents sont d'accord avec la réforme de l'orthographe.
et non
*Les conseillères et les conseillers linguistiques présents...

nom épicène

- Les titres formés de noms épicènes, c'est-à-dire qui ont la même forme dans les deux genres, ne sont pas répétés. La présence des articles et des adjectifs des deux genres sert à signaler la féminisation.

Exemples

La ou le dentiste qui sera présent opérera le patient ou la patiente.

On demandera à un ou à une élève d'effacer le tableau.

Les nouveaux et les nouvelles fonctionnaires ont bien accueilli la nomination du ministre.

pronom après doublet

- Si les deux genres d'un nom ont déjà été employés, on peut n'utiliser qu'un pronom masculin pluriel par la suite pour désigner la même réalité.

Exemple

Les ingénieurs et les ingénieures recrutés seront tous présents ; ils ont reçu une invitation personnelle du président.

pronom après nom collectif ou épicène

- Si on s'est servi d'un nom collectif pluriel ou d'un nom épicène pluriel, on recommande alors d'utiliser des pronoms des deux genres pour s'assurer que le féminin soit représenté.

Exemple

Les élèves ont repris leurs cours ; ceux et celles qui avaient respecté le règlement n'ont pas eu d'échec.

Utilisation de termes génériques ou de tournures neutres

terme générique

- Le recours à un terme générique, qui est un nom, de genre masculin ou féminin, désignant aussi bien les femmes que les hommes, permet d'alléger les textes.

  Certains génériques sont des collectifs qui renvoient à des ensembles d'individus, par exemple : la collectivité, la communauté, l'effectif, l'ensemble, le groupe, la main-d'œuvre, la population, le public, l'équipe, la profession, etc.

Exemples

La personne retenue pour le poste devra être trilingue.
au lieu de
Le ou la titulaire du poste devra être trilingue.

La population du quartier a manifesté contre le projet.
au lieu de
Les résidants et les résidantes du quartier ont manifesté contre le projet.

Le personnel a bien accueilli la nouvelle.
au lieu de
Les employés et les employées ont bien accueilli la nouvelle.

formulation neutre

- Le recours aux tournures neutres convient tout particulièrement aux documents à grande diffusion, comme les descriptions de tâches, les formulaires, les appels de candidatures, qui peuvent s'accommoder de formulations moins personnalisées, de phrases infinitives ou nominales.

Exemples

Êtes-vous de nationalité canadienne?
au lieu de
Êtes-vous canadien ou canadienne?

Quiconque pose la question préalable…
au lieu de
Tout participant ou toute participante qui pose la question préalable…

Le travail de gestionnaire exige une bonne connaissance des technologies de l'information.
au lieu de
La ou le gestionnaire doit avoir une bonne connaissance des technologies de l'information.

Exemple

Laver, cirer, polir les planchers à l'aide d'un balai à franges ou d'une machine.
Déplacer l'ameublement lorsqu'il le faut.
Nettoyer les tapis à l'aide d'un aspirateur.
Laver les murs, les plafonds, les portes, les cloisons et les vitres intérieures en se servant, au besoin, d'un escabeau.
ou
Lavage, cirage, polissage des planchers à l'aide d'un balai à franges ou d'une machine.
Déplacement de l'ameublement lorsqu'il le faut.
Nettoyage des tapis à l'aide d'un aspirateur.
Lavage des murs, des plafonds, des portes, des cloisons et des vitres intérieures en se servant, au besoin, d'un escabeau.
au lieu de
Il ou elle lave, cire, polit les planchers à l'aide d'un balai à franges ou d'une machine.
Il ou elle déplace l'ameublement lorsqu'il le faut.
Il ou elle nettoie les tapis à l'aide d'un aspirateur.
Il ou elle lave les murs, les plafonds, les portes, les cloisons et les vitres intérieures en se servant, au besoin, d'un escabeau.

Conseil pour la rédaction

La rédaction non sexiste d'un texte se conçoit dès le départ, car il est très difficile de changer un texte écrit de façon traditionnelle. Le résultat d'une modification tardive a l'air artificiel et plaqué.

Procédés à éviter

- Il ne faut pas utiliser les formes tronquées pour féminiser les textes, c'est-à-dire les formes composées de parenthèses, de traits d'union, de barres obliques, de virgules. Par exemple, on évitera d'écrire :
  - *les étudiant(e)s présent(e)s,
  - *les instituteur/trice/s concerné/e/s,
  - *les enseignant-e-s rémunéré-e-s,
  - *les directeur, trice, s absent, e, s.

  Ces procédés rendent un texte illisible et ne respectent pas la grammaire française.
- Le recours à la note liminaire précisant que « Dans le texte qui suit, le masculin comprend le féminin » est également à proscrire. La note ne rend nullement visible la présence des femmes ; elle la masque.

Madame, mademoiselle, madelle

- L'usage de donner le titre de ***mademoiselle*** aux femmes célibataires est vieilli ; on emploie plutôt ***madame***, à moins que l'intéressée ne préfère se faire appeler ***mademoiselle***.
- Quant au terme proposé ***madelle***, l'usage ne l'a pas retenu.

FIGURE

Illustration (graphique, carte, organigramme, pictogramme, dessin, schéma, photographie, etc.) qui sert à fournir des informations, à décrire, à mettre en valeur, à démontrer, à illustrer et qui permet une perception rapide et globale du contenu informationnel.

Il ne faut pas confondre la figure et le tableau ; leurs règles de présentation diffèrent.

Plan du tableau

Exemple de figure

HORAIRE DES COURS												
	LUNDI				MARDI				MERCREDI			
Heures	1°	1	2	3	1°	1	2	3	1°	1	2	3
8.30 à 9.0	Comptabilité	Opérations commerciales	Document Economique	Droit commercial	Géographie	Géographie	Cor. comm. française	Bureau commercial	Comptabilité	Comptabilité	Cor. comm. française	Droit commercial
9.45 à 10.45	Anglais	Corresp. française	Droit Civil	Arithmétique commerciale	Français	Cor. comm. anglaise	Comptabilité	Histoire du commerce	Anglais	Economie* politique	Algèbre financière	Organisation des entreprises modernes
11 à 12	Sténographie	Corresp. anglaise	Arithmétique commerciale	Statistique	Anglais	Economie* politique	Droit civil (1er semest.)	Législation douanière	Mathématiques	Cor. comm. anglaise	POLITIQUE COMMERCIALE	
1.45 à 2.45	Français	Laboratoire Chimie	Comptabilité	Philos. mor. (1er s.) Bourse 2 s.	Mathématiques	Comptabilité	TECHNOLOGIE		Dessin	Arithmétique commerciale	BUREAU COMMERCIAL	
3 à 4	Mathémat.	Comptabilité	Chimie	Droit public	Histoire	Algèbre	TECHNOLOGIE		Français	Physique	BUREAU COMMERCIAL	
4.15 à 5.15		Dactylographie	Laboratoire de Chimie							Sténographie	Arithmétique commerciale	Bureau commercial
	JEUDI				VENDREDI				SAMEDI			
Heures	1°	1	2	3	1°	1	2	3	1°	1	2	3
8.30 à 9.30	Français	Cor. comm. française	Assurance	Bureau commercial	Français	Cor. comm. française	GEOGRAPHIE ECONOMIQUE		Français	Arithmétique commerciale	Comptabilité	Droit industriel
9.45 à 10.45	Histoire	Opérations commerciales	Cor. comm. française	Bureau commercial	Anglais	Algèbre	Banque	Bureau commercial	Anglais	Chimie	Algèbre financière	Bureau commercial
11 à 12	Mathématiques	Sténographie	ECONOMIE* POLITIQUE		Mathématiques	Comptabilité	Cor. comm. anglaise	Bureau commercial	Mathématiques	Physique	Cor. comm. anglaise	Publicité
1.45 à 2.45	Chimie	Opérations commerciales	GEOGRAPHIE ECONOMIQUE		Physique	Opérations commerciales	Technologie ou Visites Industrielles tous les 15 jours.					
3 à 4	Anglais	Géographie	BUREAU COMMERCIAL		Sténographie	Physique						
4.15 à 5.15	Ecriture	Technologie	BUREAU COMMERCIAL			Chimie						

← figure

Fig. 1 — *Horaire des cours, 1921-1922.*

légende
numéro

* Édouard Montpetit était le titulaire de ce cours.

note

Source : Pierre Harvey, *Histoire de l'École des Hautes Études Commerciales*, t. I : *1887-1926*, ← source
Montréal, Québec / Amérique • Presses HEC, 1994, 381 p., p. 255.

Éléments

Figure

- Graphique, carte géographique, organigramme, pictogramme, dessin, schéma, photographie, etc.

Numéro

- Les figures doivent être numérotées en **chiffres arabes** indépendamment des tableaux.
- Si, pour l'ensemble du document, on a adopté le système décimal de numérotation des divisions, on peut **numéroter les figures par chapitre**. On utilisera alors la double numérotation : figure 1.2, figure 3.5, Fig. 7.1, etc.

Le terme *figure* s'abrège dans les notes, les notices bibliographiques ainsi que dans les légendes des figures et lorsqu'il est entre parenthèses.

Dans le texte, lorsqu'on renvoie à une figure, le terme est écrit au long, avec une minuscule initiale.

Exemple

Est illustrée à la figure 4 la relation entre ces deux éléments.

Légende

- La légende se place **sous la figure** ; elle est composée en minuscules (avec une majuscule initiale) et en **italique**.
- Si elle est courte, elle est **centrée** sous la figure. Si elle est longue, on la présente à **simple interligne** sous la figure, mais n'en dépassant pas la largeur.
- La légende est précise, concise et formée d'un **substantif**, plutôt qu'à l'aide d'un verbe conjugué ou d'une proposition relative.

Exemple

Fig. 3 — *Vue en coupe.*

Notes (facultatives)

- Si l'on doit expliquer un élément de la figure, on place un **appel de note** tout de suite après cet élément ; l'appel renvoie à une **note en bas de la figure**.
- Les appels de note à utiliser dans une figure sont les **lettres** ou les **astérisques**.

On n'utilise pas de chiffres pour éviter de les confondre avec les données de la figure.

- On **ne mêle pas** les notes du texte courant et celles de la figure.

Source

- La mention de la **source** d'une figure se place **après les notes**.

On donne la source de toute figure dont le rédacteur n'est pas l'auteur.

Situation et pagination

- On insère la figure **le plus près possible** de l'endroit où il en est fait mention dans le texte.
- Si la figure n'est pas annoncée et commentée dans le texte, elle ne doit pas faire partie du corps du texte et doit être reportée en **appendice**.
- Les pages qui contiennent des figures sont **paginées de la même façon** que le reste du texte.

Mise en pages

figure-page entière

- Lorsqu'une figure occupe une page entière, elle doit tenir à l'intérieur du cadre défini et respecter absolument les marges, la pagination, l'en-tête et le pied de page des pages de texte.

figure étroite

- Si la figure est plus étroite que les marges, on la centre par rapport à celles-ci.

police de caractères

- Pour un même document, la police de caractères du texte et des figures doit être unique, à moins que la figure ne provienne d'une autre source.

hauteur

- Une figure doit être présentée en hauteur dans le texte. Si l'on doit absolument la présenter en largeur, le haut de la figure sera placé contre la reliure, et on lira la figure du bas au haut de la page.

Hauteur

Largeur

échelle

- On utilise les mêmes échelles pour une série de figures traitant de données identiques.

présentation

- On place les mêmes éléments aux mêmes endroits dans une série de figures similaires.

Conseils pour la rédaction

lien figure-texte

- La figure doit être annoncée dans le corps du texte, puis analysée, commentée.
  - Tout comme pour une citation, on ne doit pas laisser au lecteur le soin de faire le lien entre la figure et le texte.

choix de la figure

- Il faut choisir le mode de représentation (graphique, schéma, etc.) le plus adapté à l'objectif visé.
  - Chose certaine, quand les données sont nombreuses, un tableau est plus clair.

uniformité du type de figure

- On utilise des formes identiques de représentation (organigramme, graphique, etc.) pour des figures traitant de sujets similaires.

Voir tableau **Carte géographique**
Voir tableau **Graphique**
Voir tableau **Organigramme**
Voir tableau **Pictogramme**
Voir tableau **Tableau**

Glossaire

Plan du tableau

Liste alphabétique placée à la fin d'un texte et donnant la définition des mots clés spécialisés qui y sont utilisés.

☞ On ne confondra pas le glossaire avec
- le **lexique**, qui recense les termes d'un domaine et qui donne les équivalents dans une autre langue ;
- le **vocabulaire**, qui comprend les principaux termes d'une spécialité accompagnés de leur définition et parfois des équivalents dans une autre langue.

Principes fondamentaux

Établissement de la nomenclature

- Choix des termes (mots techniques, acceptions particulières d'un terme qui ne se trouvent pas dans les dictionnaires, néologismes) qui figureront dans le glossaire et qui feront l'objet d'une définition.

☞ Il importe de n'inclure dans le glossaire que les mots ou expressions qui appartiennent spécifiquement au domaine étudié.

Conception des définitions

- Rédaction des énoncés qui décrivent les notions étudiées.
  ☞ La définition est une formule concise qui donne le sens d'un mot ou d'une expression à l'aide d'un terme générique suivi de tous les éléments qui caractérisent la notion définie.

Exemple

L'escabeau se définit comme étant un siège (générique) peu élevé, sans bras ni dossier, pour une personne.

Principes d'écriture

- Le nom est défini par un nom.

Exemple

oncle — Frère du père ou de la mère.

- Le verbe est défini par un verbe à la forme infinitive.

Exemple

fendiller — Faire de petites fentes superficielles à quelque chose.

- L'adjectif est généralement décrit à l'aide d'une proposition relative.

Exemple

erroné — Qui contient des erreurs.

- L'adverbe est défini le plus souvent à l'aide des mots d'*une manière* suivis de l'adjectif à partir duquel l'adverbe est formé.

Exemple

honorablement — D'une manière honorable.

☞ Chaque définition commence par une majuscule et se termine par un point.

Classement des termes

- Les entrées sont classées par ordre alphabétique.
  ☞ Un classement lettre par lettre est recommandé, dans lequel les espaces entre les mots, les apostrophes et les traits d'union ne comptent pas (voir tableau **Classement alphabétique**).

Conseils pour la rédaction

- La première fois que l'on emploie un terme, il est d'usage de le définir au long dans le texte.
- Pour les autres emplois, le lecteur consultera le glossaire.
- Afin de guider le lecteur, on peut lui indiquer dès le début du texte que les termes composés en caractères gras, par exemple, sont définis dans le glossaire.

Exemple

Note liminaire : Les mots composés en caractères gras sont définis dans le glossaire.

Situation et pagination

- Le glossaire se met à la fin du document dans les **pages annexes**, après les annexes et les appendices, mais avant la bibliographie et l'index.
- Le glossaire est paginé à la suite du texte, en **chiffres arabes**.

Mise en pages

- On conseille un **débord à gauche** de la largeur d'au moins deux caractères pour la première ligne de chaque entrée. La deuxième ligne ainsi que les suivantes sont donc renfoncées par rapport à la première.
  - Cela assure une meilleure lisibilité et un repérage plus facile.
- Chaque entrée du glossaire est saisie à **simple interligne**.
- Un **double interligne** sépare les entrées les unes des autres.

Exemple de glossaire

GLOSSAIRE

Abaisse : Morceau de pâte sur lequel on a passé le rouleau pour lui donner l'épaisseur voulue et qui fait le fond de beaucoup de pâtisseries.

[...]

Appareil : Préparation composée de plusieurs éléments, bien mélangés et destinés à figurer dans un plat quelconque.

Aromates : Substances végétales d'une odeur pénétrante employées en cuisine (cannelle, cédrat, laurier, thym, vanille, écorce d'orange et de citron, muscade, poivre, etc.).

Bain-marie : Bain d'eau bouillante dans lequel on place un récipient contenant une préparation à cuire ou à réchauffer.

Blanchir : Plonger dans l'eau bouillante, avant toute autre préparation, légumes ou viandes pour les attendrir, les nettoyer ou les débarrasser d'un excès de sel.

[...]

Ginette Mathiot, *Je sais cuisiner*, Paris, Albin Michel, 1970, 764 p., p. 70.

Voir tableau **Classement alphabétique**

Graphique

Plan du tableau

Représentation visuelle de données illustrant les relations entre deux variables, la répartition d'un tout, la comparaison entre plusieurs totaux, l'évolution dans le temps de certains phénomènes.

- Figure constituée à partir des données du tableau, le graphique fait ressortir les relations entre ces données.
- Il n'y a pas de règles rigides qui déterminent le choix d'un graphique ; tout dépend du message à transmettre.
- Pour les généralités concernant toutes les figures, y compris les graphiques (numérotation, légende, notes, source, situation, pagination, mise en pages, conseils pour la rédaction), voir le tableau **Figure**.

Graphique linéaire

Représentation graphique qui exprime l'évolution d'un phénomène au cours d'une période déterminée, sa variation dans le temps.

temps : abscisse

- Par convention, on met toujours les variables du temps en abscisse, sur l'axe horizontal.

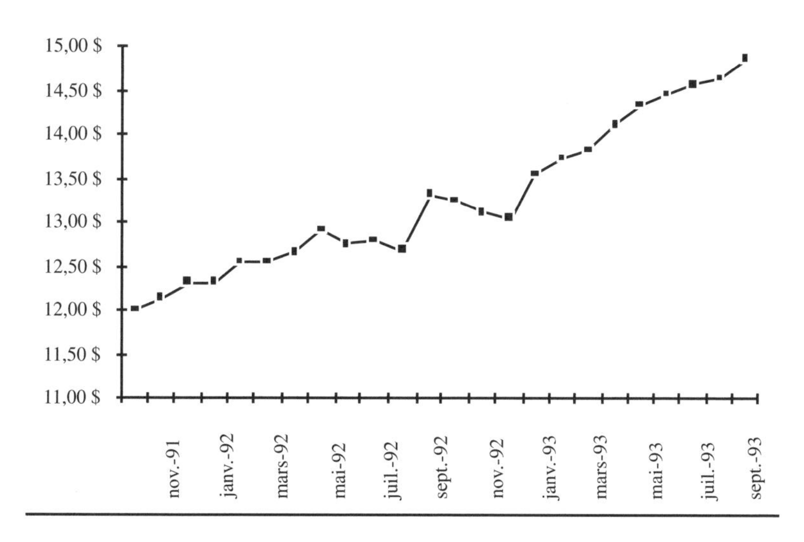

Fig. 3 — *Évolution de la valeur d'une action du Fonds commun de placement Croissance canadienne, de novembre 1991 à septembre 1993.*

maximum : trois courbes

- Il ne faut pas mettre plus de trois courbes par graphique linéaire.

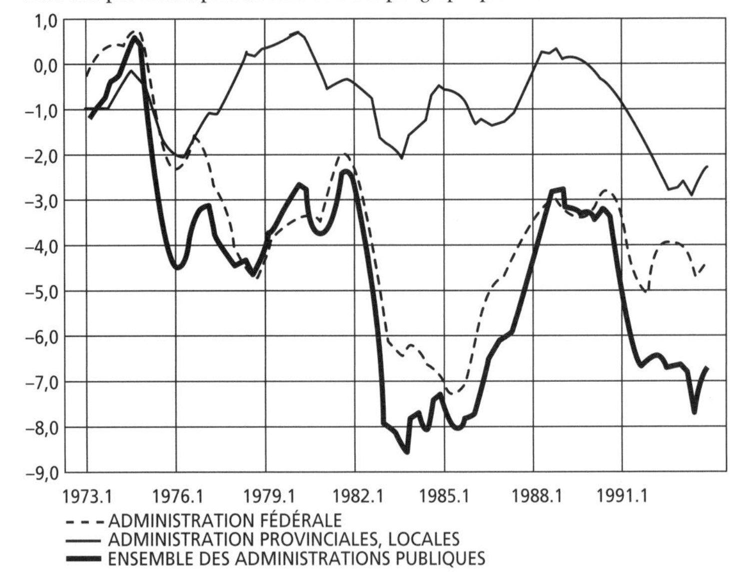

Fig. 4 — *Besoins de financement des gouvernements en % du PIB (gouvernement fédéral, administrations provinciales et locales et ensemble des administrations publiques).*

Source : Maurice Marchon, *Prévoir l'économie pour mieux gérer : Analyse de la conjoncture canadienne dans un contexte international*, Montréal, Québec / Amérique • Presses HEC, 1994, 339 p., p. 139.

rupture

- Si, en raison de la grosseur des unités utilisées (sur une échelle logarithmique par exemple), on veut exprimer une rupture dans la progression des unités sur l'un des axes, on procédera de la façon suivante :

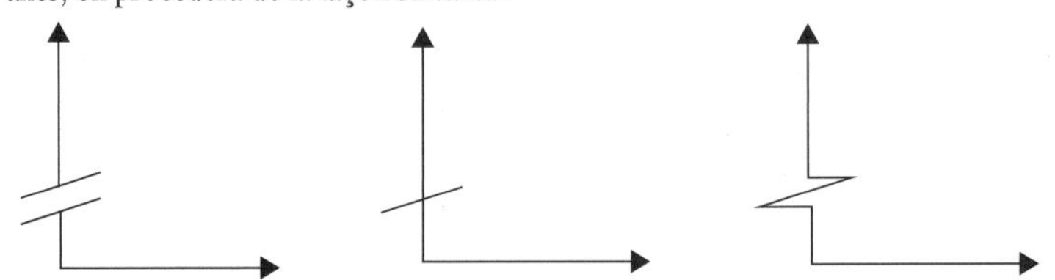

Graphique circulaire

Représentation graphique de la proportion en pourcentage d'éléments donnés par rapport à un tout.

ordre des éléments

- Les divers éléments sont placés en ordre croissant ou décroissant selon le sens des aiguilles d'une montre.
  - C'est à partir d'une barre verticale placée à midi que l'on répartit les différents secteurs.

somme : 100 %

- Les données traduites par le graphique circulaire sont toujours des pourcentages dont la somme doit être égale à 100 %.

maximum : six éléments

- On emploie le graphique circulaire pour exprimer au maximum six éléments, sinon les tranches sont trop minces et trop nombreuses.

« Divers »

- S'il y a un trop grand nombre d'éléments, on indique les cinq éléments les plus importants et on regroupe les derniers en un tout appelé « Divers ».

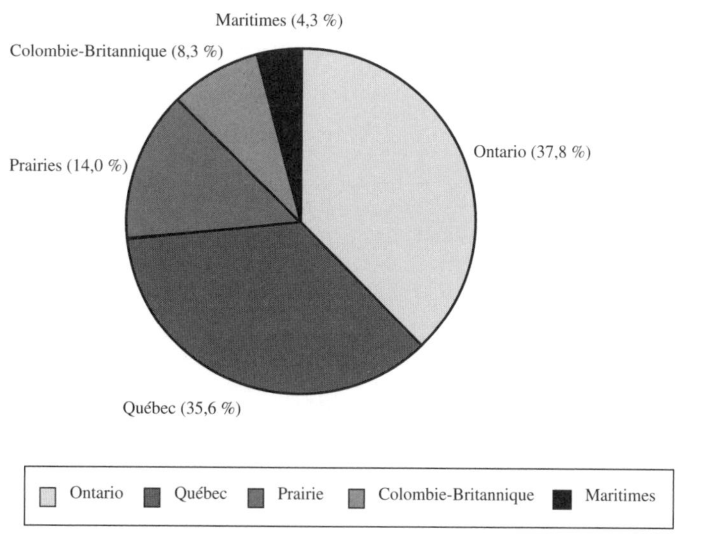

Fig. 1 — *Répartition géographique des candidats de l'Examen final uniforme de 1992.*

comparaison

- Il est difficile de comparer plus de deux graphiques circulaires entre eux. Il est préférable alors d'adopter une présentation en colonnes comme celle qui suit.

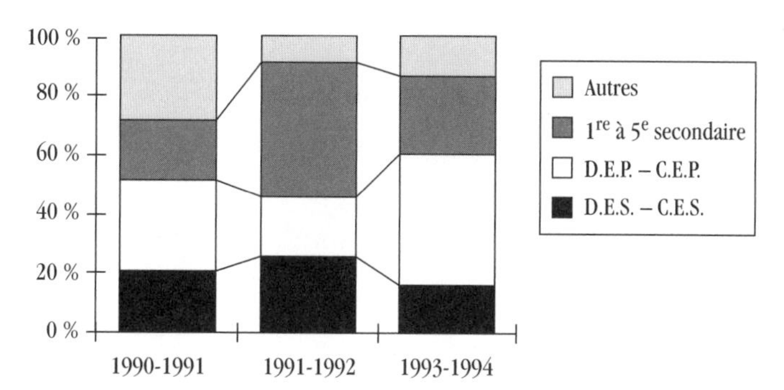

Fig. 2 — *Niveau de scolarité des participants des années 1990-1991, 1991-1992, 1992-1993.*

Source : Québec (Gouvernement du), ministère de l'Éducation, Direction générale de la formation professionnelle et technique (DGFPT), *Lancement d'une entreprise : Le Point de vue des enseignants-coordonnateurs et des promoteurs après un an*, sous la direction de Gilles Bourdeau, Québec, Gouvernement du Québec, 1994, 30 p., p. 9.

Graphique à colonnes ou histogramme

Représentation graphique qui sert à montrer combien d'éléments se répartissent dans chaque intervalle d'une série numérique continue, à mettre en relief leur fréquence.

disposition
- Ce graphique est composé de rectangles de même largeur placés côte à côte ou séparés par des espaces.

espacement
- L'espace qui sépare deux colonnes sera inférieur ou égal à la largeur des colonnes.

hauteur des colonnes
- La hauteur de la colonne en indique la valeur.

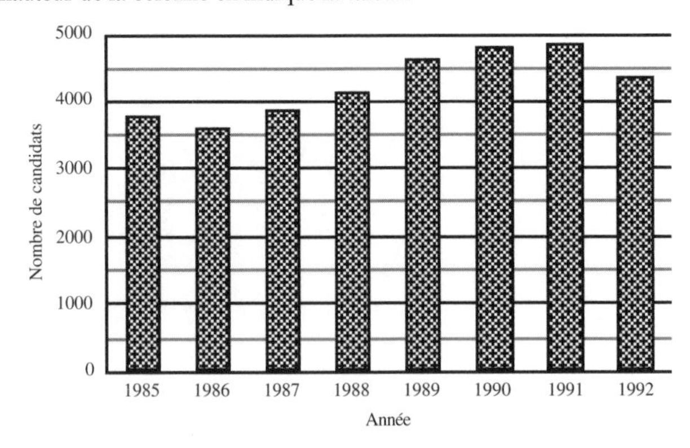

Fig. 9 — *Évolution du nombre de candidats à l'Examen final uniforme de 1985 à 1992.*

nombre d'intervalles
- Le choix du nombre d'intervalles est important : la tendance que l'on essaie de faire ressortir sera cachée si les intervalles sont trop peu nombreux ; elle sera éparpillée si les intervalles sont trop nombreux.

amplitude des intervalles
- Il vaut mieux utiliser des intervalles d'égale amplitude.

bornes des intervalles
- Il faut bien choisir les bornes des intervalles. Il ne faut pas que ces bornes se chevauchent : *0-10, 10-20, 20-30, etc., car on ne saurait pas alors dans quel intervalle placer les valeurs ayant trait à ces bornes (10, 20, etc.). Il vaut mieux indiquer : 0-9, 10-19, 20-29, etc.

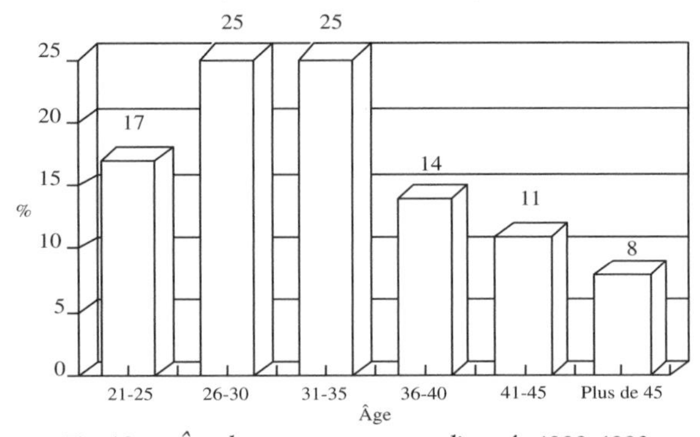

Fig. 10 — *Âge des promoteurs pour l'année 1992-1993.*

Source : Québec (Gouvernement du), ministère de l'Éducation, Direction générale de la formation professionnelle et technique (DGFPT), *Lancement d'une entreprise : Le Point de vue des enseignants-coordonnateurs et des promoteurs après un an*, sous la direction de Gilles Bourdeau, Québec, Gouvernement du Québec, 1994, 30 p., p. 9.

Graphique à barres

Représentation graphique qui sert à comparer des éléments les uns par rapport aux autres à un moment donné.

ordre des barres
- L'ordre des barres dépend du message à transmettre.

valeur des barres
- On indique les valeurs soit au moyen d'une échelle disposée en haut du graphique, soit au moyen de chiffres placés à l'extrémité des barres.

espacement
- L'espace qui sépare les barres doit être inférieur ou égal à la largeur des barres.

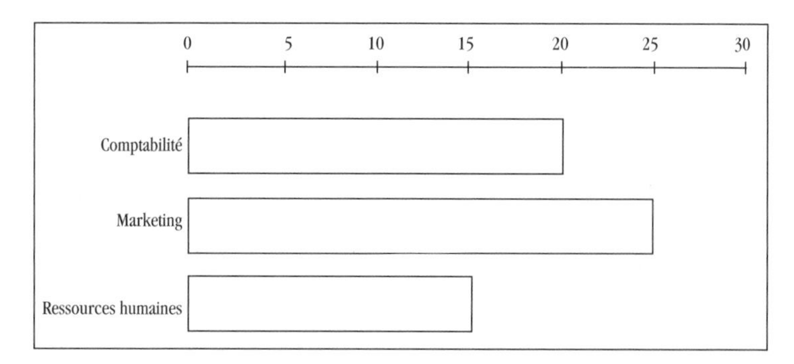

Fig. 6 — *Nombre d'employés par secteur d'activité de l'entreprise.*

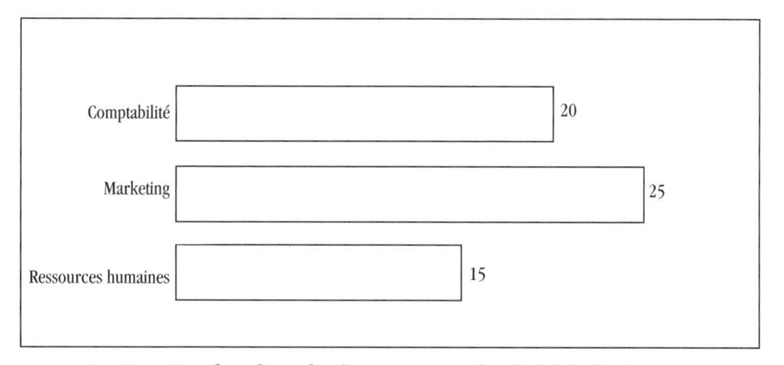

Fig. 7 — *Nombre d'employés par secteur d'activité de l'entreprise.*

Graphique à doubles barres

S'il y a peu d'éléments (six ou sept) et que l'on veuille établir une corrélation, plutôt que d'employer le graphique à points, on peut employer le graphique à doubles barres.

- Lorsque la relation attendue est confirmée, la variable placée à droite reflète l'image de la variable de gauche.

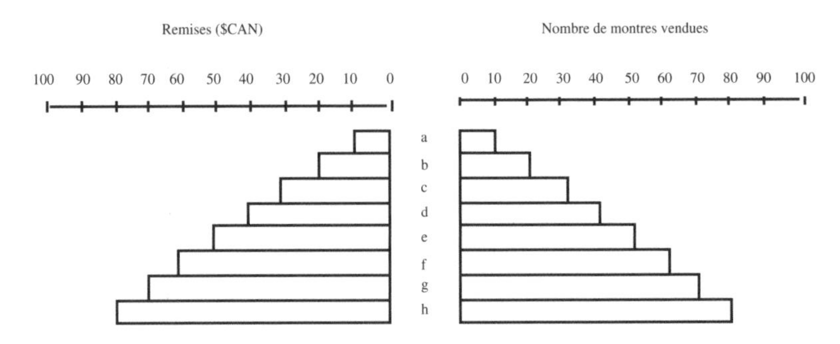

Fig. 8 — *Corrélation parfaite entre les remises et le volume des ventes des montres Montparnasse.*

Source : Robert Larose, *la Rédaction de rapports : Structure des textes et stratégie de communication*, Québec, PUQ, 1992, 181 p., p. 99.

Graphique à points

Représentation graphique qui sert à illustrer des corrélations.

- Le graphique à points permet de montrer si une relation entre deux variables se comporte ou non comme on pouvait s'y attendre. S'il y a corrélation, les points sont agglutinés autour d'une diagonale.
- Voir également, dans la section précédente, le paragraphe sur le graphique à doubles barres.

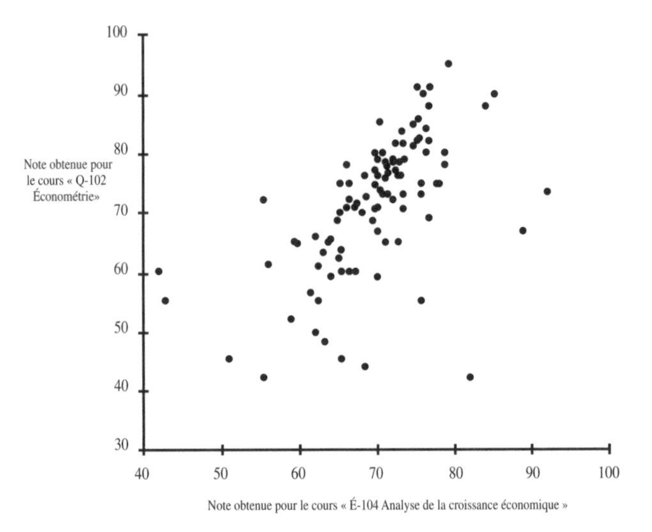

Fig. 5 — *Relations entre les résultats du cours « Q-102 Économétrie » et du cours « É-104 Analyse de la croissance économique ».*

Voir tableau **Figure**

Guillemets

Plan du tableau

Signes typographiques que l'on emploie par paires (« … ») pour isoler un mot, un groupe de mots, cités ou rapportés, pour indiquer un sens, pour se distancer d'un emploi ou pour mettre en valeur.

Formes

1. Guillemets français ou chevrons : « … ».
2. Guillemets anglais : "…".
3. Demi-guillemets anglais : '…'.

Les guillemets français doivent être utilisés d'abord. Si l'on doit citer, à l'intérieur d'une citation déjà entre guillemets français, on utilise les guillemets anglais, puis, à l'intérieur de ces guillemets, les demi-guillemets.

Guillemets et citation (ponctuation)

Les guillemets sont le plus souvent utilisés pour encadrer une citation. Ils ont alors pour fonction de marquer le changement d'auteur et d'authentifier la citation. Les guillemets doivent encadrer toute la citation, mais seulement ce qui lui appartient réellement.

Citation incluse dans la phrase

- Si la citation est **fondue dans la phrase**, les guillemets n'encadrent que les mots qui appartiennent réellement à la citation.

Exemple

René Lacôte voit le Canada français des années trente comme « une immense paroisse d'Ancien Régime figée dans l'isolement de sa résistance séculaire », même s'il y voit des signes d'ouverture.

- Si le début de la citation est fondu dans le texte, mais que **la fin est une phrase complète**, le point final sera à l'extérieur des guillemets.

Exemple

La comparaison de plusieurs sondages n'a pas permis « de conclure au sujet de la meilleure méthode à adopter. Il faudra tout reprendre à zéro ».

- Lorsqu'une citation fondue est au début, au milieu ou à la fin d'une phrase, elle ne peut prendre, à l'intérieur des guillemets, que les **marques de ponctuation** suivantes : point d'exclamation, point d'interrogation et points de suspension.

Si elle ne comporte pas ces marques de ponctuation, alors c'est la ponctuation naturelle de la phrase qui s'imposera.

Exemples

« Je ne sais pourquoi je vous raconte tout ça », dit-il en lançant un regard un peu agressif à sa sœur.

Elle a crié « Au secours! » en me tendant la main.

« Une théorie? », reprit Sarah, assise quelques places plus loin à table.

Elles n'avaient jamais évoqué, non plus, le problème des « petites leçons… ».

Citation d'une phrase complète

- Si on cite une **phrase complète**, la citation est introduite par un deux-points, commence par une majuscule, se termine par un point et est encadrée de guillemets, la ponctuation finale étant à l'intérieur des guillemets.

Exemple

Penser que le passé est un maître, un parangon supérieur qu'il faudrait copier et perpétuer, constitue, aux yeux du peintre, une attitude nocive et illusoire : « Pour un individu, il est aussi impossible de se conformer à ce qui fut, qu'il lui est impossible de le rejeter. » Il est clair que...

- Lorsqu'une **phrase complète citée est autonome** (aucune phrase introductive ne l'annonce), on conserve à l'intérieur des guillemets la ponctuation de la citation.

Exemple

La société anonyme (S. A.) est une société de capitaux dans laquelle les parts de capital sont représentées par des actions généralement transmissibles et négociables. « La société anonyme doit compter au moins sept actionnaires et disposer d'un capital social minimal si elle fait un appel public à l'épargne. » Sinon,...

- Lorsqu'une citation se trouve à la fin de la phrase et que **la citation et la phrase se terminent sur la même ponctuation**, la ponctuation de la citation l'emporte.

Exemples

Est-ce qu'il s'est posé la question suivante : « Ai-je bien fait de tant dépenser? »

Elle m'a dit : « Je n'ai pas gagné à la loterie. »

- Lorsqu'une citation se trouve à la fin d'une phrase et que **la citation et la phrase ne se terminent pas sur la même ponctuation**, on doit choisir l'un des deux signes, celui qui paraît le plus logique.

Exemples

Ne vous ai-je pas dit et répété : « Il n'y a pas de trait d'union dans trait d'union »?

Cessez donc de répéter : « Pourquoi? »

- Lorsqu'**un mot ou une expression entre guillemets termine une citation**, on conserve les deux guillemets fermants.

Exemple

« C'est en souriant qu'il lui a dit : "Tu as de l'encre sur le nez. " »

- Les **citations en langue étrangère** suivent les mêmes règles que les citations en français ; le changement de langue est marqué par l'emploi de l'italique, et la citation par les guillemets.

Exemple

Plusieurs personnes s'imaginent qu'il faut naître intrapreneur. Or, les faits démontrent le contraire : « *Though most people imagine that intrapreneurs are born and not made, we have had good results training intrapreneurs.* » La formation des intrapreneurs a du succès parce qu'elle permet aux volontaires qui s'y soumettent d'exprimer une partie d'eux-mêmes que leurs supérieurs cherchent à brimer.

Autres emplois des guillemets

Titre

Lorsqu'un titre de poème, d'article, de chapitre, etc., est cité conjointement avec le titre de l'ouvrage ou du périodique d'où il est tiré, on mettra le premier entre guillemets et le second en italique.

Exemples

GRUTMAN, Rainier. 1994, « Une difficile cohabitation », *Spirale*, n° 132 (avril), p. 25.

MORIEUX, Pascal. 1981, « L'évaluation d'un placement en actifs financiers », *Finance*, vol. 2, n° 1 (avril), p. 63-86.

Dialogue

On commence un dialogue par un guillemet ouvrant ; à chaque changement d'interlocuteur, on va à la ligne et on met un tiret. On termine le dialogue par un guillemet fermant après la ponctuation finale.

Exemple

« C'est pas tout des flics par là, tout des communistes?... Qu'est-ce qu'on fabrique à Dresde?
– L'amour, qu'il appelait ça...
– Je connais ça. Ça donne des boutons.
– Non, c'est le fric et le nationalisme qui donnent des boutons. » (Réjean Ducharme, *Dévadé*, Paris, Gallimard / Lacombe, 1990, 257 p., p. 162.)

Emplois partagés avec l'italique

Citation

- L'italique peut être utilisé pour les citations également, mais comme il a d'autres fonctions typographiques voisines (mots en langues étrangères, mises en valeur), la confusion est souvent à redouter. En outre, l'italique est **de lecture plus difficile** que ne l'est le romain guillemeté ; on recommande donc **d'en user avec discrétion** dans le cas des citations, surtout si elles sont longues.
- Les guillemets sont **inutiles** lorsqu'une citation est présentée en italique.

Niveau de langue

- On met des mots et des expressions d'un **niveau de langue différent** de celui du texte (argotique, technique, ampoulé) en italique ou entre guillemets.

Exemples

Pour lui, Noël était une période de *couraillage* familial.

Pour lui, Noël était une période de « couraillage » familial.

Mise en valeur

- Lorsqu'on veut **mettre en valeur** un mot ou un groupe de mots auxquels on veut donner un sens particulier, on peut utiliser les guillemets ou l'italique.

Exemples

Quelqu'un a fait remarquer que ce « petit » a dix-huit ans et qu'il est fort comme trois.

Quelqu'un a fait remarquer que ce *petit* a dix-huit ans et qu'il est fort comme trois.

Typographie

Espace

- On met un espace insécable de part et d'autre du mot guillemeté : « ~mot~ ».
- Il n'y a pas d'espace entre une apostrophe et le guillemet ouvrant.

Exemple

L'« absinthe », c'est ainsi qu'il appelait son médicament vert.

Lettrine

- Si un texte commence par une lettrine, les guillemets sont composés dans le corps du texte.

Exemple

« Longtemps, je me suis couché de bonne heure. » (Marcel Proust.)

Voir tableau **Appel de note**
Voir tableau **Citation**
Voir tableau **Mises en valeur typographiques**
Voir tableau **Notice bibliographique d'un article**
Voir tableau **Notice bibliographique d'une partie de livre**

Hiérarchie des titres

Plan du tableau

Organisation et présentation de la structure matérielle d'un document afin que le lecteur puisse la saisir aisément à première vue.

Divisions d'un texte

Les divisions d'un texte sont les suivantes : tome ou volume, partie, chapitre, section, article, paragraphe.

Le **tome** est une division intellectuelle d'un ouvrage, prévue par l'auteur et ne correspondant pas forcément au volume. Le **volume** est une division matérielle décidée par l'éditeur.

Conventions à respecter

Lorsqu'on détermine la hiérarchie des titres, il faut tenir compte des conventions suivantes :

- la grosseur des caractères importe plus que la graisse, le soulignement, etc. ;
- l'italique n'entre pas dans l'échelle des valeurs pour hiérarchiser les titres ;
- les titres centrés ont priorité sur les titres alignés à gauche ;
- on ne repasse pas aux majuscules une fois que l'on a utilisé les minuscules ;
- ces procédés doivent être identiques d'un bout à l'autre d'un document, car ces conventions de l'auteur deviennent des codes pour le lecteur.

Exemple de hiérarchie des titres

Désignation de la partie	Exemple	Mises en valeur	Points
Titre de document	**INTRODUCTION À L'ALGÈBRE LINÉAIRE**	Majuscules grasses centrées	14
Titre de partie	**PREMIÈRE PARTIE : SYSTÈMES D'ÉQUATIONS LINÉAIRES**	Majuscules grasses centrées	12
Titre de chapitre	**Chapitre II. — Déterminant**	Minuscules grasses centrées	12
Titre de section	**A. Calcul d'un déterminant**	Minuscules grasses alignées à gauche	12
Titre de sous-section	1. Algorithme de calcul d'un déterminant d'ordre *n*	Minuscules maigres alignées à gauche	12

Numérotation des divisions

On peut présenter de deux façons les titres des divisions inférieures au chapitre, selon que l'on adopte le système décimal ou le système traditionnel.

Système décimal

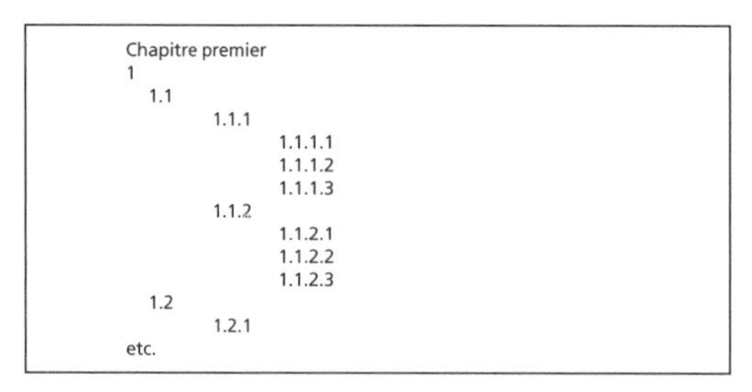

Il est recommandé, lorsqu'on utilise la classification décimale, de ne pas dépasser quatre niveaux de subdivision.

Système traditionnel

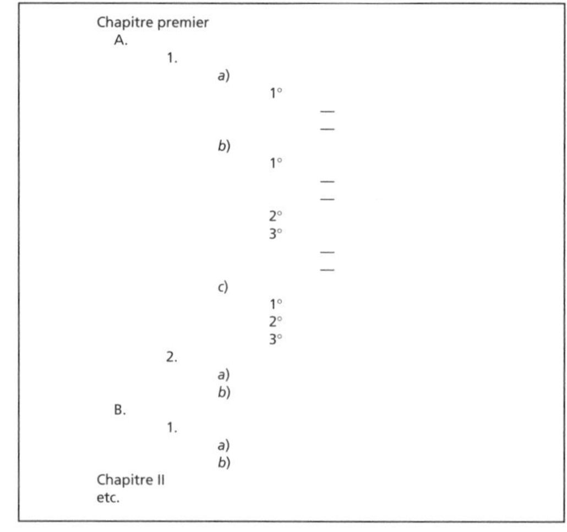

Il faut respecter la même gradation de jalons énumératifs tout au long du document.

Mise en pages et typographie

Divisions supérieures

- Les **titres** des divisions supérieures (tome, volume et partie) s'écrivent **en majuscules au centre** d'une page blanche.
- On met d'abord la mention de la division, puis, **environ quatre interlignes** plus bas, le titre.

PREMIÈRE PARTIE

↕ environ 4 interlignes

LE TEMPS CHEZ DIDEROT

- Les **numéros** des titres des **tomes** et des **volumes** s'écrivent en **chiffres romains majuscules**.

Exemples

TOME I, TOME II, VOLUME VI, etc.

- Par convention, on écrit **en toutes lettres** les **numéros** des **parties**.

Exemples

PREMIÈRE PARTIE, DEUXIÈME PARTIE, etc.

Chapitre

- Le **titre** d'un chapitre s'écrit **en minuscules** sauf pour la majuscule initiale et celles des noms propres.
- Il est placé **en haut d'une page de texte et centré** ou **seul sur une page blanche et centré**, comme les divisions supérieures.
- Si on adopte la présentation sur une seule page du titre et du texte, le titre est alors séparé du début du texte qu'il annonce par **environ quatre interlignes**.
- Si on adopte la présentation sur une page blanche, on met d'abord la mention du chapitre, puis, **environ quatre interlignes** plus bas, le titre.

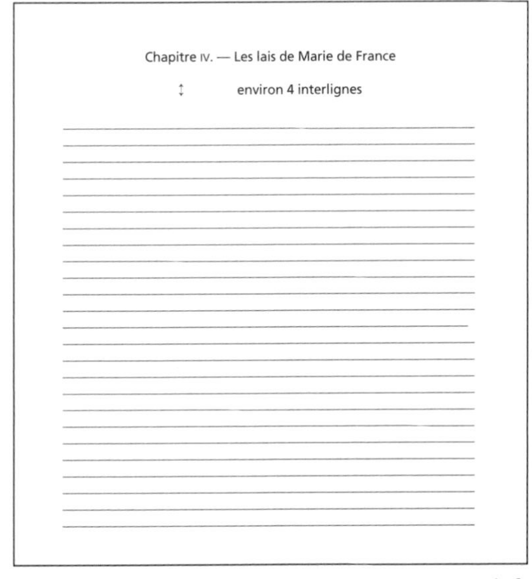

Chapitre IV

environ 4 interlignes

Les lais de Marie de France

- Les **numéros** des titres des chapitres s'écrivent **en chiffres romains petites capitales**, sauf celui du **premier chapitre** qui s'écrit **en toutes lettres**.

Exemples

Chapitre premier, Chapitre II, Chapitre IV, etc.
On a lu, dans le chapitre III,...

- On recommande la **numérotation continue des chapitres**, même si le document comporte plusieurs parties.

Exemple

PREMIÈRE PARTIE :	Chapitre premier
	Chapitre II
	Chapitre III
DEUXIÈME PARTIE :	Chapitre IV
	Chapitre V
	Chapitre VI

Sous-titre

- Les **titres** des divisions inférieures au chapitre (section, article) sont **alignés sur la marge de gauche et écrits en minuscules** (sauf pour la majuscule initiale et celles des noms propres).
- Un intertitre est précédé d'un **interligne plus grand** que celui qui le suit.

  Un intertitre doit toujours être plus près du texte qu'il annonce que de celui qui le précède.

Autres procédés

- Il ne faut pas oublier que les marges, les blancs, les encadrés et les couleurs sont d'autres façons de hiérarchiser l'information.

Conseils pour la rédaction

titre

- Aucun titre ne fait partie du texte, c'est-à-dire qu'il ne faut pas commencer un paragraphe ou un chapitre, etc., en faisant allusion au titre. Le texte lui-même doit reprendre les termes déjà contenus dans le titre.

Exemple à suivre

Effet modérateur de la structure d'actionnariat

Nos recherches ont confirmé l'effet modérateur que la structure d'actionnariat a sur [...]

Exemple à ne pas suivre

Effet modérateur de la structure d'actionnariat

Celui-ci est confirmé par nos recherches sur le sujet [...]

ponctuation

- Les titres ne comportent aucune ponctuation finale, à part les points de suspension, le point d'interrogation et le point d'exclamation, s'il y a lieu.

abréviations

- Les mots qui désignent les divisions, les subdivisions et les autres éléments constitutifs d'un texte ne s'abrègent que dans les notes et les références, à condition d'être suivis d'un chiffre.

Exemples

chap. II, t. III, etc.
Dans ce chapitre, l'auteur...

table des matières

- Il faut reproduire scrupuleusement dans la table des matières les titres et leur présentation tels qu'ils sont annoncés dans le texte. Le lecteur pourra donc, dès la table des matières, comprendre la structure du texte.

paragraphe

- Les subdivisions ultimes doivent être de l'ordre du paragraphe, de 15-20 lignes à une page. Les textes littéraires tolèrent des subdivisions plus longues que les textes techniques ou scientifiques.

divisions supérieures

- Les divisions qui viennent avant la partie (tome ou volume) sont rarement employées dans les documents de dimension moyenne.

document court

- Dans un rapport, un article, un dossier court, il ne devrait pas y avoir plus de quatre niveaux de titres.

choix

- Toutes les subdivisions n'ont pas à être représentées ; on peut sauter des niveaux si la division générale du texte ne les impose pas.

précision des subdivisions

- Il est préférable que chaque division ait à peu près le même degré de précision dans les subdivisions.

uniformité des titres

- À un même niveau de subdivision, les titres auront une longueur et un format comparables.

uniformité des longueurs

- On recommande que toutes les subdivisions d'une même nature aient à peu près la même longueur.

subdivisions inutiles

- Il faut éviter d'indiquer une subdivision 1.1, par exemple, s'il n'y a pas de subdivision 1.2 qui suit. Elle fait partie de la division 1.

Voir tableau **Énumération**
Voir tableau **Mise en pages**
Voir tableau **Mises en valeur typographiques**
Voir tableau **Ordre des parties d'un texte**
Voir tableau **Table des matières**

Index

Plan du tableau

Éléments
Types d'index
Conseils pour la rédaction
Situation et pagination
Mise en pages et typographie

Liste alphabétique détaillée des sujets traités, des termes, des noms propres cités (personnes, lieux) dans un texte, accompagnés des références (numéros de page, de paragraphe, d'entrée, de rubrique, etc.) où chacun de ces sujets ou de ces mots apparaît et dont l'objet est de permettre la consultation efficace du texte et de donner un accès rapide à un sujet particulier.

- Cette liste constitue un outil fort précieux pour le lecteur. L'index et la table des matières font du texte un document à double entrée.
- Un index peut être thématique, général, spécialisé, français-anglais, anglais-français, etc., mais il est toujours classé par ordre alphabétique ; on évitera donc de parler d'*index alphabétique.

Éléments

- Noms de personnes, de lieux, mots clés correspondant aux notions traitées, synonymes, équivalents.
- Numéros de page, de paragraphe, d'entrée, de rubrique, etc.

Types d'index

Index général

L'index général comprend tous les sujets, tous les termes, tous les noms de personnes et de lieux contenus dans un document, intégrés dans un seul ordre alphabétique.

Index thématique

L'index thématique répertorie les notions selon un classement systématique.

Exemple

AMEUBLEMENT DE LA MAISON[1]
  abat-jour (m). 210.
  abattant (m). 199.
  accessoires (m). 234.
  [...]
APPAREILS DE MESURE
  affichage (m) analogique. 591.
  affichage (m) numérique. 591.
  afficheur (m). 596.
  [...]
APPAREILS DE VISION
  aiguille (f) aimantée. 611.
  anode (f). 606.
  appareils (m) de vision. 603.
  [...]
ARCHITECTURE
  abat-son (m). 165.
  abside (f). 164.
  absidiole (f). 164.

1. Jean-Claude Corbeil et Ariane Archambault, *Dictionnaire thématique visuel*, Montréal, Québec / Amérique, 1986, 799 p., p. 745-748.

Index spécialisé

L'index spécialisé ne présente qu'une seule facette du texte à la fois, soit les noms d'auteurs cités, soit les noms de lieux, etc.

Index analytique

L'index analytique comprend les différentes matières dont il est question dans le document, accompagnées de leurs subdivisions.

Exemple

date
– écriture de la ~ 7, **34-38**, 45
– ~ en fin de ligne **98-102**, 118, 156
– ~ dans la lettre 98, 102, **112**

Conseils pour la rédaction

étape de rédaction
- Ce n'est qu'une fois le document complètement fini et entièrement paginé qu'on procède à la composition de l'index.

méthode
- Si le logiciel de traitement de texte ne contient pas de commande pour créer un index automatiquement, on procédera de la façon suivante : on souligne tous les noms propres et les termes que l'on veut répertorier, on reporte chaque nom ou terme sur une fiche avec les numéros de page, d'entrée, de paragraphe, de rubrique, etc. correspondants, puis on classe les fiches par ordre alphabétique. Il ne reste qu'à saisir l'index ainsi constitué.

choix des mots
- On évitera de répertorier des mots clés recouvrant des notions trop larges qui sont traitées à toutes les pages du livre ou des mots clés au sens trop restreint qui allongeraient indûment l'index.

pages et ponctuation
- Toutes les pages sont indiquées, chaque numéro étant séparé par une virgule, ou un trait d'union si les pages se suivent et forment un tout.

ponctuation
- Il n'est pas nécessaire de mettre de point après le dernier numéro de repérage de chaque entrée.

subdivision
- Les subdivisions sont indiquées à l'aide du tiret (—).

tilde (~)
- Le tilde (~) sert à éviter la répétition de la rubrique principale dans les entrées avec subdivisions.

gras
- Il est très utile de mettre en caractères gras les pages les plus importantes parmi celles qui sont répertoriées.

Exemple

pluriel
— ~ des mots italiens 7, **34-38**, 45
— ~ des mots latins **98-102**, 118, 156
— ~ des noms 98, 102, **112**
— ~ des noms composés **87-90**, 123
— ~ des symboles **123-134**

renvoi

- Le renvoi est indiqué en italique.

  Exemples

  Ville-Marie. *Voir* Montréal
  Gaspé. *Voir* Aubert de Gaspé, Philippe

  Attention aux index automatiques que permettent de créer certains logiciels de traitement de texte, car l'ordinateur rejette en début ou en fin d'alphabet tous les caractères spéciaux comme *œ*, *æ*, *ñ*, é, É, etc.

Situation et pagination

- L'index fait partie des **pages annexes** d'un document ; dans l'ordre, on trouvera : les annexes, les appendices, la bibliographie, l'index.
- L'index est paginé en **chiffres arabes** à la suite du texte.

Mise en pages et typographie

- Une mise en pages sur **deux colonnes (ou plus)** est recommandée, avec **débord à gauche** de deux caractères de la première ligne quand l'entrée comporte une subdivision.
- L'index doit être composé dans le **même caractère** que le texte, dans une **grosseur** de caractère égale ou inférieure à celle du texte.

Voir tableau **Classement alphabétique**

Introduction

Texte préliminaire et explicatif comprenant la présentation du sujet traité, les buts poursuivis par l'auteur, l'énoncé de la problématique et l'annonce des étapes principales du document.

- L'introduction amène le lecteur au seuil du développement, mais n'en dévoile pas les arguments principaux, ni ceux de la conclusion.
- On ne confondra pas l'introduction avec les textes suivants :
  - l'**avant-propos**, court texte facultatif placé en tête d'un document, d'un ouvrage où l'auteur expose succinctement ses intentions ;
  - l'**avertissement**, dont l'objet est d'attirer l'attention du lecteur sur un point particulier ;
  - la **préface**, qui n'est généralement pas rédigée par l'auteur et dont le but est de présenter brièvement l'auteur ainsi que l'ouvrage ;
  - le **sommaire**, qui est un résumé du document.

Plan du tableau

But

En plus de servir à capter l'attention, l'introduction conditionne le lecteur, le prépare à ce qu'il va apprendre. Elle doit contenir les éléments nécessaires à une lecture efficace du texte.

Structure

Cette structure de base est une structure passe-partout que l'on peut modifier selon les besoins et la complexité du sujet.

1. Amener le sujet

Il faut partir d'une considération plus large que le sujet lui-même pour habilement diriger le lecteur vers la question précise qu'on traite. Cette étape est nécessaire afin d'établir un contact avec le lecteur qui, ainsi, fera le lien entre ses propres connaissances et ce qui suit. Il faut toutefois se garder de partir d'une idée trop générale ou banale.

2. Poser le sujet

L'élément fondamental de l'introduction est l'énoncé de la problématique, c'est-à-dire de l'ensemble des problèmes pratiques, théoriques ou conceptuels liés au sujet abordé. On indique clairement au lecteur ce dont on va parler. C'est à ce moment que le rédacteur transforme son objet d'étude en une question à résoudre.

3. Annoncer le plan

Cette partie permet au rédacteur de faire connaître les grandes lignes et les articulations générales de son texte avec simplicité et élégance.

Exemple de plan annoncé à suivre

Dans un premier temps, nous traiterons des différents types psychologiques ainsi que de leur influence sur les relations humaines au travail et à la maison. Ensuite, nous aborderons la question de la gestion des conflits ainsi que celle des arbitrages et des concessions qu'il faut faire. Puis, nous parlerons du moment de l'entrée sur le marché du travail, période critique pour le couple. Nous tenterons par la suite de comprendre comment une personne, partagée entre son travail et sa famille, peut arriver à se développer et à s'épanouir. Nous conclurons en essayant de tirer des leçons et en proposant des stratégies afin de réussir à concilier travail et vie personnelle.

Exemple de plan annoncé à ne pas suivre

Ainsi nous verrons que le développement de systèmes d'information s'appuie sur un certain nombre de recherches faites dans plusieurs domaines. En plus, ce travail vise la compréhension du rôle que joue le système d'information dans l'entreprise. À la fin, il y aura un commentaire personnel sur l'expérience de développement.

Conseils pour la rédaction

étape de rédaction

- Généralement, on rédige l'introduction après avoir fini la rédaction du texte ou, tout au moins, une fois qu'on a mis au point le plan définitif, car le but de l'introduction est de présenter le texte. Il est donc important de savoir de quoi l'on parle avec précision.

unité et cohésion

- Les trois parties qui composent l'introduction doivent faire un tout et ne pas être simplement juxtaposées l'une à l'autre.

longueur

- L'introduction fera environ dix pour cent de la longueur du texte.

rapport

- Dans un rapport très bref, l'introduction peut être remplacée par la mention « Objet », suivie d'un court énoncé introductif. Dans un rapport plus long, l'introduction tiendra en quelques lignes (quatre ou cinq).

Introduction et dissertation

- L'introduction d'une dissertation est généralement assez **courte**. Dans la première partie, il faut trouver un fait qui amène **rapidement** le sujet.
- Dans la troisième partie, on annonce les **idées directrices** de la dissertation, mais on garde les idées secondaires en réserve afin de ménager l'intérêt du lecteur.

Introduction et travail universitaire (mémoire, thèse)

limites

- Il faut, dès l'introduction, présenter l'étendue et les limites de son texte et signaler les aspects qui seront délaissés. De cette façon, on prévient tout de suite les critiques.

aspect innovateur

- Il est bon d'insister, dans l'introduction, sur l'importance et la nouveauté de sa recherche.

autres éléments à inclure

- Pourront se trouver dans l'introduction ou dans les premiers chapitres — tout dépend de leur longueur et de leur nombre — les éléments suivants : des considérations méthodologiques, des définitions de termes, une revue de la documentation.

document d'envergure

- Voici, inspiré de Létourneau (1989), un plan plus détaillé de l'introduction d'un document d'envergure :
  1. Interrogation générale qui motive l'auteur
  2. Projet délimité par rapport aux travaux antérieurs
  3. Objectif de recherche précis
  4. Élaboration de la problématique
  5. Hypothèse opérationnelle
  6. Méthodologie
  7. Limites de l'étude
  8. Étapes du travail

Introduction et rapport

- L'introduction doit constituer une **entrée en matière** qui éveille l'attention du lecteur et l'invite à prendre connaissance de la suite du texte. On y précise les **objectifs** du rapport avec concision et clarté. On pourra également indiquer l'**origine du mandat** confié au rédacteur et le **public visé**, les **limites** et l'**étendue** du rapport, la **définition** de certains termes techniques, la **méthodologie**, les **remerciements**.
- On énonce le **problème** dont traitera le rapport, puis on formule une **hypothèse** qui sera la réponse présumée au problème traité.
  - La démonstration qui sera faite tout au long du rapport a pour but de vérifier la validité de l'hypothèse.

Situation et pagination

- L'introduction est la **première** des parties essentielles d'un texte.
- Avec l'introduction commence la pagination en **chiffres arabes**.

Exemples d'introductions

Exemple 1

[L'arrivée des ursulines françaises à Québec, le premier août 1639, marque le début de l'instruction des filles en Amérique du Nord. À la demande des jésuites, la supérieure fondatrice, Marie de l'Incarnation, et ses deux compagnes viennent convertir à la foi catholique les jeunes Amérindiennes qui leur sont confiées. Les religieuses, qui effectuent l'aller simple pour le Canada, amènent avec elles non seulement leur culture française mais font partie intégrante de l'élan catholique et missionnaire post-tridentin. Aussitôt débarquées à Québec, elles reprennent leur mode de vie cloîtré. C'est à l'intérieur de cet espace restreint qu'elles entreront en contact avec les femmes du Nouveau Monde.

1re partie : sujet amené

Deux univers féminins complètement opposés se rencontrent alors. D'un côté, une communauté religieuse traditionnellement vouée à la vie contemplative et à l'instruction des filles ; de l'autre, des sociétés autochtones — au mode de vie nomade comme les Algonquiens, ou sédentaire comme les Iroquoiens — où les femmes et les filles participent à la vie politique, économique et sociale de leur groupe.]

[L'expérience vécue par Marie Guyart de l'Incarnation auprès de ses pensionnaires amérindiennes constitue, par la richesse des témoignages et des traces qu'elle laisse à notre disposition, et par l'intérêt qu'elle suscite, un terrain d'étude unique pour la compréhension du processus d'interaction culturelle entre Européens et Amérindiens au XVIIe siècle. La rencontre des ursulines avec les Amérindiennes, c'est la rencontre de l'Europe avec l'Amérique, un choc culturel pour l'un et l'autre groupe. En plus [de subir] des fatigues et des dangers d'un voyage en mer qui durera plus de trois mois, les religieuses françaises devront s'acclimater à un nouveau continent et faire face à des situations et à des comportements totalement inusités pour elles. Les Amérindiennes, de leur côté, seront confrontées à la nouveauté des méthodes européennes de conversion et d'enseignement pendant leur séjour au couvent des ursulines ; elles verront de plus leur mode de vie considérablement remis en question, passant de milieux sociaux où la cellule familiale et la division sexuelle des tâches sont primordiales à une existence rythmée sur le modèle d'enseignement institutionnel français.

2e partie : sujet posé

Axé sur une perspective globale d'échanges culturels, le présent ouvrage vise à définir et à situer le processus interactif survenu entre les religieuses et leurs pensionnaires amérindiennes au monastère des ursulines de Québec. Effectuant une analyse thématique des pratiques culturelles échangées entre les deux groupes de femmes [...], nous entendons démontrer que les rapports intervenus entre elles portent une double conséquence : en même temps que ces rapports conduisent à un certain niveau d'acculturation, ils suscitent des échanges, des rencontres et une reconnaissance de l'Autre intéressants à observer sur le plan culturel.

L'étude s'étend de 1639, année de l'arrivée et de l'installation en terre canadienne des ursulines, à 1672, année de la mort de Marie de l'Incarnation. Les 33 années de vie missionnaire de l'ursuline correspondent également à la véritable prise de contact entre Européens et Amérindiens dans la vallée du Saint-Laurent, période charnière qui fait passer la Nouvelle-France d'un simple comptoir de traite à une colonie dont le développement est structuré par une batterie de mesures économiques, administratives et politiques.]

[Le chapitre premier est consacré à la présentation de la problématique, de la méthode et des sources. Au deuxième chapitre, il sera d'abord question du contexte religieux en France au XVIIe siècle ; puis, nous retracerons l'historique de l'Ordre de Saint-Ursule ainsi que le contexte de fondation du couvent de Québec. Nous aborderons également l'origine et la composition des groupes d'élèves françaises et amérindiennes des ursulines. À l'intérieur des deux derniers chapitres, nous analyserons les pratiques culturelles imposées aux Amérindiennes et nous étudierons les réactions de Marie de l'Incarnation face à la culture autochtone.]

3e partie : annonce du plan

Claire Gourdeau, *les Délices de nos cœurs : Marie de l'Incarnation et ses pensionnaires amérindiennes 1639-1672*, Sillery (Québec), Les éditions du Septentrion, coll. « Les nouveaux cahiers du CÉLAT », n° 6, 1994, 128 p., p. 13-14.

Exemple 2

[*Une chaîne dans le parc* d'André Langevin est le récit du séjour que fait à Montréal un petit orphelin de huit ans, Pierrot. Le lecteur le suit pas à pas durant près de neuf jours, au fil de ses aventures, nombreuses, de ses joies et de ses peines. On révèle au lecteur en même temps qu'à Pierrot la vérité au sujet de son passé, de ses parents et de son frère. Confiné à un orphelinat dès l'âge de quatre ans, Pierrot avait vite fait d'oublier les premières années de sa vie. Il n'en garde que quelques souvenirs épars. À sa sortie de l'orphelinat, moment qui correspond au début du roman, il est reçu chez son oncle Napoléon, le frère de sa mère. Les trois sœurs de ce dernier, qui habitent avec lui, rendent la vie pénible à Pierrot.] ← 1re partie : sujet amené

[Afin de s'évader de la réalité douloureuse, il reprend une habitude qu'il avait adoptée étant jeune, la fabulation. Pour combler les vides de son existence à l'orphelinat, il rêvait. Ses fictions étaient héroïques, exotiques. À Montréal, chez son oncle, plongé dans la « vraie vie », Pierrot continue de fabuler, mais sur un autre mode. Ses fictions sont plus que de simples rêveries, elles constituent d'importants investissements de temps et d'énergie. De même, les fictions constituent une partie importante du récit d'*Une chaîne dans le parc*. Elles ne se démarquent pas toujours facilement de la réalité, présente ou passée, dans le roman, rendant le partage rêve / réalité difficile à faire. Cela est dû à la manière dont s'élabore une fiction, sa naissance et son développement.] ← 2e partie : sujet posé

[Ainsi, l'élaboration de la fiction et ses influences sur le récit seront le premier point abordé dans notre analyse de ce roman d'André Langevin. Comme le rêve ou le désir, la même fabulation peut revenir souvent, obsédant le personnage et le récit. Dans un deuxième temps, nous passerons en revue les thèmes principaux des fictions, avant et après la sortie de l'orphelinat. Il est certain que la fabulation répond à une nécessité chez Pierrot, sinon elle cesserait rapidement, surtout à la suite de son changement de milieu. Nous essaierons donc de voir à quoi servent les fictions, à quels besoins elles répondent. Ce sera le troisième point à l'étude. Pour Pierrot, la canalisation d'une partie de ses énergies dans la fabulation influence ses relations avec la réalité et le monde. Comment fiction et réalité s'agencent-elles dans sa vie? La fiction l'empêche-t-elle de vivre? Ces questions constituent la quatrième partie de notre analyse. Ce roman de Langevin est le premier où l'auteur fait un usage si important de la fiction, et ce par l'entremise d'un enfant, autre nouveauté. Ces techniques narratives lui réussissent-elles? Ce sera le dernier point dont nous traiterons dans notre analyse de ce roman.] ← 3e partie : annonce du plan

Exemple 3

[L'industrie agricole est un secteur d'activité où la présentation de l'information financière est un défi.] ← 1re partie : sujet amené [Les particularités des actifs ainsi que des utilisateurs de ce secteur nous permettent de douter de l'utilité et de la pertinence de l'information issue actuellement de la comptabilisation traditionnelle.] ← 2e partie : sujet posé

[Dans ce rapport, un bref historique fera comprendre au lecteur le contexte particulier de l'évolution de la comptabilité en agriculture au Canada. Le deuxième chapitre sera consacré aux utilisateurs de l'information et à leurs besoins précis. Le troisième chapitre constitue un portrait de la situation réelle en agriculture ; des statistiques très révélatrices concernant le type de comptabilisation utilisé par les agriculteurs canadiens y sont présentées. Par la suite, on traitera du sujet de la comptabilité au coût historique et des raisons de son application. ← 3e partie : annonce du plan

Compte tenu du fait que plusieurs cultivateurs ont choisi de comptabiliser leurs différentes activités selon les principes comptables généralement reconnus (PCGR), nous aborderons l'étude des principaux postes des états financiers susceptibles de créer de la controverse quant à leur comptabilisation. Chacun d'eux (stocks, récoltes sur pied, bétail d'élevage, terrains, autres actifs amortissables, contingents et comptes clients) fera l'objet d'un chapitre distinct.]

Daniel Roy, « La comptabilité financière dans l'industrie agricole », travail trimestriel de Théorie comptable II, Montréal, École des Hautes Études Commerciales, décembre 1990, 30 p., p. 1-2.

Voir tableau **Conclusion**
Voir tableau **Développement**
Voir tableau **Dissertation**
Voir tableau **Plan**
Voir tableau **Rapport**

LETTRE — CORPS

Plan du tableau

Plan
- Introduction : passé
- Développement : présent

Conclusion : avenir
- Salutation

Conseils pour la rédaction

Élément essentiel de la lettre, message que l'on désire transmettre.

Plan

Avant de se lancer dans la rédaction d'une lettre, il faut organiser toute la matière à l'aide d'un plan ; celui qui convient le plus souvent pour une lettre est le plan chronologique (passé, présent, avenir).

Introduction : passé

- Toute lettre est motivée par un **événement du passé** (demande de renseignements, rencontre, lettre reçue, conversation téléphonique, etc.).
- Dans l'introduction, on fait **référence à ce passé** en donnant tous les renseignements pertinents (numéro de dossier, date d'une lettre antérieure, numéro de facture, etc.) pour situer le destinataire, s'ils n'ont pas été indiqués dans l'objet ou si l'objet a besoin d'être complété.
- Cette partie compte en général **un** paragraphe composé d'**une à trois** phrases.

Quelques formules usuelles d'introduction[1]

À la suite d'un appel téléphonique, d'un entretien

Nous confirmons les termes de notre entretien téléphonique du...

À la suite de la conversation téléphonique que nous avons eue le... (de notre entretien du..., de notre rencontre du...), nous vous confirmons que...

Comme vous l'avez proposé lors de notre conversation téléphonique, nous vous...

En confirmation de notre appel téléphonique du...,

Au cours de notre conversation téléphonique du..., vous avez bien voulu nous demander des renseignements au sujet de...

À la suite de l'entretien que vous avez eu avec notre collaborateur le..., nous nous permettons de préciser les points suivants :...

Ainsi que nous l'avons précisé lors de notre entretien du...

Au cours de notre entretien du...

À l'occasion d'une conversation téléphonique avec votre adjoint, je lui ai...

Demande de renseignements, de documentation

Pourriez-vous me faire parvenir la documentation complète...

Nous vous prions de nous adresser, le plus rapidement possible, votre nouveau catalogue ainsi que vos derniers tarifs.

Comme vous le proposez dans votre annonce parue dans..., nous vous prions de nous adresser votre catalogue et vos tarifs concernant...

Pourriez-vous nous faire connaître, sans engagement de notre part, vos prix et conditions pour la livraison des articles ci-dessous indiqués...

---

1. Toutes les formules d'introduction et de conclusion peuvent se mettre, selon le contexte, à la première personne du singulier ou du pluriel. Les listes de formules d'introduction et de conclusion ont été empruntées à Hydro-Québec, 1989, p. 28-30, à Guilloton et Cajolet-Laganière, 1996 et à Fayet et Nishimata, *Savoir rédiger le courrier d'entreprise*, 1988, p. 129-139 et légèrement remaniées.

En réponse à une demande de renseignements, de documentation

À votre demande, je vous envoie…
Vous trouverez ci-joint un dépliant…
Nous vous remercions de votre lettre du… par laquelle vous nous demandez une documentation sur…
Nous vous transmettons une copie de…
En réponse à votre demande de renseignements relative à…, nous vous faisons parvenir sous ce pli…

Passage d'une commande

Nous vous serions obligés de bien vouloir nous adresser, sur la base de vos conditions générales de vente, les articles suivants :
Veuillez trouver, en annexe, une première commande faite à titre d'essai.
Selon votre offre du…, nous vous prions de nous envoyer…
En confirmation de notre entretien téléphonique d'aujourd'hui, nous vous passons commande ferme…
Nous vous prions de trouver, ci-joint, notre bon de commande.

Réception d'une commande

Nous vous remercions de votre commande du… pour laquelle vous trouverez un accusé de réception ci-joint.
Nous vous remercions de la commande contenue dans votre lettre du… et sommes prêts à l'exécuter dans les délais que vous demandez.
Nous nous référons à votre entretien téléphonique du… avec M. X… et vous confirmons la commande que vous avez bien voulu lui transmettre.
L'exécution de votre commande du…, dont nous vous remercions, fait l'objet de tous nos soins.

En réponse à une lettre, à une invitation

J'ai été étonné d'apprendre, par votre lettre du…, que…
Votre lettre du… nous est bien parvenue…
Nous vous remercions de votre aimable invitation…, de votre lettre du…
La question que vous soulevez dans votre lettre du…
Le problème dont vous nous entretenez dans votre lettre du…
En réponse à votre lettre du… (à votre demande de renseignements…)
En réponse à votre lettre par laquelle vous…
Pour faire suite à votre lettre du… (à votre demande du…)
J'accuse réception de votre lettre du… et je vous en remercie. C'est avec plaisir que…
Nous avons bien reçu votre demande… (votre invitation…) dont nous vous remercions…
J'accuse réception de votre aimable invitation, mais c'est à regret…
J'accuse réception de votre aimable invitation et c'est avec plaisir que…

Demande d'emploi

Permettez-moi de vous offrir mes services à titre de…
Permettez-moi de soumettre ma candidature au poste de…
À la suite de l'annonce parue dans le journal…
En réponse à votre demande d'emploi, nous avons le plaisir de vous informer que…
En réponse à votre demande d'emploi, nous avons le regret de vous informer que…
Nous sommes actuellement dans l'impossibilité de…

Regrets

Nous regrettons vivement de ne pouvoir donner suite à votre…
Je vous prie de bien vouloir accepter mes excuses pour…
Je regrette de vous annoncer que…
Je suis au regret de vous annoncer…
Nous avons le regret de vous informer que…
C'est avec regret que nous vous faisons part de…
Il m'est malheureusement impossible de…

Remerciements

Nous vous remercions de l'intérêt que vous avez manifesté…
Nous vous remercions vivement de l'empressement avec lequel…

Félicitations

J'ai le plaisir de vous informer que...
C'est avec grand plaisir que nous avons appris que...
Nous sommes heureux de vous faire part de la nomination de (d'apprendre que..., de vous informer que...) ...

Divers

Pour faire suite à notre dernière lettre vous informant que...
Conformément à notre entente, vous trouverez sous pli séparé copie du contrat.
Nous désirons vous informer que...
Notre entreprise met sur le marché un nouveau produit...
J'ai pris connaissance de... et désire vous informer...
Pour faire suite au devis que vous nous avez soumis...
Pour répondre à...
Je vous signale que...
Nous vous transmettons une photocopie de...
Comme suite à...
Il m'a été donné de constater...
Nous avons pris connaissance de votre projet de... et nous désirons vous informer que...
Il m'a été signalé que...
Nous avons pris connaissance du rapport que vous nous avez fait parvenir et nous...

Développement : présent

- Dans cette partie de la lettre, on exprime le plus simplement et le plus clairement possible **ce qui fait que l'on écrit**.
- Selon le contexte, on **informe**, on **explique** ou on **argumente**.
- Les idées se suivent selon l'**ordre** qui sert le mieux la stratégie de rédaction.
- On aborde **une idée par paragraphe**.

Conclusion : avenir

- C'est dans la conclusion qu'on dit au destinataire **ce qu'on attend de lui**, en termes clairs, et qu'on l'incite à **agir**.
- Si la lettre est **longue**, la conclusion forme un paragraphe à part où on résume la lettre et où on dit au destinataire ce que l'on attend de lui ou d'elle.
- Si la lettre est **courte**, la salutation peut être précédée d'un **membre de phrase** servant de conclusion.

Exemple

Dans l'attente d'une réponse de votre part, je vous prie d'agréer, Madame, l'expression de mes sentiments les plus cordiaux.

- Dans cette partie, le **ton** de la lettre apparaît plus clairement et le rédacteur ou la rédactrice peut être un peu plus personnel.

Quelques formules usuelles de conclusion

Remerciements

Avec nos remerciements anticipés, nous vous prions de...
Veuillez agréer, avec nos remerciements, l'expression de nos sentiments les meilleurs...
Vous remerciant du chaleureux accueil que vous nous avez réservé, nous...
Nous vous remercions de votre collaboration et vous prions...

Regrets

Nous regrettons de ne pouvoir donner suite à votre demande et nous vous prions de...
Regrettant de ne pas être en mesure de donner suite à votre proposition, nous vous prions...
Nous regrettons vivement de ne pouvoir accéder à votre demande...
Nous vous exprimons encore une fois nos regrets de n'avoir pu, en l'occurrence, vous donner pleine satisfaction.

Excuses

Soyez assuré que nous ferons l'impossible pour éviter désormais de tels contretemps.

Nous vous renouvelons nos excuses pour cet incident indépendant de notre volonté.

Nous souhaitons que cet incident n'altère pas nos relations commerciales.

Vous voudrez bien nous excuser de ce retard exceptionnel qui, nous l'espérons, ne vous causera pas de difficultés.

Réponse, décision ou action favorable souhaitées

Nous comptons sur votre diligence afin de régler cette affaire dans les plus brefs délais.

Nous espérons une prompte intervention de vos services.

Nous comptons sur votre diligence afin de régler cette affaire dans les plus brefs délais.

Dans l'attente de votre décision, je vous prie…

Il nous serait très agréable d'être fixés au plus tôt sur vos conditions de vente.

Nous vous remercions de la rapidité avec laquelle vous voudrez bien nous envoyer ces renseignements.

Il serait souhaitable que vous puissiez nous faire connaître très rapidement votre décision.

Si, comme nous l'espérons, notre offre reçoit votre agrément, veuillez nous en informer dans les meilleurs délais.

Espérant que vous recevrez favorablement ma demande, je vous prie…

Dans l'espoir que vous voudrez bien accéder à ma demande…, je vous prie…

Espérant que vous pourrez donner une suite favorable à ma demande, je vous prie de…

Dans l'espoir d'une réponse favorable, nous vous prions de…

Lettre, renseignement ou documentation souhaités

Nous comptons sur votre diligence à nous faire parvenir ces renseignements.

Je vous serais très obligé d'accuser réception de ma demande dans les plus brefs délais.

Je vous saurais gré de bien vouloir me faire parvenir ces renseignements dans les plus brefs délais…

Dans l'attente de votre lettre, nous vous prions de…

Dans l'attente d'une réponse favorable…

Invitation à communiquer

Je demeure à votre disposition pour vous fournir tout autre renseignement utile et vous prie d'agréer…

Pour (de) plus amples renseignements, vous pouvez vous adresser au…

N'hésitez pas à communiquer avec moi pour tout renseignement complémentaire…

Nous nous tenons à votre disposition pour toute remarque que vous auriez à nous faire ou pour tout renseignement complémentaire dont vous auriez besoin.

Confirmation souhaitée

Nous apprécierions que vous nous confirmiez votre présence à cette réunion par retour du courrier.

Veuillez nous confirmer votre présence à cette réunion…

Retour de correspondance souhaité

Veuillez nous retourner dans les dix jours le formulaire ci-joint signé.

Nous vous serions reconnaissants de nous retourner le plus rapidement possible…

Divers

Je vous assure de mon intérêt pour ce projet et vous prie de…

Dans l'espoir de vous servir prochainement, nous vous prions de…

Nous espérons que ces renseignements vous seront utiles et nous vous prions de…

Nous attendons impatiemment votre réponse et vous prions de…

Profitant de l'occasion pour vous féliciter de l'intérêt que vous manifestez pour…, je vous prie de…

Pour ces raisons, nous estimons que…

À la lumière de ces faits, nous avons…

Salutation

Formule de politesse tripartite qui permet de terminer une lettre de façon courtoise.

On l'adapte au correspondant et à la nature des relations que l'on entretient avec lui.

Trois éléments

1. Suivant le respect que l'on désire témoigner à son correspondant, on commence la salutation par **une des formes verbales** suivantes qui sont classées selon une gradation ascendante de déférence.
   - ⇨ Agréez (ou recevez ou croyez ou acceptez)...
   - ⇨ Veuillez agréer (ou recevoir ou croire ou accepter)...
   - ⇨ Je vous prie d'agréer (ou de recevoir ou de croire ou d'accepter)...
2. L'**appel** est repris tel qu'il est indiqué au début de la lettre, avec les majuscules, sans abréviation et encadré de virgules.
   - ⇨ ..., Madame,...
   - ⇨ ..., Madame, Monsieur,...
   - ⇨ ..., Monsieur le Premier Ministre,...
   - ⇨ ..., Monsieur et cher confrère,...
   - ⇨ ..., Madame la Présidente,...

   Exemples

   Je vous prie d'agréer, Monsieur le Sous-Ministre, l'assurance de mes sentiments les plus distingués.

   Veuillez croire, Madame, Monsieur, à mes sentiments les meilleurs.
3. La dernière partie est composée d'**une des formules suivantes**.

   Pour une relation d'affaires, un client
   - ⇨ ... mes salutations distinguées, empressées.
   - ⇨ ... mes sincères salutations.
   - ⇨ ... mes meilleures, respectueuses salutations.
   - ⇨ ... l'expression (l'assurance) de mes sentiments les meilleurs.
   - ⇨ ... l'expression (l'assurance) de mes sentiments dévoués.
   - ⇨ ... l'expression (l'assurance) de mes sentiments distingués.

   Pour un supérieur
   - ⇨ ... l'assurance de mes sentiments respectueux.
   - ⇨ ... l'assurance de ma considération distinguée.

   Pour un ministre, un député
   - ⇨ ... l'assurance de ma considération distinguée.
   - ⇨ ... l'assurance de mes sentiments les plus distingués.
   - ⇨ ... l'assurance de ma très haute considération.
   - ⇨ ... l'expression de mes sentiments les plus respectueux.

Remarques stylistiques

- Le nom ***sentiments*** s'emploie avec les termes *l'expression de...* ou *l'assurance de...*, alors que le nom ***salutations*** doit être introduit directement par une forme verbale.

  Exemples

  Veuillez agréer, Madame, nos plus sincères salutations.

  Je vous prie d'agréer, Madame la Secrétaire générale, l'expression de mes sentiments les plus distingués.
- Le verbe ***croire*** se construit avec la préposition ***à***. Il ne peut être suivi des expressions *l'assurance de* et *l'expression de*, ni du nom *salutations*. On le fait suivre des noms ***respect***, ***sentiments***, ***souvenir***.

  Exemples

  Veuillez croire, Madame, à mon profond respect.

  Croyez, cher ami, à mon meilleur souvenir.
- Il importe de ne faire intervenir qu'**un seul sujet** dans la salutation. Si la formule commence par un membre de phrase qui concerne l'auteur de la lettre (*Espérant le tout conforme*... : c'est l'auteur de la lettre qui fait l'action d'espérer), elle doit se poursuivre avec les mots *je vous prie*... ou *nous vous prions*...

  Exemple

  Vous remerciant de votre aimable invitation, je vous prie de croire...
- En matière de **déférence**, la suppression des termes *l'expression de* ou *l'assurance de* rend la formule moins respectueuse. Le terme *l'expression de* est moins déférent que l'expression *l'assurance de*.
- On emploie les verbes ***adresser***, ***agréer*** et ***recevoir*** avec le nom ***salutations*** ; le verbe ***agréer*** avec les ***sentiments*** et le verbe ***assurer*** avec ***sentiments***, ***considération*** et ***dévouement***.

- Il ne faut pas hésiter à **adapter** la salutation à la situation.

Exemple

Veuillez donc accepter, Monsieur, avec mon remerciement sincère, l'expression de mes sentiments distingués et de mon regret. (Colette, *la Naissance du jour*.)

- Dans la **correspondance personnelle**, la salutation est plus simple.

Exemples

Bien cordialement,
Amicalement,
Toutes mes amitiés,
Meilleurs souvenirs,
Affectueux souvenirs,
Salutations distinguées,
Sincères salutations,
Sentiments distingués,
Amitiés,
Recevez, cher Jean, l'expression de mes sentiments amicaux.
Je te prie de recevoir, cher ami, l'assurance de mes sentiments très cordiaux.
Veuillez agréer, François, l'expression de mes sentiments les meilleurs.

Conseils pour la rédaction

- Dans la correspondance, la règle d'or est de s'adapter en tout temps à son **destinataire**.
- La lettre ne doit pas servir à régler plusieurs cas en même temps ; il vaut mieux n'aborder qu'**un seul sujet par lettre**.
- On peut faire des paragraphes d'**une seule phrase**.
- La lettre est un écrit personnel dans lequel il ne faut pas hésiter à employer le ***je*** ou le ***nous***, même si l'on écrit pour une entreprise ou une administration.
- Il est recommandé d'adopter un **niveau de langue soutenu** dans la correspondance administrative et commerciale.
- Le **ton** d'une lettre doit être en tout temps **modéré** et **objectif**, car l'on écrit rarement pour son propre compte dans la correspondance commerciale et administrative, mais pour le compte d'autrui.
- Pour adoucir une lettre au ton trop cassant, on peut employer un des moyens suivants.
  - **Utilisation d'une incidente** : ton plus personnel.

    Exemple

    Cette situation**, nous en sommes certains,** ne se reproduira pas.
  - **Emploi du conditionnel** : politesse, liberté laissée au destinataire.

    Exemple

    Nous **aurions voulu** vous rencontrer le plus tôt possible.
  - **Insertion d'un adverbe d'apaisement** : nuance immédiate.

    Exemple

    Nous sommes **malheureusement** dans l'impossibilité d'accéder à votre demande.
  - **Recours à la forme impersonnelle** : exceptionnellement, une seule fois par lettre.

    Exemple

    Il est rappelé que toutes les personnes ne se conformant pas au règlement ne seront pas admises.
  - **Utilisation de la voix passive** : exceptionnellement, une seule fois par lettre.

    Exemple

    Votre demande d'admission **a été refusée.**
  - **Emploi de la forme interrogative** : pour adoucir un ordre.

    Exemple

    Pourriez-vous nous envoyer votre catalogue le plus rapidement possible?

Voir tableau **Enveloppe**
Voir tableau **Lettre — Généralités**
Voir tableau **Lettre — Présentation**

Lettre — Généralités

Plan du tableau

En-tête	Corps de la lettre. Voir tableau Lettre — Corps
Date	Signature
Lieu	Initiales
Lettre type	Pièce jointe
Nature de l'envoi	Copie conforme
Mode d'acheminement	Transmission confidentielle
Vedette	Post-scriptum
Références	*Nota bene*
Objet	
Appel	

Ensemble des éléments qui précèdent ou suivent le corps d'une lettre et dont la présentation est standardisée.

En-tête

Dénomination officielle (d'une entreprise, d'un organisme) imprimée en tête d'un papier à lettres.

☞ Le papier à en-tête ne s'emploie que pour la **première page** d'une lettre.

Date

Expression alphanumérique de la date à laquelle est envoyée une lettre.

- On écrit le jour et l'année en **chiffres** et le mois en toutes **lettres**. Ces renseignements sont précédés de l'article ***le***.

Exemple

Le 18 mars 1996

☞ La date ne comporte pas de virgule entre le jour et le quantième (jour du mois désigné par son numéro d'ordre) ou entre le mois et l'année, et elle s'écrit sans ponctuation finale.

☞ La date ne s'abrège pas.

☞ Le nom du mois ne comporte pas de majuscule initiale.

- En principe, on n'indique pas le **jour de la semaine**. Cependant, si ce renseignement est nécessaire, on écrira :

Exemple

Lundi 18 mars 1996
et non
*Lundi, le 18 mars 1996

- Dans le **corps d'un texte**, on écrira :

Exemple

La réunion aura lieu le lundi 18 mars 1996.

- La date se met à **gauche** ou à **droite**, selon la présentation adoptée.

Lieu

Ville d'où provient la lettre.

- On inscrit le nom de la ville juste avant la date ; ces deux renseignements sont séparés par une virgule.

Exemple

Gaspé, le 28 mai 1996

☞ Quand l'adresse est inscrite dans l'en-tête, on n'a pas à indiquer le nom du lieu avant la date.

Lettre type

- **En-tête :** Dénomination officielle et logo de l'organisme ou de l'entreprise imprimés sur du papier à lettres. On retrouve souvent l'adresse et des renseignements sur le service de l'expéditeur. **Mention facultative**. — Ⓐ
- **Date** : Expression alphanumérique de la date à laquelle est envoyée la lettre. **Mention essentielle**. — Ⓑ
- **Nature de l'envoi** : Personnel ou confidentiel. **Mention facultative**.
- **Mode d'acheminement** : Par avion, par exprès ou exprès, par messagerie, par télécopie, recommandé, urgent. **Mention facultative**. — Ⓒ
- **Vedette** : Titre de civilité, prénom et nom du destinataire ainsi que son adresse complète. La vedette peut également comprendre son titre de fonction, la mention de son unité administrative et le nom de l'entreprise pour laquelle il travaille. **Mention essentielle**. — Ⓓ
- **Références** : Groupe de lettres ou de chiffres simplifiant le classement du courrier. **Mention facultative**. — Ⓔ
- **Objet** : Expression concise du contenu de la lettre. **Mention facultative**. — Ⓕ
- **Appel** : Formule de politesse préliminaire, le plus souvent le titre de civilité du destinataire. **Mention essentielle**. — Ⓖ
- **Corps** : Partie qui contient le message que l'on désire transmettre. **Mention essentielle**. Voir tableau **Lettre — Corps**. — Ⓗ
- **Salutation** : Formule de courtoisie qui termine la lettre. **Mention essentielle**. Voir tableau **Lettre — Corps**. — Ⓘ
- **Signature** : Signature manuscrite de l'expéditeur accompagnée de son titre de fonction. **Mention essentielle**. — Ⓙ
- **Initiales** : Initiales majuscules du signataire de la lettre séparées par une barre oblique des initiales minuscules de la personne qui a saisi la lettre. **Mention facultative**. — Ⓚ
- **Pièce jointe** : Indication qui signale que l'on annexe une ou des pièces à une lettre. **Mention facultative**. — Ⓛ
- **Copie conforme** : Nom de la ou des personnes à qui un double de la lettre est envoyé. **Mention facultative**. — Ⓜ

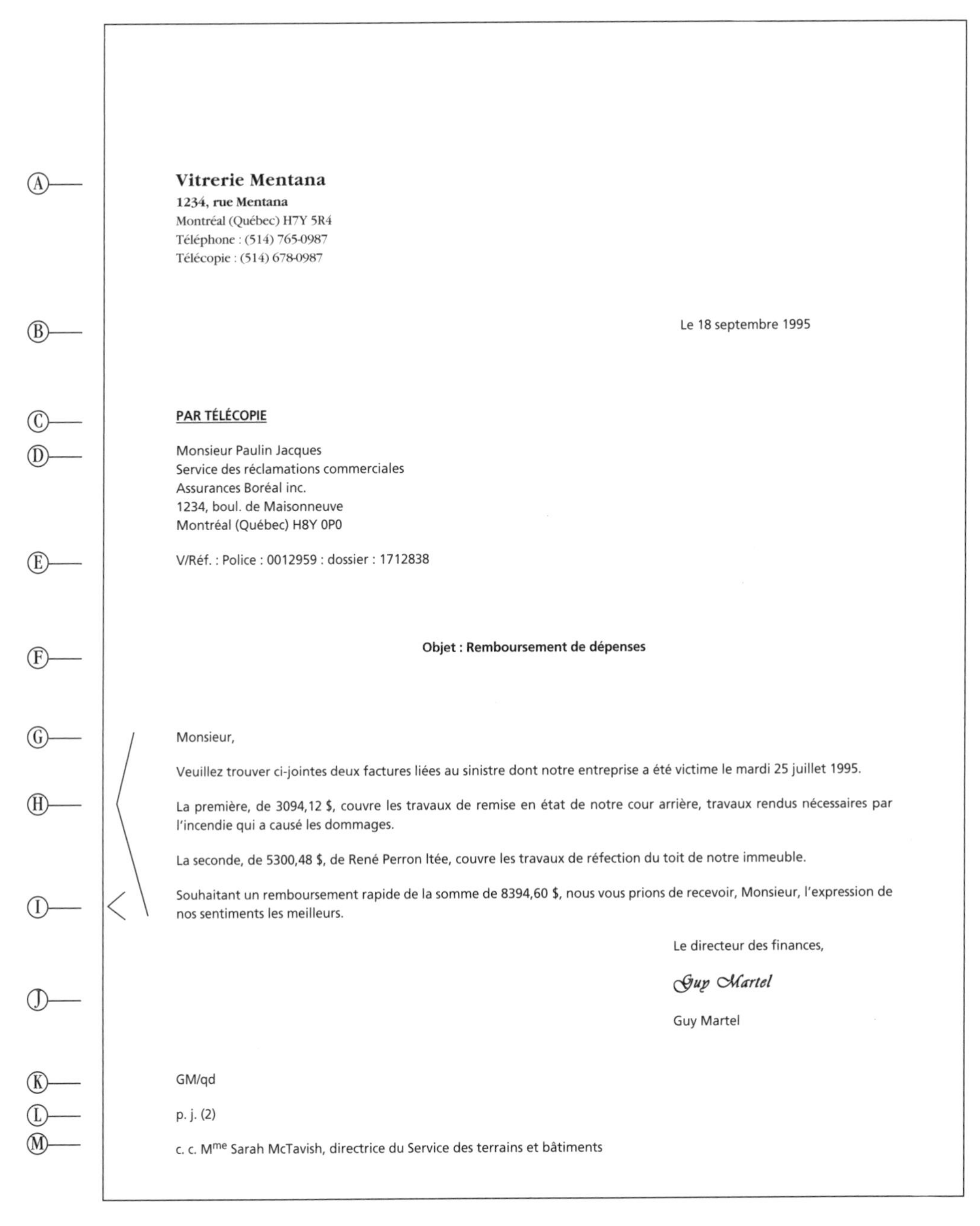

Ⓐ **Vitrerie Mentana**
1234, rue Mentana
Montréal (Québec) H7Y 5R4
Téléphone : (514) 765-0987
Télécopie : (514) 678-0987

Ⓑ Le 18 septembre 1995

Ⓒ <u>PAR TÉLÉCOPIE</u>

Ⓓ Monsieur Paulin Jacques
Service des réclamations commerciales
Assurances Boréal inc.
1234, boul. de Maisonneuve
Montréal (Québec) H8Y 0P0

Ⓔ V/Réf. : Police : 0012959 : dossier : 1712838

Ⓕ **Objet : Remboursement de dépenses**

Ⓖ Monsieur,

Ⓗ Veuillez trouver ci-jointes deux factures liées au sinistre dont notre entreprise a été victime le mardi 25 juillet 1995.

La première, de 3094,12 $, couvre les travaux de remise en état de notre cour arrière, travaux rendus nécessaires par l'incendie qui a causé les dommages.

La seconde, de 5300,48 $, de René Perron ltée, couvre les travaux de réfection du toit de notre immeuble.

Ⓘ Souhaitant un remboursement rapide de la somme de 8394,60 $, nous vous prions de recevoir, Monsieur, l'expression de nos sentiments les meilleurs.

Ⓙ Le directeur des finances,

Guy Martel

Guy Martel

Ⓚ GM/qd

Ⓛ p. j. (2)

Ⓜ c. c. Mme Sarah McTavish, directrice du Service des terrains et bâtiments

☞ Voir tableau **Lettre — Présentation** pour les différentes mises en pages d'une lettre.

Nature de l'envoi

Personnel ou ***confidentiel***.

- Ces indications sont en **majuscules soulignées** et se placent **à la suite de la date**, contre la **marge de gauche**.
- Elles sont toujours au masculin.

Mode d'acheminement

Par avion, ***exprès*** ou ***par exprès***, ***par messagerie***, ***par télécopie***, ***recommandé***, ***urgent***.

- Les mentions d'acheminement se placent contre la **marge de gauche**, **à la suite de la date**, après les mentions de nature s'il y en a, en **majuscules soulignées**.
- Les mentions ***recommandé*** et ***urgent*** sont toujours au **masculin**.
- La mention ***par télécopie*** est indiquée lorsque la lettre est transmise uniquement par ce moyen de communication.

Vedette

Titre de civilité, nom du destinataire suivis de son titre et de son adresse.

- La vedette s'écrit **à la suite de la date**, ou des mentions de nature ou d'acheminement s'il y en a, et contre la **marge de gauche**.

Exemple

Madame Liliane Rivard
Réviseure principale
Josée Michaud et associées
1250, rue de Bordeaux, bureau 12
Saint-Georges (Québec) J8I 4G7

Désignation du destinataire

Personne à qui s'adresse un envoi.

Titre de civilité

Titre donné par respect aux personnes à qui l'on s'adresse.

- Le titre de civilité (***Madame***, ***Monsieur***, ***Docteur***, ***Docteure***, ***Maître***, etc.) s'écrit au long avec une majuscule initiale.

  Exemples

  Madame Charlotte Lamoureux
  Monsieur Antoine Devost

- ***Madame***, ***Monsieur*** sont des titres de civilité qui conviennent à tous, y compris aux députés, aux ministres et aux premiers ministres.

  ☞ Le titre de ***Mademoiselle*** tend à être remplacé par celui de ***Madame*** sans égard à la situation familiale de la personne.

- Si on ne connaît pas le sexe de la personne à laquelle on écrit, parce qu'elle porte un **prénom épicène** (Claude, Camille, etc.) ou parce qu'on a seulement une **initiale** pour se guider, on peut écrire ***Madame ou Monsieur***.

  Exemples

  Madame ou Monsieur Camille Bernier
  Madame ou Monsieur M. Thuot

- Le titre de ***Maître*** est donné aux avocats et aux notaires (hommes et femmes).

  Exemple

  Maître Jeanne Langevin

- Le titre de ***Docteur*** ou ***Docteure*** ne s'emploie que pour les médecins, les dentistes et les vétérinaires, et non pour les titulaires d'un doctorat (Ph.D.).

  Exemples

  Docteure Johanne Bruneau
  Docteur Laurent Legault

  ☞ L'abréviation ***M. D.*** ne doit pas suivre le nom, dans ce contexte.

Nom du destinataire

- Il est préférable d'écrire au long le **prénom** et le **nom** d'une personne.
- Lorsqu'on abrège un **prénom composé**, il est d'usage d'en abréger les deux parties et de conserver le trait d'union.

Exemples

Monsieur Jean-Pierre Bélisle
Monsieur J.-P. Bélisle

Quand on s'adresse directement à la personne, on n'abrège jamais son prénom.

- Dans le cas d'une personne qui utilise une **deuxième initiale**, selon l'usage anglais, il ne faut pas mettre de trait d'union entre le prénom et l'initiale, car il s'agit de deux prénoms, et non d'un prénom composé.

Exemples

Madame Sylvie M. Gagné
Monsieur Joseph L. Phelan

- Lorsqu'une **femme mariée** porte son nom et le nom de famille de son mari, les deux noms sont écrits au long et liés par un trait d'union.

Exemple

Madame Carole Laforge-Khangi

- Il en est de même pour les personnes qui portent le **nom de famille de leur père et de leur mère**.

Exemple

Monsieur Robin Dubuc-Sirois

On recommande de ne jamais abréger un nom de famille composé.

Fonction du destinataire et indication de l'organisation

- L'indication de la fonction du destinataire et de l'organisme pour lequel il travaille se met à la suite du nom, sur la ligne suivante.

Exemple

Madame Marie Meunier
Présidente
Association québécoise des techniques de l'eau

Exemple

Monsieur Christian Hallé
Directeur général
Groupe HNJ inc.

Adresse du destinataire

Numéro, odonyme, point cardinal

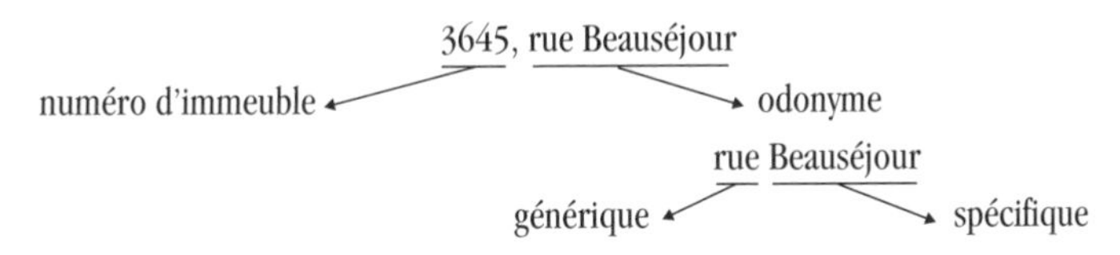

- Il y a toujours une **virgule** entre le numéro d'immeuble et l'odonyme.
- Si le numéro se compose de **plus de trois chiffres**, ceux-ci ne sont pas séparés par un espace.
- Le **générique** (**avenue**, **boulevard**, **chemin**, **côte**, **place**, **rang**, **route**, **rue**) doit toujours précéder le spécifique et s'écrit de préférence au long, avec une minuscule initiale.

Exemple

10992, rue Sainte-Catherine

- La mention du **point cardinal** s'inscrit après le nom de l'artère et comporte une majuscule initiale.

Exemples

10654, avenue Léger Ouest
1234, boul. René-Lévesque E.

Si l'on manque d'espace, on peut, après avoir d'abord abrégé le générique de l'odonyme, abréger le point cardinal.

Case postale, succursale

- Pour un document adressé à un bureau de poste, on inscrit le terme ***case postale*** ou l'abréviation ***C. P.*** suivi du nom de la succursale.

Exemple

Université de Montréal
Case postale 6128
Succursale Centre-ville

Exemple

Université du Québec à Montréal
C. P. 8888, succ. Centre-ville

Le terme *boîte postale* et son abréviation *B. P.* n'ont plus cours au Canada.

Immeuble, étage, appartement, bureau

- La mention de l'**immeuble** ou de l'**ensemble immobilier** s'écrit sur la ligne précédant celle de l'odonyme.

Exemples

Monsieur Daniel Archambault
Complexe Lajoie, tour 3
2, boulevard Marcil Ouest

Madame Ginette Duphily
Librairie Chenelière
Carrefour Jaspe, aile 2
3003, boulevard Le Carrefour

Exemple

Monsieur Pierre Farand
Centre commercial de l'Ouest
2134, avenue Laforêt

- S'il y a un numéro d'**étage**, on le met soit à la suite du nom de l'immeuble, soit à la suite de l'odonyme, sur la même ligne. S'il n'y a pas suffisamment de place sur ces lignes, on l'écrit sur la ligne **précédente**.

Exemples

Monsieur Wilfrid Bourbonnais
Boutique Chez Arnelle
Tour Décarie, 3e étage
345, avenue Josselin

Madame Roxanne Rostand
Association québécoise du jeune théâtre
1234, rue Esmeralda, 3e étage

Exemple

Madame Jane Everett
Bertrand Dupont plombier
12e étage
Complexe du Portage
4567, boulevard de la Brunante

- On écrit le numéro de l'**appartement** ou du **bureau** à la suite de l'odonyme, précédé d'une virgule. S'il n'y a pas suffisamment de place pour l'écrire sur la même ligne que l'odonyme, on l'écrit sur la ligne **précédente**.

Exemples

Monsieur John Wakley
Assurances Aurore
234, boulevard Gouin Ouest, bureau 1001

Monsieur André Maisonneuve
Bureau 4
10987, chemin de la Côte-Sainte-Catherine

Madame Agnès Bélanger
5080, chemin Circle, appartement 12

Exemples

Monsieur Samuel Fortin
Appartement 2
12345, rue Marie-Anne Ouest

Madame Stéphanie Corbeil
Le Groupe Sutton
8e étage, bureau 123
Complexe Monkland, tour 1
1234, avenue Marcil Ouest

Pour désigner le lieu de travail des employés d'une entreprise, d'une administration, on emploie le nom ***bureau***. Pour nommer un ensemble de pièces destinées à l'habitation, on utilise le nom ***appartement***. Au sens de **bureau** ou d'**appartement**, les termes *chambre, *pièce et *suite sont fautifs.

Le symbole # ne doit pas être utilisé pour désigner un appartement ou un bureau.

Ville, province, code postal

- Le nom de la **ville** s'écrit au long et en lettres minuscules, sauf pour la majuscule initiale, sur la ligne qui suit le numéro d'immeuble et l'odonyme.

Exemples

3756, 4e Avenue	5054, rue Mongeau	1111, rue Alfred
LaSalle	Sainte-Foy	Anjou

- Le nom de la **province** s'écrit au long, en minuscules (sauf pour la majuscule initiale) et entre parenthèses, à côté du nom de la ville, sans virgule.

Exemples

Montréal (Québec)	Toronto (Ontario)
Québec (Québec)	Victoria (Colombie-Britannique)

- Pour les envois à destination des **autres provinces** ou **territoires canadiens**, le nom de la province s'écrit en français, étant donné que ce renseignement est destiné aux employés de la Société canadienne des postes d'ici.

Exemples

Yellowknife (Territoires-du-Nord-Ouest)
Charlottetown (Île-du-Prince-Édouard)

- Le **code postal** doit toujours figurer à la toute fin de l'adresse. Les trois lettres sont en majuscules et le tout ne comprend ni point, ni trait d'union. Les deux parties du code sont séparées par un espace équivalant à un caractère.
- On inscrit le **code postal** sur la même ligne que les mentions de la ville et de la province ; il est séparé du nom de la province par un espace correspondant à deux caractères. Si l'on manque d'espace, on met le code postal sur la ligne suivante.

Exemples

Jonquière (Québec) J1H 9L0

Sainte-Anne-de-la-Pocatière (Québec)
G6R 4E4

Pays

- Lorsque l'on donne son adresse à une personne qui habite un autre pays, on doit indiquer la mention **CANADA** en majuscules.

Exemple

Monsieur Jean-Marie Toulouse
Directeur
École des Hautes Études Commerciales
3000, chemin de la Côte-Sainte-Catherine
Montréal (Québec) H3T 2A7
CANADA

- Pour une adresse à l'**étranger**, le nom du pays doit être écrit en **français**, puisque cette indication s'adresse aux personnes qui font le tri ici. On inscrit le nom du pays en **majuscules**. Pour le reste de l'adresse, il faut respecter l'usage du pays du destinataire, car la lettre y sera traitée par le service local des postes.

Exemple

Mr. Dunstan Ramsay
Marketing Manager
All Saints Company
778 Young Street, Suite 1011
Yorkville, Maine 08765
ÉTATS-UNIS

Abréviations

- Lorsqu'on manque d'espace, on peut abréger dans un premier temps le **générique** de l'odonyme. Puis, si on manque toujours d'espace, on peut abréger les termes ***Notre-Dame***, ***Saint***, ***Sainte*** du spécifique de l'odonyme ou l'indication du **point cardinal**.

Terme	Abréviation	Terme	Abréviation
Alberta	Alb.	Nouveau-Brunswick	N.-B.
appartement	app. (et non *apt.)	Nouvelle-Écosse	N.-É.
aux (bons) soins de	a/s de	Ontario	Ont.
avenue	av. (et non *ave.)	Ouest	O.
boulevard	boul., bd, b[d] (et non *blvd.)	place	pl.
bureau	bur.	Québec	QC
case postale	C. P.	Saint	St
chemin	ch.	Sainte	Ste
Colombie-Britannique	C.-B.	Saskatchewan	Sask.
Est	E.	succursale	succ.
Île-du-Prince-Édouard	Î.-P.-É.	Sud	S.
Manitoba	Man.	Terre-Neuve	T.-N.
Nord	N.	Territoires-du-Nord-Ouest	T.-N.-O.
Notre-Dame	N.-D.	Yukon	Yn

Références

Groupe de lettres ou de chiffres simplifiant le classement et la consultation du courrier.

- Cette mention se met contre la **marge de gauche**, quelques interlignes sous la **vedette**.

Terme	Abréviations
Votre référence	V/Référence, V/Réf., V/R
Notre référence	N/Référence, N/Réf., N/R
Votre lettre du	V/Lettre du

Exemples

N/R : 12.1994.2V

Référence : 101-5200 FIN

V/Lettre du 30 octobre 1995

Objet

Expression en une ligne du contenu de la lettre.

- Cette mention est **facultative**, mais **recommandée**.
- Elle est **centrée**, sous la vedette et les références et au-dessus de l'appel, sauf dans le cas de la lettre à un alignement où elle est contre la **marge de gauche**.
- L'objet est **souligné** ou en **caractères gras**.

Exemples

Objet : Départ de Jean-Denis Loignon

Objet : Fête de Noël

Objet : Campagne Centraide

Il faut éviter de n'indiquer que le nom d'une personne en objet.

Les mentions *Re, *Concerne, *Sujet sont à éviter.

Appel

Formule de salutation qui précède le corps d'une lettre et qui varie selon la ou le destinataire.

Position et ponctuation

- Cette mention se place contre la **marge de gauche**, sous la mention précédente.
- L'appel est toujours suivi d'une **virgule**.

Majuscule et abréviation

- L'appel s'écrit avec une **majuscule** initiale et **ne s'abrège jamais**.

Exemple

Monsieur, Madame,

☞ Dans le corps d'une lettre, le titre de civilité s'abrège lorsqu'il est suivi d'un patronyme et que l'on ne s'adresse pas directement à la personne.

Exemple

M. Paquette est absent.

Titres de civilité usuels

- Les titres ***Madame*** et ***Monsieur*** conviennent aux personnes de toute condition : ministres, députés, personnalités diverses, etc.
- Les titres de civilité ***Docteure, Docteur, Maître,*** sont également très fréquents.

Exemples

Madame, Docteur,
Maître, Docteure,
Monsieur,

☞ Dans l'appel, on ne fait pas suivre le titre de civilité du patronyme de la personne.

☞ Le titre de civilité ***Mademoiselle*** ne s'emploie que dans le cas d'une très jeune fille ou d'une femme qui en fait expressément la demande.

Destinataire inconnu

- Pour un groupe :

Exemple

Mesdames,
Messieurs,

- Pour une personne :

Exemple

Madame,
Monsieur,

☞ Ce n'est que dans le domaine juridique que l'expression « À qui de droit » est indiquée dans l'appel. Dans la correspondance commerciale et administrative, on peut l'employer à l'intérieur d'une phrase.

Exemple

Veuillez acheminer cette demande à qui de droit.

Cher, chère

- L'emploi de l'adjectif *chère* ou *cher* est à éviter, à moins que l'on connaisse bien son correspondant ou qu'il s'agisse d'un ami.

Exemples

Cher collègue, Cher Monsieur, Chère consœur, Cher ami,
Chère collaboratrice, Monsieur le Président et cher ami,

☞ Les appels tels que *Mon cher Monsieur, *Chère Madame Joubarne, *Ma chère Madame Ferland sont à éviter.

Mention de la fonction

- Le titre professionnel du destinataire peut remplacer le titre de civilité ou s'y joindre : il s'écrit alors avec une majuscule initiale.

Exemples

Docteur,	Docteure,
Monsieur le Docteur,	Madame la Docteure,
Maître,	Maître,
Monsieur le Conseiller juridique,	Madame la Conseillère juridique,
Monsieur le Juge,	Madame la Juge,
Monsieur le Député,	Madame la Députée,
Monsieur le Premier Ministre,	Madame la Première Ministre,
Monsieur le Ministre,	Madame la Ministre,
Monsieur le Sous-Ministre,	Madame la Sous-Ministre,
Monsieur le Sénateur,	Madame la Sénatrice,
Monsieur l'Ambassadeur,	Madame l'Ambassadrice,
Monsieur le Consul,	Madame la Consule,
Monsieur le Président,	Madame la Présidente,
Monsieur le Vice-Président,	Madame la Vice-Présidente,
Monsieur le Chancelier,	Madame la Chancelière,
Monsieur le Recteur,	Madame la Rectrice,
Monsieur le Secrétaire général,	Madame la Secrétaire générale,
Monsieur le Directeur,	Madame la Directrice,
Monsieur le Maire,	Madame la Maire (Mairesse),
Monsieur l'Inspecteur général,	Madame l'Inspectrice générale,
Cher ami,	Chère amie,
Cher collègue,	Chère collègue,
Cher confrère et ami,	Chère consœur et amie,

Corps de la lettre

Voir tableau **Lettre — Corps** pour tout ce qui concerne le texte de la lettre et la salutation.

Signature

Signature manuscrite de l'expéditeur accompagnée de son titre de fonction.

- On ne se désigne jamais soi-même par un titre de civilité.

Exemple

signature manuscrite
Lise Maisonneuve
Professeure

et non
signature manuscrite
*Madame Lise Maisonneuve
Professeure

- On indique la signature **quelques interlignes** plus bas que la salutation.
- Comme la date, la signature se place à **gauche** ou à **droite** selon la présentation adoptée.
- Le nom est saisi **sous** la signature manuscrite.
- La **position** du titre, au-dessus ou au-dessous de la signature manuscrite, varie selon que l'expéditeur occupe un poste de direction ou une fonction partagée par plusieurs personnes, un poste de professionnel.

Poste de direction ou fonction unique

- Si le signataire occupe un poste de direction, son titre de fonction est indiqué **au-dessus de la signature**.
- Le titre de fonction est précédé de l'**article *le*** ou ***la*** et suivi d'une **virgule**.
- Selon l'usage, le titre de fonction prend la **minuscule**. Toutefois, l'indication du type d'unité administrative (direction, service, division, etc.) prend la **majuscule**.

Exemple

La directrice du Service des ressources humaines,
signature manuscrite
Monique Taillefer

- Lorsqu'on n'indique pas le type d'unité administrative, le tout s'écrit en minuscules.

Exemple

La directrice des ressources humaines,
signature manuscrite
Monique Taillefer

- On omet l'indication de l'unité administrative au complet si elle figure dans l'en-tête du papier à lettres.

Exemple

La directrice,
signature manuscrite
Monique Taillefer

On peut indiquer après la signature la mention de la profession ou l'appartenance à un ordre professionnel, mais pas les grades universitaires.

Exemple

Tonino Losigno, CA
et non
*Tonino Losigno, M.B.A., Ph.D., CA

Dans la signature, on ne se désigne pas soi-même par les titres de civilité ***Maître***, ***Docteur***, ***Docteure***.

Exemples

Le directeur du Service de gériatrie,
signature manuscrite
Robert Bélanger, médecin

et non
Le directeur du Service de gériatrie,
signature manuscrite
*Docteur Robert Bélanger

Le vice-président – consommateurs,
signature manuscrite
Robert Hurley, avocat

et non
Le vice-président – consommateurs,
signature manuscrite
*Maître Robert Hurley

Fonction partagée par plusieurs personnes ou poste de professionnel

- Si le signataire n'a pas un poste de direction, la fonction ou la profession est mentionnée à la suite de la signature manuscrite et du nom saisi, soit **sur la même ligne** que le nom saisi ou **sur la ligne suivante**.

Exemples

signature manuscrite
Manon Lamoureux, agente d'information
Service des relations publiques

signature manuscrite
Manon Lamoureux,
agente d'information

- Dans le deuxième cas, si l'on ne met pas de virgule, le titre commence par une majuscule.

Exemple

signature manuscrite
Manon Lamoureux
Agente d'information

Par délégation

- Lorsque la personne qui signe la lettre agit **officiellement** au nom et à la place de l'**autorité** qui envoie la communication, on se sert de l'expression ***par procuration*** abrégée en ***p. p.***

Exemples

Le directeur des relations publiques,
signature manuscrite de Danielle Traversy
p. p.
Danielle Traversy

Le directeur des finances, Adrien Lacombe,
p.p. La coordonnatrice des budgets,
signature manuscrite de Louise Dagenais
Louise Dagenais

- Dans les autres cas, si l'on signe pour un **expéditeur absent** sans qu'il y ait eu une véritable délégation de l'autorité, on se sert de la préposition ***pour*** écrite devant la mention de la fonction ou du titre de l'absent.

Exemples

Pour le directeur du Service des achats,
signature manuscrite de Lyne Héroux
Lyne Héroux,
attachée d'administration

Pour la vérificatrice, Claire Langevin,
signature manuscrite de Maude McMillan
Maude McMillan, comptable

Pour Manon Lamoureux, agente d'information
signature manuscrite de Patricia Chicoine
Patricia Chicoine
Rédactrice

Par intérim

- Si une personne occupe un poste en remplacement d'une autre personne, elle doit employer l'expression ***par intérim*** ou son abréviation ***p. i.***

Exemple

Le chef du Service des approvisionnements
par intérim,
signature manuscrite
Bernard Calloc'h

Signataires multiples

- Si une lettre est signée par plus d'une personne, on dispose les signatures l'une à côté de l'autre et la personne ayant le plus haut degré d'autorité signe à droite.

Exemple

	Le directeur des programmes,
signature manuscrite	*signature manuscrite*
Marie Malo	Fernand Amesse
Conseillère linguistique	

- Si les signataires sont à un même niveau hiérarchique, ils signent les uns sous les autres, par ordre alphabétique des signataires.

Exemple

signature manuscrite
Sylvie Bernard,
technicienne en information

signature manuscrite
Marie Ménard,
technicienne en relations publiques

Prénom et titre de fonction épicènes

- Lorsqu'une personne porte un prénom qui a la même forme au masculin et au féminin, et que son titre de fonction est identique dans les deux genres, elle peut faire suivre son nom des titres de civilité ***Madame*** ou ***Monsieur***, entre parenthèses.

Exemple

signature manuscrite
Claude Rocray (Madame)
Documentaliste

Initiales

Initiales majuscules du signataire de la lettre séparées par une barre oblique des initiales minuscules de la personne qui a saisi la lettre.

- On dispose cette mention contre la **marge de gauche** à quelques interlignes de la signature.

Exemple

DSP/lp (Diane Saint-Pierre et Louise Painchaud)

- Si la lettre comprend deux signataires ou plus, on met les initiales de ces derniers.

Exemple

CLT/JRM/pm (Carole Lafarge-Tétreault, Jacqueline Rochon-Meunier, Pierre Ménard)

- Si la lettre a été rédigée par la personne qui la saisit, celle-ci indique ses initiales deux fois.

Exemple

MM/mm (Michèle Michaud)

Pièce jointe

Indication qui signale que l'on annexe une ou des pièces à une lettre.

- Cette mention se met sous les initiales, contre la **marge de gauche**.
- On indique au bas de la page la mention ***Pièce jointe***, ***Pièces jointes*** ou l'abréviation ***p. j.***, ainsi que le **détail** des documents annexés.
- Si, dans la lettre, le rédacteur fait mention de la nature des pièces, il peut n'indiquer que le **nombre** de pièces.

Exemples

p. j. relevé de notes
Pièce jointe : Description du programme
Pièces jointes Catalogues
Liste des prix

p. j. (8)

Copie conforme

Mention qui a pour objet d'informer le ou la destinataire qu'une copie de la lettre a été envoyée à certaines personnes.

- Cette mention se place sous la mention précédente, contre la **marge de gauche**.
- L'abréviation ***c. c.*** ou l'expression ***Copie conforme*** (au singulier) est alors suivie du nom de ces personnes.
- S'il y a plusieurs personnes, on utilise l'**ordre alphabétique** ou l'**ordre hiérarchique** pour la présentation.
- Les **titres de civilité** sont abrégés.
- On peut y ajouter le **titre des personnes** ou le **nom de l'entreprise** pour laquelle elles travaillent, au besoin.

Exemples

Copie conforme : M. Jean Bernier, directeur du Service de physiothérapie

c. c. M. Robert Farand

c. c. Mme Anne Leblanc
Mme Marie Melançon

Copie conforme : Équipe du projet *Azalaïs*

Transmission confidentielle

Mention informant un tiers qu'il reçoit une copie de la lettre à l'insu du destinataire.

- Cette mention s'écrit **en toutes lettres**.
- On la place **sous la mention des copies conformes ou à la place de celle-ci**.
- On ne l'indique que sur la copie du tiers, mais pas sur l'original.

Exemple

Transmission confidentielle : M. Yvon Brisson

Post-scriptum

Note ajoutée au bas d'une lettre, après la signature, réservée surtout à la lettre familière. Son emploi n'est pas recommandé dans la correspondance administrative ou commerciale.

- Un post-scriptum sert à insister sur un point important, en particulier lorsqu'on désire que le destinataire passe à l'action. On ne l'emploie pas pour réparer un oubli.
- L'abréviation *P.-S.* est toujours suivie d'un tiret, et non du deux-points. La phrase qui suit commence par une majuscule. Elle se place à la suite des autres mentions.

Exemple

P.-S. — Veuillez répondre le plus tôt possible.

Nota bene

Il ne convient pas d'employer la mention ***Nota bene***, dont l'abréviation est **N. B.**, dans la correspondance commerciale et administrative.

Voir tableau **Enveloppe**
Voir tableau **Lettre — Corps**
Voir tableau **Lettre — Présentation**

Lettre — Présentation

Plan du tableau

Règles relatives à la disposition d'une lettre, la règle fondamentale étant l'harmonie de l'ensemble.

Le texte d'une lettre doit être disposé de façon aérée et celui d'une lettre courte doit, dans la mesure du possible, être distribué sur toute la page.

Marges

- Les marges de **droite** et de **gauche** doivent être égales et d'environ 4 cm chacune.
- La marge **inférieure** dépend de la longueur de la lettre, mais ne mesure pas moins de 3 cm.
- La marge **supérieure** est d'au moins 4 cm, davantage s'il y a un en-tête.

Interligne

- Les différentes parties de la lettre sont présentées à **simple** interligne et un **double** interligne les sépare.
- Si la lettre est **courte**, on peut présenter le corps de la lettre à interligne et demi ou à double interligne.
- Pour rendre la présentation de la lettre plus harmonieuse, on peut **laisser quelques interlignes de plus ou de moins** entre deux parties.

Taille et choix du caractère

- On choisit un caractère d'impression en **10** ou en **12 points**, selon la longueur de la lettre.
- En règle générale, on adopte un seul type de caractère par lettre.

Alignements

Lettre à un alignement

Vitrerie Mentana
1234, rue Mentana
Montréal (Québec) H7Y 5R4
Téléphone : (514) 765-0987
Télécopie : (514) 678-0987

Le 18 septembre 1995

PAR TÉLÉCOPIE

Monsieur Paulin Jacques
Service des réclamations commerciales
Assurances Boréal inc.
1234, boul. de Maisonneuve
Montréal (Québec) H8Y 0P0

V/Réf. : Police : 0012959 ; dossier : 1712838

Objet : Remboursement de dépenses

Monsieur,

Veuillez trouver ci-jointes deux factures liées au sinistre dont notre entreprise a été victime le mardi 25 juillet 1995.

La première, de 3094,12 $, couvre les travaux de remise en état de notre cour arrière, travaux rendus nécessaires par l'incendie qui a causé les dommages.

La seconde, de 5300,48 $, de René Perron ltée, couvre les travaux de réfection du toit de notre immeuble.

Souhaitant un remboursement rapide de la somme de 8394,60 $, nous vous prions de recevoir, Monsieur, l'expression de nos sentiments les meilleurs.

Le directeur des finances,

Guy Martel

Guy Martel

GM/qd
p. j. (2)
c. c. Mme Sarah McTavish, directrice du Service des terrains et bâtiments

Tous les éléments sont alignés sur la marge de gauche, y compris l'objet.

Lettre à deux alignements

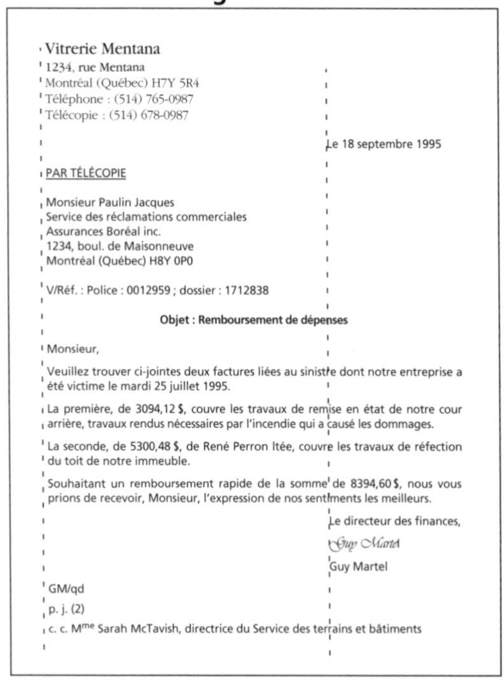

Vitrerie Mentana
1234, rue Mentana
Montréal (Québec) H7Y 5R4
Téléphone : (514) 765-0987
Télécopie : (514) 678-0987

Le 18 septembre 1995

PAR TÉLÉCOPIE

Monsieur Paulin Jacques
Service des réclamations commerciales
Assurances Boréal inc.
1234, boul. de Maisonneuve
Montréal (Québec) H8Y 0P0

V/Réf. : Police : 0012959 ; dossier : 1712838

Objet : Remboursement de dépenses

Monsieur,

Veuillez trouver ci-jointes deux factures liées au sinistre dont notre entreprise a été victime le mardi 25 juillet 1995.

La première, de 3094,12 $, couvre les travaux de remise en état de notre cour arrière, travaux rendus nécessaires par l'incendie qui a causé les dommages.

La seconde, de 5300,48 $, de René Perron ltée, couvre les travaux de réfection du toit de notre immeuble.

Souhaitant un remboursement rapide de la somme de 8394,60 $, nous vous prions de recevoir, Monsieur, l'expression de nos sentiments les meilleurs.

Le directeur des finances,

Guy Martel

Guy Martel

GM/qd
p. j. (2)
c. c. Mme Sarah McTavish, directrice du Service des terrains et bâtiments

La date et la signature sont placées à droite, l'objet est centré et les autres éléments sont alignés contre la marge de gauche, y compris les paragraphes qui sont présentés sans retrait d'alinéa.

Lettre à trois alignements

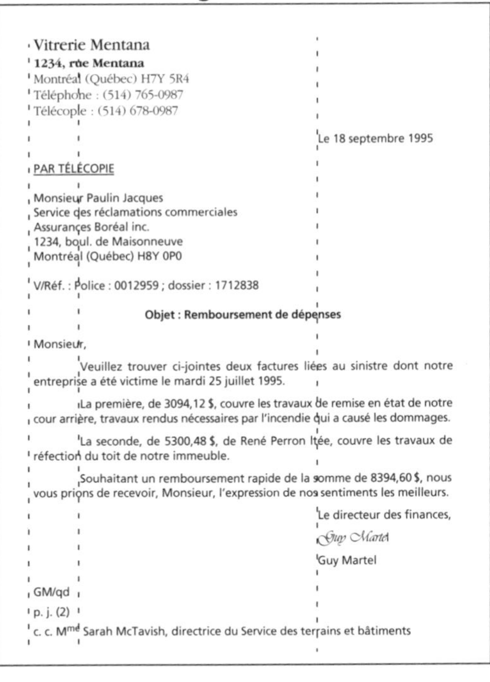
Vitrerie Mentana
1234, rue Mentana
Montréal (Québec) H7Y 5R4
Téléphone : (514) 765-0987
Télécopie : (514) 678-0987

Le 18 septembre 1995

PAR TÉLÉCOPIE

Monsieur Paulin Jacques
Service des réclamations commerciales
Assurances Boréal inc.
1234, boul. de Maisonneuve
Montréal (Québec) H8Y 0P0

V/Réf. : Police : 0012959 ; dossier : 1712838

Objet : Remboursement de dépenses

Monsieur,

Veuillez trouver ci-jointes deux factures liées au sinistre dont notre entreprise a été victime le mardi 25 juillet 1995.

La première, de 3094,12 $, couvre les travaux de remise en état de notre cour arrière, travaux rendus nécessaires par l'incendie qui a causé les dommages.

La seconde, de 5300,48 $, de René Perron ltée, couvre les travaux de réfection du toit de notre immeuble.

Souhaitant un remboursement rapide de la somme de 8394,60 $, nous vous prions de recevoir, Monsieur, l'expression de nos sentiments les meilleurs.

Le directeur des finances,

Guy Martel

Guy Martel

GM/qd
p. j. (2)
c. c. Mme Sarah McTavish, directrice du Service des terrains et bâtiments

- La date et la signature sont placées à droite, l'objet est centré, les autres éléments sont alignés contre la marge de gauche et la première ligne de chaque paragraphe commence par un retrait d'environ six frappes.
- Cette disposition est la plus harmonieuse, car les éléments sont répartis sur toute la surface de la page. C'est la présentation que préconise l'Office de la langue française.

Deuxième page et suivantes

- On inscrit dans l'angle inférieur droit de la première page (et des suivantes, le cas échéant) le numéro ...2 (...3, etc.) pour annoncer la page à venir.

...2

- On indique le numéro de la deuxième page et des pages suivantes au moyen d'un numéro placé dans le **coin supérieur droit** sans aucune ponctuation.

2

- S'il est utile de répéter le nom du ou de la destinataire et la date au haut des pages suivantes, on le fera ainsi :

Madame Jeannine Bourbonnais	-2-	Le 15 mars 1996

- Dans le cas d'une lettre de plus d'une page, le **dernier paragraphe** de chaque page compte au moins deux lignes de texte au bas de cette page et au moins deux lignes au haut de la suivante.
- La **deuxième** ou **dernière page** ne doit pas comprendre uniquement la formule de salutation et la signature.
- On ne divise pas le **dernier mot** d'une page.
- Si une lettre est imprimée recto verso, dans le coin inférieur droit du recto, on indique **... verso** ou l'abréviation **TSVP** (Tournez, s'il vous plaît).

... verso

TSVP

Voir tableau **Enveloppe**
Voir tableau **Lettre — Corps**
Voir tableau **Lettre — Généralités**

Liste des abréviations et des sigles

Plan du tableau

Liste alphabétique des abréviations, des acronymes, des sigles, des symboles et des unités de mesure contenus dans un texte, avec les désignations correspondantes en toutes lettres.

On peut inclure dans cette liste les pictogrammes utilisés.

Situation et pagination

- La liste des abréviations et des sigles se place **après la liste des figures**.

  Dans l'ordre, on trouvera :

  1. la table des matières,
  2. la liste des tableaux,
  3. la liste des figures,
  4. la liste des abréviations et des sigles.

- Elle fait partie des **pages liminaires** d'un texte, celles qui sont paginées en **chiffres romains**.

Conseils pour la rédaction

grand nombre

- Une liste des abréviations et des sigles s'avère nécessaire lorsque ceux-ci sont nombreux dans un texte.

  Il faut réduire au minimum l'utilisation d'abréviations et de sigles. Ils servent à alléger un texte et non à le rendre incompréhensible.

première mention au long

- Même si l'on inclut une liste des abréviations et des sigles dans un texte, il est quand même bon, la première fois que l'on emploie une expression ou un terme qui peuvent s'abréger, de les écrire tout au long d'abord, puis de donner, entre parenthèses, l'abréviation, le sigle ou l'acronyme correspondant.

ordre alphabétique

- On présente cette liste en ordre alphabétique des abréviations, des sigles, etc.

pas de numéro de page

- On ne donne pas le numéro des pages où figurent les divers éléments.

conventions à respecter

- Il faut respecter les conventions généralement admises et consulter un dictionnaire spécialisé ou les nombreuses listes fournies dans certains ouvrages si l'on ne connaît pas l'abréviation à adopter[1].

1. Pour en savoir plus sur les règles de l'abréviation, consulter le tableau « Abréviation (règle de l') » dans Villers, 1993, p. 2-3.

Mise en pages

- Si les éléments sont **nombreux**, ils peuvent tous être présentés à **simple interligne**.
- Si les éléments sont **peu nombreux**, on laissera entre chacun **un interligne et demi** ou **un double interligne**, selon ce qui a été adopté dans l'ensemble du texte.
- Les **libellés de signification** qui font plus d'une ligne seront, dans tous les cas, présentés à **simple interligne**.

Exemple de liste des abréviations et des sigles

LISTE DES ABRÉVIATIONS ET DES SIGLES

AFP	Agence France-Presse
ann.	annexe
chap.	chapitre
coll.	collection
éd.	éditeur, édition
fig.	figure
FTQ	Fédération des travailleurs du Québec
graph.	graphique
ibid.	*ibidem*
id.	*idem*
ital.	italique
loc. cit.	*loco citato*
n^o, n^{os}	numéro, numéros
N.D.T.	note du traducteur
op. cit.	opere citato
*	L'astérisque précède une forme ou une expression fautive, une impropriété.
✎	Le crayon indique une note.

Liste des figures

Plan du tableau

Liste de toutes les illustrations contenues dans un texte, à l'exception des tableaux, c'est-à-dire les graphiques, les diagrammes, les cartes, les photographies, les organigrammes, etc.

Éléments

- Numéro de la figure
- Titre complet de la figure
- Numéro de la page où se trouve la figure

Situation et pagination

- La liste des figures se place **après la liste des tableaux** sur une page distincte et titrée s'il y a **plus de trois figures** (exemple 1).
  - Dans l'ordre, on trouvera :
    1. la table des matières,
    2. la liste des tableaux,
    3. la liste des figures,
    4. la liste des abréviations et des sigles.
- S'il n'y a que **trois figures ou moins**, il n'est pas nécessaire de faire une liste sur une page distincte. La liste se trouve alors dans la **table des matières**, à la suite de la mention de l'index (exemple 2).
- La liste des figures fait partie des **pages liminaires** d'un texte, celles qui sont paginées en **chiffres romains**.

Conseils pour la rédaction

- Il faut s'assurer de reproduire avec **minutie** le titre exact de la figure dans la liste des figures ou la table des matières.
- On intègre dans la liste **toutes les figures du document**, qu'elles soient dans le corps du texte, en annexe ou en appendice.
- On les reproduit selon leur **ordre dans le document**.

Mise en pages

- Les titres qui font plus d'une ligne sont présentés à **simple interligne**.
- Un **double interligne** ou **un interligne et demi**, selon ce qui a été adopté pour l'ensemble du texte, sépare chaque titre.

Exemples de listes des figures

Exemple 1

LISTE DES FIGURES

Exemple 2[1]

IX

TABLE DES MATIÈRES (SUITE)

Voir tableau **Table des matières**

1. Exemple emprunté à Christiane Demers, « La diffusion stratégique en situation de complexité : Hydro-Québec, un cas de changement radical », thèse de doctorat, Montréal, École des Hautes Études Commerciales, 1990, IX-292 p.

Liste des tableaux

Plan du tableau

Liste de tous les tableaux d'un texte.

Éléments

- Numéro du tableau
- Titre complet du tableau
- Numéro de la page où se trouve le tableau

Situation et pagination

- La liste des tableaux est titrée et placée sur une page distincte, **à la suite de la table des matières**, lorsque le texte comporte **plus de trois tableaux** (exemple 1).
  - Dans l'ordre, on trouvera :
    1. la table des matières,
    2. la liste des tableaux,
    3. la liste des figures,
    4. la liste des abréviations et des sigles.
- Si le texte comporte **trois tableaux ou moins**, la liste est placée **dans la table des matières**, sur la même page, après la mention de l'index (exemple 2).
- La liste des tableaux fait partie des **pages liminaires** d'un texte, celles qui sont paginées en **chiffres romains**.

Conseils pour la rédaction

- Le titre doit être **scrupuleusement reproduit** dans la liste des tableaux ou la table des matières.
- On intègre dans la liste **tous les tableaux** du texte, qu'ils soient dans le corps du texte, en annexe ou en appendice.
- On reproduit les titres des tableaux selon leur **ordre dans le document**.

Mise en pages

- Les titres qui font plus d'une ligne sont présentés à **simple interligne**.
- Un **double interligne** ou **un interligne et demi**, selon ce qui a été adopté pour l'ensemble du texte, sépare chaque titre.

Exemples de listes des tableaux

Exemple 1

LISTE DES TABLEAUX

Exemple 2[1]

IX

TABLE DES MATIÈRES (SUITE)

Voir tableau **Table des matières**

1. Exemple emprunté à Christiane Demers, « La diffusion stratégique en situation de complexité : Hydro-Québec, un cas de changement radical », thèse de doctorat, Montréal, École des Hautes Études Commerciales, 1990, IX-292 p.

Mise en pages

Plan du tableau

Organisation et agencement du texte, des blancs, de l'interlignage et des illustrations d'un document pour obtenir des pages d'un format déterminé.

Généralités

ensemble du texte

- La mise en pages est adoptée pour l'ensemble du texte : elle doit être respectée sur toutes les pages, même celles qui comportent des tableaux, des figures, etc.

lisibilité

- La mise en pages répond à des exigences de lisibilité ; le texte doit être présenté avec clarté, cohérence et sobriété. L'organisation rigoureuse du texte doit en faciliter la compréhension pour le lecteur.

structure apparente

- Il est important de bien hiérarchiser son texte afin que sa structure soit immédiatement perceptible. Il faut donc maîtriser l'emploi des blancs, des interlignes, des titres et des intertitres, etc.

choix justifiés

- La police de caractères choisie doit convenir à la nature du texte et le recours aux mises en valeur doit être, chaque fois, justifié.

repères permanents

- Les conventions retenues deviennent pour le lecteur des repères qui le guident tout au long de sa lecture.

Blanc

- Ligne blanche
- Saut de page
- Page blanche
- Marge
- Renfoncement (retrait d'alinéa)

Les blancs structurent le texte et ménagent des pauses, des repères pour la lecture. Comme la ponctuation, ils sont la respiration du texte.

Caractère

- On adopte **une seule police de caractères par texte** ; elle servira pour toutes les informations, qu'elles se retrouvent dans les titres, les tableaux, les figures, les listes ou la pagination. Cependant, la grosseur du caractère peut varier.
- Une seule exception s'applique : si l'on **importe** un document d'un autre texte et qu'il comporte d'autres caractères, on peut l'utiliser dans son texte sans le modifier.

Couleur

La couleur **noire** est recommandée, celle-ci donnant de meilleurs résultats à la photocopie et assurant une meilleure lisibilité.

Débord

- Les débords, c'est-à-dire les guides qui se retrouvent en partie ou complètement dans la **marge**, sont les **repères les plus utiles** pour retrouver rapidement les renseignements recherchés.
- Ils sont tout particulièrement pratiques dans les **index**, les **glossaires** et les **bibliographies**.

Exemple

A

Abréviation 13

Abréviations de grades et de diplômes 13

À cause de 6

Début et fin de page, chapitre, document

dernier mot
- On ne coupe jamais le dernier mot d'une page.

deux-points
- On ne termine jamais une page sur un deux-points.

fin de chapitre ou de partie
- De même, la dernière page d'un chapitre ou d'une partie doit comporter au moins six lignes de texte.

orphelin
- On ne laisse jamais la première ligne d'un nouveau paragraphe seule au bas d'une page (**orphelin**). Le paragraphe commence plutôt sur la page suivante. Il faut qu'un paragraphe compte au moins deux lignes pour pouvoir commencer en bas de page.

veuve
- De la même façon, un paragraphe ne se termine jamais par une seule ligne sur une nouvelle page (**veuve**). Il doit comporter au moins deux lignes.

  Les logiciels de traitement de texte permettent de prévenir automatiquement ce genre de difficulté.

titre en bas de page
- On évitera la présence d'un titre en bas de page s'il n'est pas suivi d'au moins trois lignes de texte.

Interligne

Double interligne ou interligne et demi

Le corps du texte est écrit à double interligne ou à interligne et demi. Ce choix s'applique dans tout le document.

Simple interligne

- Citation en retrait
- Note en bas de page
- Notice de la bibliographie

  Un double interligne ou un interligne et demi, selon ce qui a été adopté pour l'ensemble du texte, sépare les notices les unes des autres.

- Annexe
- Appendice
- Titre qui fait plus d'une ligne

  C'est-à-dire le titre d'une figure, d'un tableau, d'une partie, d'un chapitre ou d'une section, qu'il se retrouve dans le texte lui-même ou dans la table des matières.

Titre d'un tome, d'un volume, d'une partie

- On met d'abord la mention de la division (tome, volume, partie) puis, environ quatre interlignes plus bas, le titre.

PREMIÈRE PARTIE

↕ environ 4 interlignes

LE TEMPS CHEZ DIDEROT

Titre d'un chapitre

- Si on adopte la présentation du titre et du texte sur une seule page, le titre est alors séparé du début du texte par environ quatre interlignes.
- Si on adopte la présentation sur une page blanche, on met d'abord la mention du chapitre, puis, environ quatre interlignes plus bas, le titre.

Chapitre IV. — Les lais de Marie de France

↕ environ 4 interlignes

Chapitre IV

↕ environ 4 interlignes

Les lais de Marie de France

Intertitre

Un intertitre est précédé d'un interligne plus grand que celui qui le suit.

☞ Un intertitre doit toujours être plus près du texte qu'il annonce que de celui qui le précède.

Exemple

... étant donné les échecs qu'elle avait connus.

A. Campagnes de publicité des dernières années

Depuis 1990, l'entreprise a grandement changé son image auprès des consommateurs, en particulier auprès des jeunes.

Justification

La justification consiste en deux choses :

- La **longueur maximale** d'une ligne de texte. En règle générale, la longueur maximale d'une ligne de texte représentera **de 2/3 à 3/4** de la largeur de la feuille.
- La forme de l'**alignement** des débuts et des fins de ligne. En ce qui a trait à l'alignement, le texte doit être **aligné sur la marge de gauche**, sauf si c'est un titre centré ou si un effet spécial est recherché. Quant **à la droite**, les lignes peuvent être **justifiées** ou **non**, selon la volonté de l'auteur. Cela ne fait aucune différence du point de vue de la lisibilité.

☞ Il est certain qu'une mise en pages avec des lignes **justifiées à gauche et à droite** est plus esthétique, avec un rendu « imprimerie ». Cependant, il faut faire attention aux césures manuelles que l'on est tenté de faire à ce moment-là pour réduire les espaces entre les mots.

Marge

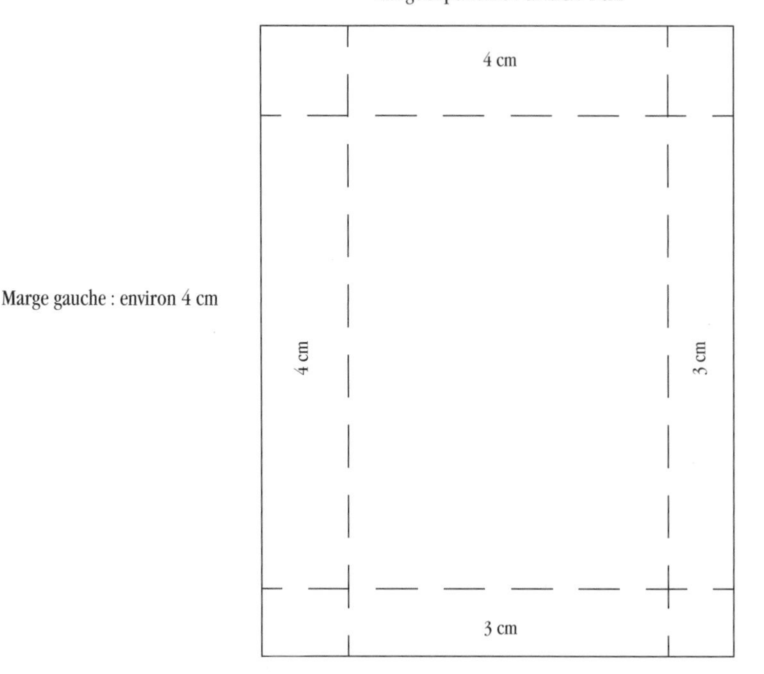

Marge droite : environ 3 cm

Marge inférieure : environ 3 cm

- Les **marges** sont définies une fois pour toutes ; elles doivent être respectées même sur les pages comportant des tableaux, des figures, des annexes.
- Les **notes en bas de page** font partie de la page de texte, elles sont composées à l'intérieur du cadre et ne débordent en aucun cas dans la marge inférieure.

Pagination

Tout texte de plus d'une page doit être paginé. Toutes les pages comptent, même les pages de garde et la page de titre.

pages liminaires

- Les pages liminaires, c'est-à-dire celles qui précèdent l'introduction, sont paginées en chiffres romains petites capitales.

corps du texte

- À partir de l'introduction et jusqu'à la fin du document, les pages sont paginées en chiffres arabes.

pages sans numéro de page

- Toutes les pages sont comptées, mais certaines ne comportent pas de numéro de page. Ce sont : la dédicace, l'épigraphe, la page de titre du document ainsi que les pages de titre de chacune des parties et des chapitres, la première page de la table des matières, de la liste des tableaux, de la liste des figures, de la liste des abréviations et des sigles, de l'avant-propos, de l'introduction, de la conclusion, de la bibliographie, des annexes.

place du chiffre

- Le chiffre est placé dans le coin supérieur droit, sans point, tiret, trait d'union, barre oblique, etc. Il se place à environ 2 cm du haut et en ligne avec la limite droite du texte. Il est écrit dans le même caractère que le texte courant, dans une grosseur de caractère égale ou inférieure à celui-ci.

alignement des chiffres à droite

- Les chiffres arabes sont toujours alignés à droite, tandis que les chiffres romains sont alignés à gauche.

Exemples

2	I
12	VI
127	VII

Papier

- Le papier employé doit être blanc, de bonne qualité, de texture solide et opaque, sans cadre et non ligné.
- Le format sera de 21,6 cm sur 28 cm (8 1/2 po sur 11 po).
- On n'écrit que sur le recto des feuilles.

Renfoncement (retrait d'alinéa)

- Le **renfoncement n'est pas recommandé**, car des études ont prouvé que ce n'est pas tant le renfoncement qui attire l'œil que la ligne incomplète qui le précède.
- Cependant, si l'on tient à en mettre un, il ne doit pas être plus large que **quatre fois la largeur de la lettre *m*** dans la police de caractères choisie.
- Si chaque paragraphe commence par un renfoncement, les **notes en bas de page** seront présentées avec le même renfoncement ainsi que les **paragraphes d'une citation longue**.

Exemple de paragraphes sans renfoncement

Exemple de paragraphes avec renfoncement

Voir tableau **Hiérarchie des titres**
Voir tableau **Mises en valeur typographiques**

Mises en valeur typographiques

Mise en relief, grâce à la déclinaison des caractères typographiques, d'éléments d'un texte (lettre, mot, expression, signe ou symbole).

☞ Les mises en valeur typographiques doivent être uniformes du début à la fin d'un document, c'est-à-dire qu'une même mise en valeur conserve la même signification tout au long du texte.

Plan du tableau

Buts

- Faciliter le repérage de l'information
- Guider la lecture, surtout la lecture d'écrémage d'un document
- Faire ressortir les différents jalons d'un document

Mises en valeur typographiques

- Pour réaliser les **mises en valeur** de son texte, on peut, après avoir choisi sa **police de caractères** (ou **fonte**), décliner les caractères des façons suivantes : le **corps** (ou taille), le **niveau** (ou casse), le **romain / italique**, et la **graisse**.
- À cela s'ajoute le **soulignement** dont il faut user avec parcimonie.

☞ Le pouvoir de discrimination du lecteur moyen a ses limites. Il ne faut pas le noyer sous une multitude de signaux typographiques. Un nombre maximal de **sept facteurs typographiques différents par page** est recommandé.

Police de caractères (fonte)

Assortiment complet de caractères de même type.

Exemples

Times	Helvetica
New Century Schoolbook	Geneva

- On adopte généralement **une seule police de caractères par texte** ; elle servira pour toutes les informations, qu'elles se retrouvent dans les titres, les tableaux, les figures, les listes ou la pagination.
- Une seule exception s'applique : si l'on **importe** un document d'un autre texte et qu'il comporte d'autres caractères, on peut l'utiliser dans son texte sans le modifier.

Corps (taille)

Grosseur du caractère exprimée en points.

Exemples

Corps 8 points Corps 9 points
Corps 10 points Corps 12 points

- Pour que la lecture du texte soit aisée, on recommande de ne pas employer un corps plus petit que **8 points**.
- Les **textes courants** sont généralement composés en **corps 10 à 12**, qui sont bien adaptés au format de nos feuilles de papier (21,6 cm sur 28 cm).
- Les **textes secondaires** (exemples, légendes, encadrés, notes, citations en retrait) peuvent être composés dans un corps plus petit que celui du texte principal.
- Les chiffres et les lettres qu'on met en **exposant** ou en **indice** devraient être composés en un corps inférieur de 1, 2 ou 3 points à celui du texte afin de ne pas décaler l'interligne.

Exemples

H_2O m^2 x^y

Niveau (casse)

Forme de base des lettres.

Exemple

minuscules MAJUSCULES PETITES CAPITALES

- Les **minuscules** (ou bas de casses) sont, pour toutes les polices de caractères, la casse la plus lisible.
- Les **majuscules** (ou capitales) sont légèrement moins lisibles que les minuscules correspondantes ; il est recommandé d'en réserver l'emploi aux titres courts, aux sigles et aux acronymes.
- Les **petites capitales** sont conçues selon le dessin des majuscules, mais réduites approximativement à la hauteur des minuscules. On les utilise quand les majuscules semblent trop grandes visuellement et dans certains emplois bien précis.

Il est recommandé de mettre les **accents** et les **autres signes diacritiques** (cédille, tréma) sur les majuscules et les petites capitales si les minuscules correspondantes en comportent.

Romain / italique

Disposition penchée ou non d'un caractère.

Exemple

Le romain est un caractère droit.
L'italique est un caractère penché.

- Le **romain** est un caractère droit, c'est-à-dire dont l'axe est vertical. C'est, pour toutes les polices de caractères, le type de caractère le plus lisible. Dans un texte courant, le caractère de base est, le plus souvent, le romain.
- L'**italique** est un caractère d'imprimerie légèrement incliné vers la droite dont la lecture est un peu plus malaisée que ne l'est celle du romain.
- L'italique sert à attirer l'attention du lecteur sur un mot, une phrase ou un passage. Il remplit **trois fonctions** : l'**insistance**, l'**attestation** et la **disjonction**.

Dans un texte en italique, c'est le romain qui assure les trois fonctions remplies par l'italique dans les textes en romain.

Fonction d'insistance de l'italique

L'emploi de l'**italique d'insistance** est laissé à la discrétion du rédacteur qui, seul, sait sur quels mots il doit insister.

Cette fonction de l'italique peut aussi être assumée par le gras qui est nettement plus perceptible que l'italique. Cependant, l'utilisation du gras à cette fin est assez récente et n'est pas acceptée par tous les spécialistes de la chose imprimée.

Fonction d'attestation de l'italique

L'italique peut servir à indiquer que l'on a respecté intégralement le texte et l'orthographe de ce que l'on reproduit.

- Titres d'œuvres (livres, tableaux, journaux, revues, etc.).

Exemples

Il a acheté *le Canard enchaîné*.
Le Penseur de Rodin est dans le jardin de l'hôtel Biron.
Le musée a acquis *Guernica* de Picasso.
On a écouté le *Concerto en ré* de Beethoven.
Avez-vous lu *Azalaïs ou la Vie courtoise*?
Le manuel *Prévoir l'économie pour mieux gérer* est au programme.

- Enseignes commerciales intégrales (abrégées, elles restent en romain).

Exemples

Elles ont mangé *Aux Deux Gauloises*.
La tarte au sucre des Deux Gauloises est excellente.

- Noms propres de véhicules (bateaux, avions, trains, engins spatiaux, etc.).

Exemples

Il a pris le *Shuttle* sous la Manche.
Le drame de *Challenger* a marqué les Américains.

- Mots ou expressions en langue étrangère (dont les locutions latines).

Exemples

La locution *exempli gratia,* qui veut dire « par exemple », est de moins en moins utilisée.
Elle a pris son air *busy body* avant de s'atteler à la tâche.

- Expressions ou mots techniques, argotiques, poétiques, archaïques, etc., c'est-à-dire étrangers au niveau de langue du reste du texte.

Exemples

Il a *pogné* son blouson et est parti très fâché.
Il m'expliquait le fonctionnement très complexe de son *grecquage*.

- Devises.

Exemples

Je me souviens est la devise du Québec.
A mari usque ad mare est la devise du Canada.

Fonction de disjonction de l'italique

L'italique peut servir à signaler au lecteur une explication ou un commentaire auxiliaires qui jouent un rôle secondaire par rapport au texte principal.

- Indications au lecteur.

Exemples

(*Note du traducteur.*)
(*Suite à la page 24.*)

- Jeux de scène dans une pièce de théâtre, indications de mise en scène.

Exemple

Marianne, *d'un air sérieux.* — Allez prendre l'air, s'il vous plaît.

- Préface, postface, épigraphe, dédicace, avis de l'éditeur, ainsi que tout texte de 20 pages ou moins qui n'est pas de l'auteur de la publication.
- Lettres minuscules représentant des variables dans les travaux scientifiques.

Exemple

$x + y = z$

- Mouvements divers dans les comptes rendus des débats d'une assemblée, les procès-verbaux.

Exemple

Mme Marret. — Je demande le vote. *(Mouvements divers.)*
M. Melançon. — Il n'en est pas question. *(Applaudissements.)*

- Renvois.

Exemple

Ville-Marie. *Voir* Montréal.

- Lettres d'ordre (parenthèse fermante en romain).

Exemples

a)
b)

- Notes de musique, lettres minuscules de l'alphabet.

Exemples

Une étude en *la* majeur.
Je préfère le *a* minuscule de la police de caractères Los Angeles.

Italique et guillemets

- L'italique, tout comme les guillemets, peut être utilisé pour les citations. Cependant, nous conseillons l'emploi des guillemets pour les citations, car l'italique a des fonctions voisines (d'insistance d'attestation et de disjonction) qui risquent d'engendrer la confusion.

- Il est inutile d'ajouter des guillemets à un mot déjà en italique, sauf dans le cas d'une citation qui contiendrait des mots en langue étrangère ou déjà en italique. La distinction linguistique est marquée par l'emploi de l'italique, et la citation par les guillemets.

Exemple

Il lui dit : « *My beloved.* »

Italique et ponctuation

- Les signes de ponctuation *? ! : ; « »* se composent dans la pente du passage du texte auquel ils appartiennent.

Exemples

As-tu vu *A Room with a View* ?
Maryse a beaucoup apprécié *Qui a peur de Virginia Woolf ?*

Dans le premier exemple, le point d'interrogation appartient à la phrase, il est donc composé en romain.

Dans le deuxième exemple, le point d'interrogation appartient au titre, il est donc composé en italique.

- Les signes **. , ...** se composent de la même façon que le mot qui les précède.

Exemples

Hasta luego...
Ciao, so long et au revoir...

Dans le premier exemple, les points de suspension sont en italique.

Dans le deuxième exemple, les points de suspension sont en romain.

Graisse

Épaisseur plus ou moins forte du trait du caractère.

Exemple

romain maigre
romain gras
italique maigre
italique gras

- On peut se servir du gras pour insister sur un mot (tout comme l'italique d'insistance) ou pour mettre en valeur un titre ou un intertitre.

Le gras a été peu utilisé en typographie. Or, c'est le procédé de mise en valeur qui est le mieux perçu par le lecteur.

Soulignement

Action de tracer une ligne sous un ou plusieurs mots.

Exemple

MISES EN VALEUR TYPOGRAPHIQUES

- Le soulignement est conseillé pour la mise en valeur de titres courts (surtout ceux en majuscules), de mots isolés, mais pas de phrases entières.

Le soulignement était très rarement employé en typographie ; il servait en dactylographie ou dans l'écriture manuscrite et correspondait à l'italique des ouvrages imprimés. Aujourd'hui, son emploi est encore déconseillé par de nombreux spécialistes de la chose imprimée parce qu'il coupe les hampes descendantes des lettres.

Les hampes sont les traits verticaux ascendants ou descendants de certaines lettres, par exemple le *b* ou le *p*.

Hiérarchie des procédés de mise en valeur

Dans un texte suivi

Pour insister sur un **mot** ou une **courte suite de mots dans un texte suivi** composé en caractères romains, maigres et minuscules, les procédés suivants sont recommandés par François Richaudeau (1993, p. 131), spécialiste de la lisibilité. Ils vont du plus perceptible au moins perceptible.

1. Soulignement.
2. Graisse plus épaisse.
3. Majuscule.
4. Italique.

Pour un titre, un intertitre ou un jalon

Pour mettre en valeur **un mot isolé** ou un **groupe de mots isolé (titre, intertitre, jalon)**, les procédés suivants sont recommandés par Richaudeau (1993, p. 131). Ils vont du plus perceptible au moins perceptible.

1. Corps plus grand.
2. Graisse plus épaisse.
3. Soulignement (à condition que le texte en comporte peu).
4. Italique.

Voir tableau **Citation**
Voir tableau **Guillemets**
Voir tableau **Mise en pages**

Note de contenu et note de référence

Plan du tableau

Explication, référence bibliographique ou complément d'information relatifs à un aspect particulier d'un document qui, pour alléger le texte, sont signalés à l'aide d'un appel de note qui renvoie le lecteur à une note hors texte.

Exemple

Il est intéressant de constater que Peter Mayle et Patricia Pitcher se rejoignent dans leur description de l'artiste[1].

1. Peter Mayle, *Hotel Pastis*, New York, Vintage, 1993, p. 150-190 *passim* ; Patricia Pitcher, *Artistes, artisans et technocrates dans nos organisations : Rêves, réalités et illusions du leadership*, Montréal, Québec / Amérique • Presses HEC, 1994, p. 83-100.

1. Généralités

Sortes de notes

Il existe deux sortes de notes :

- les **notes de contenu** qui apportent un bref éclaircissement, un commentaire, une précision ou un élément d'information supplémentaire ;
- les **notes de référence** qui donnent la source précise d'une citation textuelle ou d'une citation d'idée.

☞ Si l'on décide de présenter les références directement dans le texte selon la méthode auteur-date, il faut consulter le tableau **Références dans le texte.** Les notices de la bibliographie sont alors présentées selon la méthode auteur-date également.

Emplacement

- En bas de page
- En fin de chapitre
- En fin de document

☞ Tout dépend de la nature du texte. Pour un travail scolaire, on recommande les notes en bas de page. Dans le cas d'un texte destiné à un large public, on recommande les notes en fin de chapitre ou de document.

Numérotation

- Par page
- Par chapitre
- Par document entier

☞ Dans les textes très courts, on peut numéroter les notes par page (c'est-à-dire en recommençant à 1 à chaque page) ou par document. Dans le cas d'un document long, on recommande de numéroter les notes par chapitre pour éviter de se retrouver avec des appels de note très longs comme [562] ou [1729].

Mise en pages et typographie

Appel de note

- Les notes doivent être signalées **dans le texte** au moyen d'un appel de note, qui sera le plus souvent un petit chiffre surélevé accolé au mot ou au texte que l'on désire commenter ou dont on veut donner la référence.

Présentation de la note

- On reproduit l'appel de note au début de la note.
  - S'il reste en exposant, il n'est pas suivi d'un point mais d'un espace uniquement.

  Exemple

  [9] Georges-Emmanuel Clancier, *la Poésie et ses environs*, Paris, Gallimard, 1973, p. 21.

  [10] Notamment à la suite du métaphorocentrisme surréaliste et de ce qui a été appelé la « poésie de la résistance ».

  - S'il est ramené sur la ligne (ceci ne s'applique pas à l'astérisque qui doit toujours rester en exposant), on le mettra dans la même grosseur de caractère que le texte de la note et on le fera suivre d'un point et d'un espace.

  Exemple

  9. Georges-Emmanuel Clancier, *la Poésie et ses environs,* Paris, Gallimard, 1973, p. 21.
  10. Notamment à la suite du métaphorocentrisme surréaliste et de ce qui a été appelé la « poésie de la résistance ».

- Il faut essayer, dans la mesure du possible, d'aligner à droite les appels de note dans les notes, que ce soient des astérisques ou des chiffres.
- On saisit les notes à simple interligne ; elles seront séparées l'une de l'autre par un double interligne ou un interligne et demi, selon ce qui a été choisi pour l'ensemble du document.
- Les notes sont composées dans un caractère qui est de deux points plus petit que celui du texte courant.

Notes en bas de page

- Les notes sont précédées d'un mince filet qui les sépare du texte courant. Ce filet est précédé et suivi d'un interligne.
- Si une note continue sur une autre page, on répète le filet sur cette deuxième page, mais on ne répète pas l'appel.
- En général, les notes ne devraient pas occuper plus du tiers d'une page.
- Quand un texte ne remplit pas toute la page, on met quand même les notes au bas de la page, et non directement à la suite du texte.
- Les notes en bas de page commencent toujours au bas de la page qui contient l'appel.

Notes en fin de chapitre ou de document

- Les notes sont réunies sur une nouvelle page intitulée « Notes » placée à la fin du chapitre ou du document.
- Elles se suivent selon leur ordre de mention dans le texte.

Conseils pour la rédaction

- En général, on trouve peu de notes dans l'**introduction** et la **conclusion** d'un texte.
- Pour éviter de multiplier les notes, on peut **juxtaposer plusieurs références** dans une seule note lorsque ces références se rapportent à un même endroit du texte.

2. NOTE DE CONTENU

Explication d'un mot ou d'un passage, remarque, digression, renseignement, commentaire, exemple additionnel, réflexion personnelle qu'un auteur n'a pas jugé utile d'inclure dans le texte lui-même.

But

Le rôle de la note de contenu est d'apporter un éclaircissement, de nuancer une affirmation, de suggérer une autre piste de recherche. La note de contenu constitue pour le lecteur un élément d'information intéressant, mais accessoire, qui viendrait rompre l'unité du discours si son contenu était dans le texte.

Exemple

Le mouvement des membres souligne l'allure vive du pas. Le bonhomme semble avancer dans le sombre, dans la part de la nuit qui le constitue[1].

1. Une lecture plus terre à terre commencerait par dire que le corps est divisé en deux parce qu'il y a deux auteurs et deux sangs.

3. NOTE DE RÉFÉRENCE

Indication de la source de toute citation, qu'elle soit textuelle ou d'idée.

- L'utilisation de la note de référence suppose :
  - *a*) que l'on ne présente pas les références des citations textuelles et des citations d'idée directement dans le texte selon la méthode auteur-date (en effet, les deux méthodes ne peuvent coexister dans un même texte) ;
  - *b*) que les notices de la bibliographie sont présentées selon la **méthode traditionnelle**.
- La bibliographie est une forme générale de référence aux ouvrages utilisés, mais elle ne donne pas la source précise de chaque citation.

But

La note de référence assure un accès rapide et précis aux sources citées afin que le lecteur puisse vérifier le bien-fondé d'une citation, ses termes ou son contexte. La note de référence témoigne de la rigueur de la pensée de l'auteur.

Abréviations usuelles

art. cit.	article cité	pag. mult.	pagination multiple
coll.	collection	paragr.	paragraphe
éd. ent. rev. et aug.	édition entièrement revue et augmentée	s. d.	sans date
		s. é.	sans éditeur
et collab.	et collaborateurs	s. l.	sans lieu
ibid.	*ibidem* (« au même endroit »)	s. l. n. d.	sans lieu ni date
id.	*idem* (« le même auteur »)	s. p.	sans pagination
loc. cit.	*loco citato* (« article cité »)	et suiv.	et les pages suivantes
op. cit.	*opere citato* (« dans l'ouvrage cité »)	t.	tome
		vol.	volume
p.	page ou pages L'abréviation *pp.* est vieillie.		

Longtemps en faveur, certaines formules latines (*in*, *et al.*, etc.) font maintenant place aux formules françaises correspondantes. Notons cependant qu'*ibid.*, *id.*, *loc. cit.* et *op. cit.* demeurent en usage.

Latin	Formule française en usage
cf., *confer* (« se reporter à »)	voir
et al., *et alii* (« et autres »)	et collab.
in (« dans »)	dans
infra (« au-dessous »)	ci-dessous, ci-après
supra (« au-dessus »)	ci-dessus

Présentation

La présentation des notes de référence diffère selon que l'on décrit pour la première fois la source ou que l'on y revient. Il faut donc distinguer entre la **première mention** et les **mentions subséquentes**.

☞ Dans la note de référence, les éléments de la description bibliographique sont tous séparés par des virgules et il y a un point à la fin de la référence.

Première mention

a) Prénom et nom

- On met d'abord le prénom, puis le nom de l'auteur. Le nom est en minuscules (sauf pour la majuscule initiale).
  ☞ Dans la bibliographie, le nom de l'auteur précède le prénom pour faciliter le classement alphabétique et la consultation.
- Aucune virgule ne sépare prénom et nom.
- Lorsqu'il y a plus d'un auteur, on dispose les noms à la suite. S'il y a plus de trois auteurs, on utilise l'abréviation « et collab. » à la suite du premier nom.

Exemple

1. Patricia Pitcher, « L'artiste, l'artisan et le technocrate », *Gestion*, vol. 18, n° 2 (mai 1993), p. 25.
2. Hélène Giroux et Sylvain Landry, « Qualité totale : Courants et contre-courants », *Gestion*, vol. 18, n° 4 (novembre 1993), p. 52.
3. Omer Crôteau, Léo-Paul Ouellette et Vernet Félix, *Comptabilité de gestion*, Montréal, Éditions du Renouveau pédagogique, 1977, p. 500.
4. Anne Hébert, « Le printemps de Catherine » dans *le Torrent : Nouvelles*, Montréal, Éditions HMH, 1976, p. 90-95.
5. Herbert R. Lottman, « La prise de la *NRF* », *la Rive gauche*, Paris, Seuil, 1981, p. 285.
6. Jean-Pierre Langlois, *Dictionnaire économique québécois*, Montréal, Publications Transcontinental, 1988, p. 92.
7. Collin J. Watson et collab., *Statistics for Management and Economics*, 4e éd., Boston, Allyn and Bacon, 1990, p. 991.
8. Victor Hugo, « Mes deux filles » dans *les Contemplations*, Paris, Gallimard, 1973, p. 36.

b) Titre et adresse bibliographique

Livre

- Suit le titre de l'ouvrage et l'adresse bibliographique (lieu de parution, maison d'édition et année de parution).

Article

- Suit le titre de l'article, puis de la revue et les renseignements concernant la livraison (volume, numéro, date).

Partie de livre

- Suit le titre de la partie de livre, puis le titre du livre et l'adresse bibliographique.

Exemple

1. Martine Acerra et Jean Meyer, *Marines et révolution*, s.l., Ouest-France, 1988, p. 111.
2. Christiane Demers, « La diffusion stratégique en situation de complexité : Hydro-Québec, un cas de changement mondial », thèse de doctorat, Montréal, École des Hautes Études Commerciales, 1990, p. 143-187.
3. Joseph Kélada, « Pas de *reengineering* sans qualité totale! », *l'Expansion Management Review*, n° 73 (été 1994), p. 61.

c) Tome ou volume

S'il s'agit d'un livre en plusieurs tomes ou volumes, on précise le numéro du tome ou du volume juste avant les numéros de page.

Exemple

1. Paul Robert, *Dictionnaire alphabétique et analogique de la langue française*, Paris, Le Robert, 1988, t. II, p. 693.
2. René Dionne, *la Patrie littéraire 1760-1895* dans *Anthologie de la littérature québécoise*, sous la direction de Gilles Marcotte, Montréal, La Presse, 1978, vol. II, p. 319.
3. Pierre Harvey, *Histoire de l'École des Hautes Études Commerciales de Montréal*, t. I : *1887-1926*, Montréal, Québec / Amérique • Presses HEC, 1994, t. I, p. 255.

d) Pagination

- On précise le numéro de la ou des pages de la citation.
- Si l'on veut indiquer une référence qui commence à une page, sans donner la page extrême où elle finit, on se sert de l'abréviation « et suiv. » (qui veut dire « et les pages suivantes »).
- Si l'on veut indiquer que l'information se trouve distribuée ici et là dans une portion du texte, on peut utiliser le terme latin *passim* (qui veut dire « ici et là »).

Exemple

1. Henri Culmann, *les Mécanismes économiques*, 3e éd., Paris, PUF, 1957, p. 15-45 *passim*.
2. Pierre Picard, *Éléments de microéconomie : Théorie et applications*, 2e éd., Paris, Montchrestien, 1990, p. 130 et suiv.

e) Double référence

Lorsqu'on cite un passage d'un auteur qu'on n'a pas lu, mais qui est cité dans un autre texte, il faut indiquer la double provenance de cette citation. On peut le faire de deux façons.

- Le nom de l'auteur de la citation et le titre du texte sont mis en abrégé et suivis de l'expression « cité dans » ou « cité par » et de la référence de la source réellement consultée.
- On peut donner la référence de la source effectivement consultée, suivie de « citant », puis du nom de l'auteur de la citation et du titre du texte d'où elle est tirée.

Exemple

1. L. Scupoli, *le Combat spirituel*, 1732 ; cité par Daniel Roche, « La mémoire et la mort : Les arts de mourir dans la Librairie et la lecture en France aux XVIIe et XVIIIe siècles », *les Républicains des lettres : Gens de culture et Lumières au XVIIIe siècle*, Paris, Fayard, 1988, p. 138.
2. Pierre-Louis Vaillancourt, « *l'Hiver de force*, roman de Réjean Ducharme » dans Maurice Lemire, *Dictionnaire des œuvres littéraires du Québec, 1970-1975*, Montréal, Fides, 1987, t. V, p. 395, citant Jacques Godbout, « Les livres : Le Québec de force », *Le Maclean*, janvier 1974, p. 12.

f) Divers

- On peut garder certains détails pour la bibliographie seulement, tels le sous-titre, le nom de certains auteurs secondaires (auteur de la préface, de la traduction, etc.), la mention de la collection, etc.
- Si, à la suite d'une décision de l'auteur, une notice n'apparaît pas en bibliographie, la référence doit être la plus complète possible dans la note.
- S'il y a plusieurs références dans une même note, on les sépare par un point-virgule.

Exemple

1. Henri Culmann, *les Mécanismes économiques*, 3e éd., Paris, PUF, 1957, p. 15-45 *passim* ; Pierre Picard, *Éléments de microéconomie : Théorie et applications*, 2e éd., Paris, Montchrestien, 1990, p. 130 et suiv. ; Christiane Demers, « La diffusion stratégique en situation de complexité : Hydro-Québec, un cas de changement mondial », thèse de doctorat, Montréal, École des Hautes Études Commerciales, 1990, p. 143-187.

Mentions subséquentes

Lors des mentions subséquentes d'une même source ou d'autres textes d'un même auteur, on utilise, toujours en note, les formules latines suivantes pour décrire les sources : *ibid.*, *id.*, *loc. cit.* (ou l'abréviation française « art. cit. ») et *op. cit.* Elles permettent de ne pas avoir à répéter les mêmes éléments à plusieurs reprises.

a) Ibid. : ibidem

Ce mot latin signifie « au même endroit ». On emploie cette abréviation lorsqu'on cite la même source plus d'une fois et ce, de manière consécutive. On indique alors seulement l'abréviation elle-même et le numéro de la page correspondante.

b) Id. : idem

C'est un mot latin signifiant « le même auteur ». Si l'on cite deux ouvrages du même auteur dans deux notes consécutives, on indique *idem* en remplacement du nom de l'auteur, puis on ajoute le nouveau titre, l'adresse bibliographique de la source et la ou les pages d'où sont tirés les renseignements.

c) Op. cit. : opere citato

Cette abréviation latine signifie « dans l'ouvrage cité ». On emploie cette abréviation lorsque la même œuvre du même auteur est citée de façon non consécutive. On précise alors le nom de l'auteur, suivi de l'abréviation et du numéro de la page correspondante.

d) Loc. cit. : loco citato (ou art. cit. : article cité)

Ces abréviations (*loc. cit* ou art. cit.) sont l'équivalent d'*op. cit.*, sauf qu'on les emploie pour décrire des articles de périodique, de journal, pour les parties de livre ainsi que pour tout ce qui peut leur être assimilé (article de dictionnaire, d'encyclopédie).

Exemple

1. P. Bezard, *les Offres publiques d'achat*, Paris, Masson, 1982, p. 111.
2. M. Albouy, « L'évaluation de l'entreprise par le marché financier : le cas de Merlin Gérin », *Banque*, n° 429 (juin 1983), p. 721.
3. P. Bezard, *op. cit.*, p. 112.
4. R. Cobbaut, *Théorie financière*, Paris, Economica, 1987, p. 52.
5. M. Albouy, *loc. cit.*, p. 723.
6. *Ibid.*, p. 722.
7. M. Gervais, *Contrôle de gestion et planification de l'entreprise*, 3e éd., Paris, Economica, 1988, p. 17.
8. *Ibid.*, p. 19.
9. *Id.*, *Contrôle de gestion par le système budgétaire*, Paris, Vuibert, 1987, p. 11.
10. R. Cobbaut, *op. cit.*, p. 11.
11. M. Gervais, *Contrôle de gestion et planification de l'entreprise*, p. 18.
12. *Id.*, *Contrôle de gestion par le système bancaire*, p. 12.
13. *Ibid.*, p. 56.

e) Divers

- Si une référence est séparée de plus de quatre pages de sa mention précédente, il est bon de répéter le nom de l'auteur et le titre du texte avant d'indiquer la pagination.
- Attention de ne pas confondre les formules *id.* et *ibid.* La première désigne l'auteur et la deuxième, le texte.
- Évidemment, on ne peut utiliser les expressions *op. cit.* et *loc. cit.* (ou art. cit.) que si, entre la première référence et une référence subséquente, on ne cite pas un autre livre ou un autre article du même auteur. Dans ce cas, la référence subséquente doit comporter le titre du livre ou de l'article, sans l'abréviation *op. cit.* ou *loc. cit.* (art. cit.).

Voir tableau **Appel de note**
Voir tableau **Bibliographie**
Voir tableau **Citation**
Voir tableau **Notice bibliographique : Principes généraux**
Voir tableau **Notice bibliographique d'un livre**
Voir tableau **Notice bibliographique d'une partie de livre**
Voir tableau **Notice bibliographique d'un article**
Voir tableau **Notice bibliographique d'une publication gouvernementale**
Voir tableau **Références dans le texte**
Voir tableau **Titre d'œuvre : Règles d'écriture**

Note (de service)

Texte généralement bref qui sert à transmettre au sein d'une entreprise ou d'un organisme des informations, des consignes, des demandes, des ordres consécutifs à des décisions ou à des modifications.

- Le « mémorandum », dont l'abréviation familière est « mémo », est une note que l'on prend pour soi d'une chose que l'on ne veut pas oublier.
- On distinguait auparavant la **note de service** destinée à des subordonnés de la note destinée à des supérieurs ou à des égaux. Aujourd'hui, c'est surtout la **note** qui sert à toutes les communications internes, qu'elles soient ascendantes, descendantes ou latérales.

Plan du tableau

Éléments

- Nom et service du destinataire (avec ou sans indication de son titre)
- Nom et service de l'expéditeur (avec ou sans indication de son titre)
  - Les termes « Destinataire » et « Expéditeur » se mettent, s'il y a lieu, au pluriel ou au féminin.
- Date
- Objet du message (but et contenu du message)
  - Les mentions *À, *De, *Sujet, *Re sont des anglicismes.
- Texte du message
- Signature manuscrite sans rappel du titre
- Autres mentions, s'il y a lieu : initiales, références, pièce jointe, copie conforme, mention « prière de faire circuler »

Mise en pages

- Les mentions ***destinataire***, ***expéditeur***, ***date*** et ***objet*** sont placées contre la marge de gauche, en lettres majuscules.
- Dans l'en-tête, il n'est pas d'usage d'aligner les **deux-points** ; ils se placent après le mot, avec l'espacement habituel (un espace insécable). Toutefois on aligne les **éléments énumérés** ; ceux-ci commencent par une majuscule.

Exemple

DESTINATAIRE : Manon Lamoureux
Service des relations publiques

EXPÉDITRICE : Francine Gaudet
Direction de la M.Sc.

DATE : Le 15 juillet 1996

OBJET : Dépliant de la rentrée 1996

Plan

- Une ou deux phrases d'**introduction** pour énoncer succinctement objet et raisons
- **Exposé** des faits qui expliquent la nécessité de la note
- **Solutions** ou **décisions**

Conseils pour la rédaction

pas de formalisme
- La note n'a pas le formalisme de la lettre car, le plus souvent, expéditeur et destinataire se connaissent. Il n'y a ni vedette, ni appel, ni salutation finale.
  - Afin de simplifier la mise en pages, certaines entreprises fournissent des formulaires standardisés pour les notes.

destinataire
- Comme pour toutes les communications, il faut s'adapter au destinataire, en tenant compte de son point de vue.

style
- Le style de la note est clair et précis. Il peut être explicatif, dans le cas d'une marche à suivre, par exemple. La clarté impose un choix de vocabulaire que comprendra le destinataire et des phrases simples.

ton
- Lorsqu'on s'adresse à un grand nombre de personnes, la note peut être écrite sur un ton impersonnel, en style télégraphique. Pour une communication destinée à une personne que l'on connaît, on adoptera un ton plus amical.

illustration
- La note peut être accompagnée d'un croquis, d'un schéma, d'un tableau, etc.

renseignements complets
- Elle doit comprendre toutes les informations nécessaires (dates, délais, lieux, références, personnes concernées, etc.) à la réalisation de l'action que l'on souhaite provoquer.

sujet unique
- Une note est un ensemble homogène et complet. Il vaut mieux n'aborder qu'un seul sujet par note.

Diffusion

nombreux destinataires
- Si la note s'adresse à un grand nombre de personnes, on peut inscrire à la place du nom des destinataires le mot « Distribution » et joindre à la note la liste des personnes concernées sur une feuille à part.

envoi limité
- Il importe d'envoyer la note aux personnes concernées seulement.

affichage
- La note peut être affichée sur un tableau pour une large diffusion.

contrôle
- Dans certaines entreprises, on demande aux destinataires de renvoyer à l'expéditeur les notes importantes pour s'assurer qu'elles ont été lues. Ces notes sont alors accompagnées de la signature du destinataire.

Exemples de notes

Les entreprises Fortin inc.

NOTE

DESTINATAIRES :	Élizabeth Melançon, présidente et chef du conseil Frédérique Chassay, directrice du Service des ventes Maude Brisson, directrice du Service des approvisionnements
EXPÉDITRICE :	Gabrielle Maisonneuve, directrice générale
DATE :	Le 31 mai 1995
OBJET :	Soumission de 500 000 $ et plus

Le conseil d'administration a décidé que toute soumission officielle de 500 000 $ et plus devait être soumise à son approbation. Afin d'éviter de répéter les dernières erreurs que nous avons commises, je formule la proposition suivante : dorénavant, chaque service fera une analyse préliminaire et rapide de chaque appel d'offres reçu pour en dégager les points principaux et pour décider si, oui ou non, l'entreprise devrait y répondre. Il ne s'agit pas ici de faire lire le document à tout le monde, mais plutôt que chaque service en fasse l'analyse selon ses compétences et ses capacités de réaction.

Je propose de suivre les étapes de la feuille de route ci-jointe qui deviendrait notre document de référence en la matière et qui relèverait de l'autorité du Service des ventes qui en assurerait le suivi. Chaque feuille de route remplie devant être signée par un membre de la direction, je vous rappelle que les seules signatures autorisées sont celles d'Élizabeth Melançon et de Gabrielle Maisonneuve.

Il faudra de la discipline, mais il est d'une importance primordiale pour l'entreprise que nous réagissions rapidement et que nous adoptions une façon de faire plus rigoureuse.

Gabrielle Maisonneuve

GM/jc

p. j. Feuille de route

NOTE

DESTINATAIRES :	Les utilisateurs du *Guide de correspondance*
EXPÉDITEUR :	Le Service des communications
DATE :	Le 31 août 1995
OBJET :	Mise à jour et enrichissement du *Guide*

La nouvelle édition du *Guide de correspondance* est prête et vous attend au Service des communications. Pour vous en procurer un exemplaire, il suffit de téléphoner au 5342 et d'en faire la demande. Les ajouts au *Guide* étant disséminés dans l'ensemble de l'ouvrage, nous vous fournissons un tout nouvel exemplaire qui devrait toutefois convenir dans l'ancienne reliure à anneaux.

Ce nouveau *Guide* comprend un protocole téléphonique bilingue, la traduction anglaise des dénominations des services d'enseignement, des centres et groupes de recherche, des chaires, des programmes d'études et diplômes, des titres des professeurs. Divers renseignements ont été ajoutés, surtout en ce qui a trait à la lettre et à la note. Des modèles de lettres et de notes ont été intégrés afin de donner quelques pistes pour la rédaction aux personnes qui en auraient besoin.

N'hésitez pas à nous appeler au 5342 pour avoir votre exemplaire du *Guide de correspondance*.

Louise Chagnon

Voir tableau **Correction**
Voir tableau **Révision**

Note de synthèse

Plan du tableau

Document concis et cohérent qui résulte de la synthèse d'informations obtenues dans un dossier constitué de textes, parfois contradictoires, de nature différente et dont on tente de dégager une ligne directrice.

« Il est admis en général que la synthèse reconstitue ce que l'analyse avait séparé, et qu'à ce titre la synthèse vérifie l'analyse. » (Claude Bernard.)

Buts

- En tant qu'**exercice scolaire**, la note de synthèse sert à évaluer les capacités de synthèse et de rédaction des étudiants.
- En tant que **communication d'affaires**, elle permet de soulager les supérieurs hiérarchiques de la quantité de documents qu'ils ont à lire en leur présentant une information triée et organisée selon leurs besoins.

Qualités d'une bonne note de synthèse

- Utile au destinataire
- Informative
- Objective et fidèle
- Concise, précise et claire
- Cohérente
- Bien rédigée et présentée
- Structurée (introduction, développement, conclusion)

Types de notes de synthèse

Selon ce qui est demandé par le destinataire, il existe deux types de notes de synthèse pour un même ensemble de documents ou dossier :

- la note peut porter sur l'ensemble des aspects traités dans le dossier ;
- elle peut n'aborder qu'un seul aspect du dossier, en fonction des besoins du destinataire.

Il faut connaître les besoins du destinataire de la note de synthèse pour y répondre adéquatement.

Étapes du travail

Le travail consiste en la recherche d'une ligne de synthèse qui se dégage de toutes les pièces d'un dossier et en la rédaction d'un texte qui rend compte des informations essentielles retenues en fonction de ce fil conducteur.

La note de synthèse suppose une opération mentale de regroupement et de recentrage des idées.

1. Lecture rapide du dossier

- Parcourir rapidement les textes qui composent le dossier pour en avoir une vue d'ensemble, pour avoir une première idée de ce qui est important et de ce qui ne l'est pas.
- S'attacher particulièrement aux repères significatifs : titres, sous-titres, chapeaux introductifs, débuts et fins des paragraphes, italiques, gras, soulignés, guillemets, encadrés, tableaux, etc.

- Tenter de percevoir les similitudes, les points de divergence, les points de convergence, les complémentarités, les thèmes récurrents, etc.
- Prévoir l'ordre de la deuxième lecture : repérer les documents les plus complets, les documents secondaires, les documents inutiles.
- Faire un premier classement des thèmes qui se dégagent, sur fiches, sur papier ou à l'écran.

2. Lecture approfondie du dossier

- Relire attentivement les textes utiles et sélectionner l'information selon ce qui est demandé par le destinataire.
- Décortiquer les textes en lisant avec un crayon : mettre en évidence les phrases clés, les mots clés, souligner, entourer, colorier selon un code établi d'avance.
- Être attentif à l'argumentation ; à la formulation de constats, de problèmes, de contraintes ; à la présence de faits et de chiffres ; à la possibilité d'établir des relations avec des informations contenues dans d'autres pièces du dossier.
- Sur la première page de chaque texte, noter en quelques mots l'idée développée, le contenu, les choses à retenir, etc.

3. Mise en relation des informations

- À l'aide de fiches ou d'un tableau, classer les informations retenues en affinant le premier classement et en dégageant les points de divergence, de convergence, de complémentarité.
- Dégager la ligne de synthèse à partir de la confrontation ou du rapprochement des informations.
  ☞ La ligne directrice se dégage souvent autour d'un obstacle, d'une résistance, d'un paradoxe, d'un changement, d'une rupture.

4. Élaboration du plan

- Faire le plan de la note de synthèse, c'est-à-dire organiser l'information retenue en une hiérarchie d'idées directrices et d'idées secondaires (voir tableau **Plan**).
- Choisir une progression.
  ☞ Il faut se méfier de la progression chronologique qui favorise les redites et les chevauchements qui ne conviennent pas dans une note de synthèse.
- Respecter la structure introduction-développement-conclusion.
  - Introduction : thème de la note, présentation des documents de base (si le destinataire ne les connaît pas), formulation de la problématique et indication du plan suivi.
  - Développement : ligne directrice exposée en autant de parties qu'il le faut. 2 ou 3 parties.
  - Conclusion : rappel des idées directrices.

5. Rédaction et présentation

- Rédiger la note de synthèse dans un style dynamique, avec des phrases courtes, des verbes d'action, etc., sans toutefois adopter le style télégraphique. Il faut des phrases complètes.
- Soigner la présentation et en faire un document attirant à entrées multiples, avec des titres et des sous-titres, afin que l'information soit immédiatement accessible au lecteur pressé.

Conseils pour la rédaction

- Il ne faut pas s'attacher aux détails ou chercher à tout dire.
- La note de synthèse n'introduit pas de nouvelles informations par rapport à celles contenues dans le dossier ; néanmoins, elle fait émerger un sens global, une signification d'ensemble qui peut être inédite.
- Quelle que soit la complexité du dossier, la note de synthèse doit rester simple et limpide.
  ☞ La capacité de synthèse consiste justement en la faculté de penser simplement la complexité.

Note de synthèse et résumé

- Le résumé se fait à partir du point de vue de l'auteur du texte original, comme si l'auteur résumait lui-même sa pensée. La note de synthèse se conçoit à partir du destinataire et de ses besoins.
- Le résumé ne porte que sur un seul texte. La note de synthèse est rédigée, le plus souvent, à partir de textes de sources différentes.
- La note de synthèse ne consiste pas en des résumés successifs de chaque pièce qui compose le dossier, car les textes seraient alors isolés les uns des autres. La note de synthèse traverse tous les textes pour en trouver la ligne directrice.

Exemples de notes de synthèse

Exemple 1[1]

Un prix pour Hydro-Québec

La Corporation professionnelle des comptables en management accrédités du Québec et *le Journal de Montréal* remettaient hier des prix aux entreprises ayant présenté les meilleurs rapports annuels. Hydro-Québec, grâce à la qualité de l'information sociale et financière de son rapport annuel, est parmi les entreprises lauréates.

Synthèse d'articles publiés dans *le Journal de Montréal* et *The Gazette* du 14 février 1990.

Exemple [2]

Incendie de forêt à la Baie James

Une centaine de vacanciers se trouvant dans la région de la Baie James ont dû évacuer les lieux à cause d'un incendie de forêt d'une forte intensité qui sévit depuis le 2 juillet au nord de La Grande. Le front de ce feu de foudre se situait hier à 20 kilomètres de Radisson et progressait lentement vers la rivière. Malgré des prévisions météorologiques favorables, la Sûreté du Québec de Radisson, des unités de district d'Abitibi-Témiscamingue et du Nouveau-Québec ainsi que des équipes d'Hydro-Québec demeurent en état d'alerte afin de procéder à l'évacuation de Radisson, qui compte 2000 résidants, si cela s'avérait nécessaire.

Synthèse d'articles publiés dans *le Journal de Montréal* et *la Presse* du 26 juillet 1989.

1. Claude Rocray, « Revue de presse d'Hydro-Québec », le 14 février 1990.
2. Claude Rocray, « Revue de presse d'Hydro-Québec », le 26 juillet 1989.

Exemple 3

Consigne :

Il est midi. Votre patron, directeur des communications, doit participer ce soir à l'émission *le Point* de Radio-Canada. Il est invité à répondre à la question : « Comment concilier **économie** et **écologie?** »

Il vous remet un dossier de presse de 20 pages sur ce sujet et vous demande de rédiger une note de synthèse qui fait état des éléments essentiels de la question.

Votre note de synthèse doit être déposée sur son bureau à 15 h aujourd'hui.

Économie et écologie

La conciliation de l'économie et de l'écologie est au cœur de nos préoccupations actuelles. Deux parties adverses principales s'affrontent dans ce débat et elles tentent chacune, tant bien que mal, de remporter la victoire. D'autres, coincés bien involontairement entre elles, subissent les contrecoups de la bataille. C'est un sujet délicat où la politique intervient, parfois en faveur des uns, parfois en faveur des autres. ← Introduction

Économistes

D'une part, nous avons les économistes qui, depuis le début de la révolution industrielle, souhaitent la maximisation des profits à tout prix. Une telle attitude amène les industriels et tous ceux qui partagent cette optique à faire fi de l'environnement, ainsi exclu de l'équation profit. Les industriels encourent des amendes ridiculement basses s'ils contreviennent aux lois protégeant l'environnement, surtout quand on les compare aux coûts qu'ils auraient à engager s'ils voulaient se doter d'une conscience « biodégradable » paisible. Ils jouissent donc d'une mauvaise réputation auprès de la population en général, réputation qui s'aggrave par leur inaptitude à présenter leur version des faits aux médias. Dans ce contexte, il n'est pas étonnant que les industriels aient tendance à cacher l'information concernant leur performance environnementale, information qui est par la suite découverte et révélée avec un grand tapage médiatique par d'autres qu'eux. Tout cela contribue à entretenir d'eux une image extrêmement négative. ← Développement

Écologistes

D'autre part, nous avons les écologistes, les purs et durs, qui jouissent, somme toute, d'une réputation enviable auprès de la population. Le jeu médiatique n'a plus de secret pour eux et ils savent en tirer parti. Leur approche, très radicale, est à l'échelle du combat de David contre Goliath. Les nombreux mouvements écologistes profitent du flou de la situation qui existe entre le gouvernement, le monde des affaires et le public pour justifier leurs positions. Évidemment, la raison cède souvent le pas à la passion et les astucieux défenseurs de la terre y perdent, quelquefois, des plumes.

Autres acteurs

Le ministère de l'Environnement du Québec, pour sa part, erre entre les deux partis. Il dispose de peu de ressources humaines et financières et sa mollesse lui est reprochée, malgré sa situation délicate de tampon. Seul, il réclame une politique ferme appuyée par tous les membres du gouvernement et ce à tous les niveaux.

Parmi tout ce fouillis, une quantité non négligeable de mouvements divers se sont aperçus que la discussion et la coopération valaient mieux qu'une guerre de tranchées. Avec le temps, ces groupes en sont venus à prôner des actions plus globales que ponctuelles, non plus dirigées contre une seule entreprise, mais contre l'ensemble des entreprises : ils ont compris que le facteur écologique est source d'une peur justifiée des entreprises, la peur de la non-compétitivité, et que pour vaincre cette peur toutes les entreprises doivent être mises sur le même pied.

Une solution possible

Une solution à envisager pour résoudre le problème de la conciliation de l'économie et de l'écologie consiste en la comptabilisation de l'environnement et de sa protection comme un coût normal de production pour toutes les entreprises. Cette autodiscipline de chacune envers les normes tant économiques qu'environnementales satisfera tout le monde sauf, peut-être, les environnementalistes sans travail.

Irréductibles en apparence, les positions des deux protagonistes principaux de ce débat, les économistes qui prônent la maximisation des profits et les écologistes pour qui il importe avant tout de freiner la pollution croissante, seront sans doute conciliables un jour grâce à la solution comptable selon laquelle l'environnement et sa protection peuvent être comptabilisés comme un coût normal de production. ← Conclusion

Voir tableau **Conclusion**
Voir tableau **Introduction**
Voir tableau **Transition et marqueur de relation**
Voir tableau **Correction**
Voir tableau **Plan**
Voir tableau **Développement**
Voir tableau **Révision**

NOTICE BIBLIOGRAPHIQUE : PRINCIPES GÉNÉRAUX

Plan du tableau

Mise en garde	Ponctuation
Généralités	Classement
Catégories	Abréviations usuelles
Langue	Renseignement manquant

Ensemble conventionnel de renseignements qui portent sur un document (nom de l'auteur, titre, lieu de parution, maison d'édition, année de parution, volume, numéro, etc.) et dont le but est d'en fournir une description aussi précise que possible.

Mise en garde

Toute publication de nature scientifique, universitaire, scolaire, etc., comprend obligatoirement deux types de renseignements bibliographiques qui répondent chacun à des besoins différents :

- La **référence de chaque citation** donne la source précise de la citation. Il existe deux façons de présenter ses références :
  - soit au moyen d'une référence donnée en note (voir tableau **Note de contenu et note de référence**) ;
  - soit à l'aide d'une référence donnée entre parenthèses dans le texte (voir tableau **Références dans le texte**).
- La **bibliographie** est une forme générale de référence aux ouvrages utilisés et elle est composée de notices bibliographiques.
  - Si l'on adopte la première façon de donner les références (c'est-à-dire en note), la bibliographie et les notices bibliographiques sont présentées selon la méthode traditionnelle du tableau **Bibliographie** et des tableaux **Notice bibliographique d'un article, Notice bibliographique d'un livre, Notice bibliographique d'une partie de livre** et **Notice bibliographique d'une publication gouvernementale**.
  - Si l'on adopte la seconde façon de donner les références (soit entre parenthèses et dans le texte), la bibliographie et les notices bibliographiques sont présentées selon la méthode auteur-date du tableau **Bibliographie** et des tableaux **Notice bibliographique d'un article, Notice bibliographique d'un livre, Notice bibliographique d'une partie de livre** et **Notice bibliographique d'une publication gouvernementale**.

En résumé

a) Note de référence
Indication, en note, de la source précise de chaque citation (voir tableau **Note de contenu et note de référence**).

↕

b) Bibliographie selon la méthode traditionnelle
La bibliographie et les notices bibliographiques sont présentées selon la méthode traditionnelle décrite dans les tableaux **Bibliographie** et **Notice bibliographique**.

a) Référence dans le texte
Indication, entre parenthèses et dans le texte, de la source précise de chaque citation (voir tableau **Références dans le texte**).

↕

b) Bibliographie selon la méthode auteur-date
La bibliographie et les notices bibliographiques sont présentées selon la méthode auteur-date décrite dans les tableaux **Bibliographie** et **Notice bibliographique**.

Généralités

uniformité

- Il existe plus d'une façon de présenter une notice bibliographique. Cependant, il importe de respecter une règle fondamentale, celle de l'uniformité de la présentation dans un même texte.

deux méthodes

- Il existe deux façons d'indiquer les notices bibliographiques : la méthode traditionnelle et la méthode auteur-date.
  – La **méthode traditionnelle** est de plus en plus délaissée par les chercheurs de tous les domaines, mais il semble que, dans l'édition, elle soit toujours populaire et la seule acceptée par certains éditeurs. C'est pourquoi elle est décrite, ici bien que la préférence aille à la méthode auteur-date.
  – La **méthode auteur-date** a été retenue en raison des économies de temps et d'espace qu'elle permet.

associations professionnelles

- Certaines associations professionnelles imposent l'emploi de présentations bibliographiques particulières. Ces présentations ne sont pas abordées ici.

Catégories

- Les renseignements contenus dans une notice bibliographique peuvent varier selon la **nature du document décrit**. On distinguera entre la notice bibliographique
  – d'un article,
  – d'un livre,
  – d'une partie de livre,
  – d'une publication gouvernementale.
- Les autres sources peuvent être **assimilées** soit au livre, soit à l'article ou à la partie de livre, à quelques détails près.

Langue

- Dans un texte rédigé en français, la notice bibliographique de toutes les sources sera donnée en **français**.
  Pour des ouvrages écrits dans une langue autre que le français, on donne le titre, le nom des auteurs et celui de la maison d'édition dans la langue d'origine, mais les autres renseignements (tels le mois, le volume, le numéro, etc.) sont en français.
- Longtemps en faveur, les formules latines font maintenant place aux **formules françaises correspondantes**, à l'exception d'*ibid.*, d'*id.*, de *loc. cit.* et d'*op. cit.* Voici une liste des équivalents français de ces formules latines :

Latin	Français
cf.	voir
et al.	et collab.
in	dans
infra	ci-dessous, ci-après
sq., sqq.	et suiv.
supra	ci-dessus

Ponctuation

NOM, prénom.

- Dans la notice bibliographique, contrairement à ce qui se fait pour la note de référence, on met une virgule après le nom de l'auteur et un point après son prénom.

Notice bibliographique	Note de référence
Exemple	**Exemple**
DESCARTES, René.	René Descartes,

autres éléments

- Une virgule sépare les autres éléments de la notice bibliographique. Le dernier élément, quant à lui, est suivi d'un point.

Méthode auteur-date

Exemple

RABELAIS, François. 1962, *Œuvres complètes*, introduction, notes, bibliographie et variantes par Pierre Jourda, Paris, Garnier, 2 tomes.

Méthode traditionnelle

Exemple

RABELAIS, François. *Œuvres complètes*, introduction, notes, bibliographie et variantes par Pierre Jourda, Paris, Garnier, 1962, 2 tomes.

logiciels de bibliographie

- Certains logiciels permettent un traitement informatisé des descriptions bibliographiques et font appel à une ponctuation plus complexe que celle qui est conseillée ici. Ces normes compliquent inutilement la présentation des bibliographies dans un contexte non spécialisé, où c'est le respect de l'exactitude des renseignements qui importe.

Classement

ordre alphabétique

- Les notices bibliographiques sont classées par ordre alphabétique du nom de l'auteur, ou du premier auteur s'il y en a plusieurs.

ordre chronologique

- Si la bibliographie comprend plusieurs notices d'un même auteur, les textes de cet auteur se succèdent par ordre chronologique.

Méthode auteur-date

Exemple

VILLERS, Marie-Éva de. 1992, *Multidictionnaire des difficultés de la langue française*, 2e éd. mise à jour et enr., Montréal, Québec / Amérique, 1324 p.

VILLERS, Marie-Éva de. 1993, *la Grammaire en tableaux*, 2e éd. mise à jour et enr., Montréal, Québec / Amérique, 190 p.

Méthode traditionnelle

Exemple

VILLERS, Marie-Éva de. *Multidictionnaire des difficultés de la langue française*, 2e éd. mise à jour et enr., Montréal, Québec / Amérique, 1992, 1324 p.

VILLERS, Marie-Éva de. *La Grammaire en tableaux*, 2e éd. mise à jour et enr., Montréal, Québec / Amérique, 1993, 190 p.

ouvrage anonyme

- Les ouvrages anonymes sont placés dans la liste de ceux dont l'auteur est nommé et classés selon l'ordre alphabétique de leur titre. On n'indique pas la mention *anonyme* ; on commence directement avec le titre.

Abréviations usuelles

coll.	collection	s. l.	sans lieu
éd. ent. rev. et aug.	édition entièrement revue et augmentée	s. l. n. d.	sans lieu ni date
et collab.	et collaborateurs	s. p.	sans pagination
pag. mult.	pagination multiple	t.	tome
s. d.	sans date	vol.	volume
s. é.	sans éditeur		

Renseignement manquant

Si l'on ne trouve pas tous les renseignements demandés, on peut utiliser une des abréviations suivantes en lieu et place : s. d., s. é., s. l., s. l. n. d., s. p.

Voir tableau **Bibliographie**
Voir tableau **Note de contenu et note de référence**
Voir tableau **Notice bibliographique d'un article**
Voir tableau **Notice bibliographique d'un livre**
Voir tableau **Notice bibliographique d'une partie de livre**
Voir tableau **Notice bibliographique d'une publication gouvernementale**
Voir tableau **Références dans le texte**
Voir tableau **Titre d'œuvre : Règles d'écriture**

NOTICE BIBLIOGRAPHIQUE D'UN ARTICLE

Ensemble conventionnel de renseignements qui portent sur un article (nom de l'auteur, titre, titre du périodique, volume, numéro, date, pagination, etc.).

On trouve ces renseignements dans la table des matières et le générique du périodique.

Plan du tableau

Domaines d'emploi

Cette description vaut pour un article de périodique, un cahier de recherche, etc., c'est-à-dire tout texte faisant partie d'une publication en série.

Une publication en série est une publication éditée en plusieurs parties successives qui comporte des indications numériques ou chronologiques et dont la durée peut s'étaler indéfiniment dans le temps.

Ponctuation

Le titre d'un article est suivi soit d'une virgule, soit de la préposition *dans*.

Méthode auteur-date

Renseignements → **Explications**

Article

Auteur → **Nom de personne ou de collectivité**

Dans une bibliographie, le nom de l'auteur précède son prénom et est écrit en majuscules.
Le nom d'une collectivité s'écrit en minuscules, sauf pour la majuscule initiale.

Date → **Année de parution**

Titre → **Titre et sous-titre, s'il y a lieu**

Un titre et un sous-titre d'article sont toujours présentés **entre guillemets**. On ne met qu'une seule paire de guillemets pour les deux mentions. Un deux-points sépare titre et sous-titre.

Document hôte

Titre → **Titre du périodique**

Le titre est en italique.
Lorsque l'on donne la notice bibliographique d'un article de journal, on précise habituellement le nom du journal suivi du nom de la ville entre parenthèses. Ex. : *El País* (Madrid). On peut cependant omettre le nom de la ville s'il est bien connu des lecteurs ou s'il est compris dans le nom du journal (ex. : *The Toronto Star*).

Désignation de la livraison → **Volume, numéro, date (jour, mois) en français**

Localisation dans le document hôte → **Pagination de l'article**

Exemples

Article de périodique

Exemples

NOËL, Alain. 1991, « Les leçons de cas de Lavalin (1) : La diversification s'imposait pour parer aux effets des récessions », *la Presse*, vol. 107, n° 293 (17 août), p. B3.

GARCÍA-SABELL, Domingo. 1984, « Sobre una carta y unos versos », *El País* (Madrid), 16 août, p. 7.

DEMERS, Christiane. 1991, « Le changement radical vu de l'intérieur : La diffusion stratégique dans les organisations complexes », *Gestion*, vol. 16, n° 2 (mai), p. 22-31.

DICKINSON, John A. et Brian YOUNG. 1991, « Periodization in Quebec History : A Reevaluation », *Québec Studies*, vol. 12 (printemps-été), p. 1-10.

BAILLARGEON, Stéphane. 1990, « Bon français, bonnes affaires », *l'Actualité*, vol. 15, n° 19 (1er décembre), p. 51.

Cahier de recherche

Exemple

CUSSON, René. 1991, « Note sur la détermination du degré de confiance des sondages de conformité », *Cahiers de recherche HEC*, n° 91-15 (juillet), 13 p.

Compte rendu dans une revue

Exemples

AMESSE, Fernand. 1994, compte rendu de *les Transferts de technologie*, de D. Rouach et J. Klazmann (Paris, PUF, coll. « Que sais-je? », 1994, 126 p.) dans *Gestion*, vol. 19, n° 4 (décembre), p. 93-94.

MELANÇON, Benoît. 1984, compte rendu de *Volkswagen Blues*, de Jacques Poulin (Montréal, Québec / Amérique, coll. « Littérature d'Amérique ») dans *Canadian Literature*, n° 103 (hiver), p. 111-113.

Méthode traditionnelle

Renseignements ⟶ **Explications**

Article

Auteur ⟶ **Nom de personne ou de collectivité**

Dans une bibliographie, le nom de l'auteur précède son prénom et est écrit en majuscules. Le nom d'une collectivité s'écrit en minuscules, sauf pour la majuscule initiale.

Titre ⟶ **Titre et sous-titre, s'il y a lieu**

Un titre et un sous-titre d'article sont toujours présentés **entre guillemets**. On ne met qu'une seule paire de guillemets pour les deux mentions. Un deux-points sépare titre et sous-titre.

Document hôte

Titre ⟶ **Titre du périodique**

Le titre est en italique.
Lorsque l'on donne la notice bibliographique d'un article de journal, on précise habituellement le nom du journal suivi du nom de la ville entre parenthèses. Ex. : *El País* (Madrid). On peut cependant omettre le nom de la ville s'il est bien connu des lecteurs ou s'il est compris dans le nom du journal (ex. : *The Toronto Star*).

Désignation de la livraison ⟶ **Volume, numéro, date (jour, mois, année) en français**

Localisation dans le document hôte ⟶ **Pagination de l'article**

Exemples

Article de périodique

Exemples

NOËL, Alain. « Les leçons de cas de Lavalin (1) : La diversification s'imposait pour parer aux effets des récessions », *la Presse,* vol. 107, n° 293 (17 août 1991), p. B3.

GARCÍA-SABELL, Domingo. « Sobre una carta y unos versos », *El País* (Madrid), 16 août 1984, p. 7.

DEMERS, Christiane. « Le changement radical vu de l'intérieur : La diffusion stratégique dans les organisations complexes », *Gestion*, vol. 16, n° 2 (mai 1991), p. 22-31.

DICKINSON, John A. et Brian YOUNG. « Periodization in Quebec History : A Reevaluation », *Québec Studies*, vol. 12 (printemps-été 1991), p. 1-10.

BAILLARGEON, Stéphane. « Bon français, bonnes affaires », *l'Actualité*, vol. 15, n° 19 (1er décembre 1990), p. 51.

Cahier de recherche

Exemple

CUSSON, René. « Note sur la détermination du degré de confiance des sondages de conformité », *Cahiers de recherche HEC*, n° 91-15 (juillet 1991), 13 p.

Compte rendu dans une revue

Exemples

AMESSE, Fernand. Compte rendu de *les Transferts de technologie*, de D. Rouach et J. Klazmann (Paris, PUF, coll. « Que sais-je? », 1994, 126 p.) dans *Gestion*, vol. 19, n° 4 (décembre 1994), p. 93-94.

MELANÇON, Benoît. Compte rendu de *Volkswagen Blues*, de Jacques Poulin (Montréal, Québec / Amérique, coll. « Littérature d'Amérique ») dans *Canadian Literature*, n° 103 (hiver 1984), p. 111-113.

Voir tableau **Bibliographie**
Voir tableau **Note de contenu et note de référence**
Voir tableau **Notice bibliographique : Principes généraux**
Voir tableau **Notice bibliographique d'un livre**
Voir tableau **Notice bibliographique d'une partie de livre**
Voir tableau **Notice bibliographique d'une publication gouvernementale**
Voir tableau **Références dans le texte**
Voir tableau **Titre d'œuvre : Règles d'écriture**

NOTICE BIBLIOGRAPHIQUE D'UN LIVRE

Ensemble conventionnel de renseignements sur un livre (nom de l'auteur, titre, lieu de parution, maison d'édition, année de parution, pagination, etc.) dont le but est d'en fournir une description aussi précise que possible.

On trouve ces renseignements dans la page de titre et au verso de la page de titre d'un livre.

Plan du tableau

Méthode auteur-date

Renseignements	Explications
Auteur	**Nom de personne ou de collectivité** Dans une bibliographie, le nom de l'auteur précède son prénom et est écrit en majuscules. Le nom d'une collectivité s'écrit en minuscules, sauf pour la majuscule initiale.
Date	**Année de parution** On indique l'année la plus récente.
Titre	**Titre et sous-titre, s'il y a lieu** Le titre et le sous-titre sont en italique. Un deux-points sépare titre et sous-titre.
Auteur secondaire	**Nom du préfacier, du traducteur, de l'illustrateur, du directeur scientifique, du présentateur, de l'auteur de l'avant-propos, de la postface, des notices, des notes, etc.**, si ces renseignements sont pertinents.
Édition	**Numéro de l'édition, mentions spéciales concernant l'édition** On ne signale pas une première édition.
Adresse bibliographique	**Lieu, éditeur** Le nom de l'éditeur est inscrit dans la notice de la façon dont il apparaît dans le document recensé. L'article initial est normalement omis ainsi que les termes accessoires tels que « ltée », « cie », « inc. » et parfois même les termes « les Éditions » ou « Éditeur ».
Collection	**Titre et numérotation, s'il y a lieu**
Pagination	**Nombre de volumes (s'il y a lieu) ou de pages** Si les pages liminaires sont paginées en chiffres romains, on doit le mentionner.

Exemples

Un seul auteur

Exemple

CHASSAY, Jean-François. 1991, *Obsèques*, Montréal, Leméac, 243 p.

Un seul auteur, auteur secondaire

Exemples

LANGLOIS, Jean-Pierre. 1988, *Dictionnaire économique québécois*, préf. de Jacques Forget, Montréal, Publications Transcontinental, coll. « L'économie », E1, 194 p.

ROY, Gabrielle. 1988, *Ma chère petite sœur : Lettres à Bernadette 1943-1970*, éd. préparée par François Ricard, Montréal, Boréal, 259 p.

Langue étrangère

Exemple

WOOLF, Virginia. 1978, *The Diary of Virginia Woolf, 1920-1924*, éd. préparée par Anne Olivier Bell, Londres, Hogarth Press, vol. II, 371 p.

Deux ou trois auteurs

Exemples

ACERRA, Martine et Jean MEYER. 1988, *Marines et révolution*, s.l., Ouest-France, 285 p.

CRÔTEAU, Omer, Léo-Paul OUELLETTE et Vernet FÉLIX. 1977, *Comptabilité de gestion*, Montréal, Éditions du Renouveau pédagogique, 611 p.

Lorsqu'il y a plus d'un auteur, il faut respecter l'ordre qui est donné sur la page de titre de l'ouvrage, même si ce n'est pas l'ordre alphabétique.

Plus de trois auteurs, numéro d'édition

Exemple

WATSON, Collin J. et collab. 1990, *Statistics for Management and Economics*, 4e éd., Boston, Allyn and Bacon, 992 p.

Avec sous-titre

Exemple

L'HERMITTE-LECLERCQ, Paulette. 1989, *le Monachisme féminin dans la société de son temps : Le Monastère de La Celle (XIe - début du XVIe siècle)*, préf. de Pierre-Roger Gaussin, Paris, Éditions Cujas, 359 p.

PICARD, Pierre. 1990, *Éléments de microéconomie : Théorie et applications*, 2e éd., Paris, Montchrestien, coll. « Domat économie », 563 p.

Numéro d'édition, mentions spéciales concernant l'édition ; deux lieux de parution

Exemple

GREVISSE, Maurice. 1986, *le Bon Usage*, 12e éd. refondue par André Goosse, Paris et Gembloux, Duculot, 1768 p.

Collectivité auteur

Exemple

Université de Montréal. Faculté des études supérieures. 1994, *Procédure d'acceptation et guide de présentation des mémoires et thèses,* 4e éd., Montréal, Université de Montréal, Faculté des études supérieures, 62 p.

Direction scientifique

Exemples

L'Individu dans l'organisation : Les Dimensions oubliées, 1990, sous la direction de Jean-François Chanlat, Québec, Presses de l'Université Laval et Eska, coll. « Sciences de l'administration », 842 p.

CHANLAT, Jean-François (dir.). 1990, *l'Individu dans l'organisation : Les Dimensions oubliées,* Québec, Presses de l'Université Laval et Eska, coll. « Sciences de l'administration », 842 p.

Il y a deux façons d'indiquer la direction scientifique.

Collection

Exemples

ARNOLD, Odile. 1984, *le Corps et l'âme : La Vie des religieuses au XIXe siècle,* Paris, Seuil, coll. « L'univers historique », 373 p.

CULMANN, Henri. 1957, *les Mécanismes économiques,* 3e éd., Paris, PUF, coll. « Que sais-je? », n° 27, 133 p.

Le nom *collection* s'abrège à moins qu'il ne fasse partie intégrante du nom de la collection.

Coédition

Exemple

CHASSAY, Jean-François. 1992, *le Jeu des coïncidences dans* la Vie mode d'emploi *de Georges Perec,* Paris, Le Castor Astral ; Montréal, Hurtubise HMH, 172 p.

Actes d'un colloque

Exemples

MELANÇON, Benoît et Pierre POPOVIC (dir.). 1993, *les Facultés des lettres : Recherches récentes sur l'épistolaire français et québécois,* Actes du colloque tenu à l'Université de Montréal les 14 et 15 mai 1992 dans le cadre du 60e Congrès de l'Association canadienne-française pour l'avancement des sciences, Montréal, Université de Montréal, Département d'études françaises, Centre universitaire pour la sociopoétique de l'épistolaire et des correspondances (CULSEC), 241 p.

La Mosaïque gréco-romaine II : IIe Colloque international pour l'étude de la mosaïque antique (Vienne, 30 août — 4 septembre 1971), 1975, Paris, Picard, 446 p.

Titre du tome ou du volume d'un ouvrage, différents auteurs

Exemple

DIONNE, René. 1978, *la Patrie littéraire 1760-1895* dans *Anthologie de la littérature québécoise,* sous la direction de Gilles Marcotte, Montréal, La Presse, vol. II, 516 p.

Mémoire et thèse

Exemples

BIRON, Michel. 1987, « Idéologie et poésie : Un poème de Paul-Marie Lapointe », mémoire de maîtrise, Montréal, Université de Montréal, Faculté des arts et des sciences, Département d'études françaises, 150 p.

DEMERS, Christiane. 1990, « La diffusion stratégique en situation de complexité : Hydro-Québec, un cas de changement mondial », thèse de doctorat, Montréal, École des Hautes Études Commerciales, IX-292 p.

Lorsque la thèse ou le mémoire sont publiés sous forme de livres, leur notice bibliographique est alors celle d'un livre. Le titre se met alors en italique, et non entre guillemets.

Ouvrage en plusieurs tomes ou volumes

Exemple

ROBERT, Paul. 1988, *Dictionnaire alphabétique et analogique de la langue française : Le Grand Robert de la langue française*, 2e éd. ent. rev. et enr. par Alain Rey, Paris, Le Robert, 9 vol.

Le numéro du tome ou du volume s'écrit en chiffres romains, mais le nombre total de volumes ou de tomes s'écrit en chiffres arabes. Exemples : *Consulter le volume* XI. *L'encyclopédie compte 11 volumes.*

Sans auteur

Exemples

Code typographique : Choix de règles à l'usage des auteurs et des professionnels du livre, 1989, 16e éd., Paris, Fédération C.G.C. de la communication, 121 p.

Guide du rédacteur de l'administration fédérale, 1988, 2e éd., Ottawa, Secrétariat d'État, Direction de l'information, Bureau des traductions, 218 p.

Plusieurs livres du même auteur publiés la même année

Exemple

AKTOUF, Omar. 1986a, *les Sciences de la gestion et les ressources humaines : Une analyse critique,* Alger, Entreprise nationale du livre et Office des publications universitaires, 201 p.

AKTOUF, Omar. 1986b, *le Travail industriel contre l'homme? : Une approche ethnographique de l'entreprise et une perspective « industrielle »*, Alger, Entreprise nationale du livre, 365 p.

On classe les livres d'un même auteur publiés la même année par ordre alphabétique.

Pagination liminaire en chiffres romains

Exemple

COLETTE, Gabrielle-Sidonie. 1984,*Œuvres I*, éd. publiée sous la direction de Claude Pichois, Paris, Gallimard, coll. « Bibliothèque de la Pléiade », n° 314, CLVI-1686 p.

Méthode traditionnelle

Renseignements	Explications
Auteur	**Nom de personne ou de collectivité** Dans une bibliographie, le nom de l'auteur précède son prénom et est écrit en majuscules. Le nom d'une collectivité s'écrit en minuscules, sauf pour la majuscule initiale.
Titre	**Titre, et sous-titre s'il y a lieu** Le titre et le sous-titre sont en italique. Un deux-points sépare titre et sous-titre.
Auteur secondaire	**Nom du préfacier, du traducteur, de l'illustrateur, du directeur scientifique, du présentateur, de l'auteur de l'avant-propos, de la postface, des notices, des notes, etc.**, si ces renseignements sont pertinents.
Édition	**Numéro de l'édition, mentions spéciales concernant l'édition** On ne signale pas une première édition.
Adresse bibliographique	**Lieu, éditeur** Le nom de l'éditeur est inscrit dans la notice de la façon dont il apparaît dans le document recensé. L'article initial est normalement omis ainsi que les termes accessoires tels que « ltée », « cie », « inc. » et parfois même les termes « les Éditions » ou « Éditeur ».
Collection	**Titre et numérotation, s'il y a lieu**
Date	**Année de parution** On indique l'année la plus récente.
Pagination	**Nombre de volumes (s'il y a lieu) ou de pages** Si les pages liminaires sont paginées en chiffres romains, on doit le mentionner.

Exemples

Un seul auteur

Exemple

CHASSAY, Jean-François. *Obsèques*, Montréal, Leméac, 1991, 243 p.

Un seul auteur, auteur secondaire

Exemples

LANGLOIS, Jean-Pierre. *Dictionnaire économique québécois*, préf. de Jacques Forget, Montréal, Publications Transcontinental, coll. « L'économie », E1, 1988, 194 p.

ROY, Gabrielle. *Ma chère petite sœur : Lettres à Bernadette 1943-1970*, éd. préparée par François Ricard, Montréal, Boréal, 1988, 259 p.

Langue étrangère

Exemple

WOOLF, Virginia. *The Diary of Virginia Woolf*, 1920-1924, éd. préparée par Anne Olivier Bell, Londres, Hogarth Press, 1978, vol. II, 371 p.

Deux ou trois auteurs

Exemples

ACERRA, Martine et Jean MEYER. *Marines et révolution*, s.l., Ouest-France, 1988, 285 p.

CRÔTEAU, Omer, Léo-Paul OUELLETTE et Vernet FÉLIX. *Comptabilité de gestion*, Montréal, Éditions du Renouveau pédagogique, 1977, 611 p.

Lorsqu'il y a plus d'un auteur, il faut respecter l'ordre qui est donné sur la page de titre de l'ouvrage, même si ce n'est pas l'ordre alphabétique.

Plus de trois auteurs, numéro d'édition

Exemple

WATSON, Collin J. et collab. *Statistics for Management and Economics,* 4e éd., Boston, Allyn and Bacon, 1990, 992 p.

Avec sous-titre

Exemples

L'HERMITTE-LECLERCQ, Paulette. *Le Monachisme féminin dans la société de son temps : Le Monastère de La Celle (XIe - début du XVIe siècle)*, préf. de Pierre-Roger Gaussin, Paris, Éditions Cujas, 1989, 359 p.

PICARD, Pierre. *Éléments de microéconomie : Théorie et applications*, 2e éd., Paris, Montchrestien, coll. « Domat économie », 1990, 563 p.

Numéro d'édition, mentions spéciales concenant l'édition ; deux lieux de parution

Exemple

GREVISSE, Maurice. *Le Bon Usage*, 12e éd. refondue par André Goosse, Paris et Gembloux, Duculot, 1986, 1768 p.

Collectivité auteur

Exemple

Université de Montréal. Faculté des études supérieures. *Procédure d'acceptation et guide de présentation des mémoires et thèses,* 4e éd., Montréal, Université de Montréal, Faculté des études supérieures, 1994, 62 p.

Direction scientifique

Exemples

L'Individu dans l'organisation : Les Dimensions oubliées, sous la direction de Jean-François Chanlat, Québec, Presses de l'Université Laval et Eska, coll. « Sciences de l'administration », 1990, 842 p.

CHANLAT, Jean-François (dir.). *L'Individu dans l'organisation : Les Dimensions oubliées*, Québec, Presses de l'Université Laval et Eska, coll. « Sciences de l'administration », 1990, 842 p.

Il y a deux façons d'indiquer la direction scientifique.

Collection

Exemples

ARNOLD, Odile. *Le Corps et l'âme : La Vie des religieuses au XIXe siècle*, Paris, Seuil, coll. « L'univers historique », 1984, 373 p.

CULMANN, Henri. *Les Mécanismes économiques*, 3e éd., Paris, PUF, coll. « Que sais-je? », n° 27, 1957, 133 p.

☞ Le nom *collection* s'abrège à moins qu'il ne fasse partie intégrante du nom de la collection.

Coédition

Exemple

CHASSAY, Jean-François. *Le Jeu des coïncidences dans* la Vie mode d'emploi *de Georges Perec*, Paris, Le Castor Astral ; Montréal, Hurtubise HMH, 1992, 172 p.

Actes d'un colloque

Exemples

MELANÇON, Benoît et Pierre POPOVIC (dir.). *Les Facultés des lettres : Recherches récentes sur l'épistolaire français et québécois,* Actes du colloque tenu à l'Université de Montréal les 14 et 15 mai 1992 dans le cadre du 60e Congrès de l'Association canadienne-française pour l'avancement des sciences, Montréal, Université de Montréal, Département d'études françaises, Centre universitaire pour la sociopoétique de l'épistolaire et des correspondances (CULSEC), 1993, 241 p.

La Mosaïque gréco-romaine II : IIe Colloque international pour l'étude de la mosaïque antique (Vienne, 30 août — 4 septembre 1971), Paris, Picard, 1975, 446 p.

Titre du tome ou du volume d'un ouvrage, différents auteurs

Exemple

DIONNE, René. *La Patrie littéraire 1760-1895* dans *Anthologie de la littérature québécoise*, sous la direction de Gilles Marcotte, Montréal, La Presse, 1978, vol. II, 516 p.

Mémoire et thèse

Exemple

BIRON, Michel. « Idéologie et poésie : Un poème de Paul-Marie Lapointe », mémoire de maîtrise, Montréal, Université de Montréal, Faculté des arts et des sciences, Département d'études françaises, 1987, 150 p.

DEMERS, Christiane. « La diffusion stratégique en situation de complexité : Hydro-Québec, un cas de changement mondial », thèse de doctorat, Montréal, École des Hautes Études Commerciales, 1990, IX-292 p.

☞ Lorsque la thèse ou le mémoire sont publiés sous forme de livres, leur notice bibliographique est alors celle d'un livre. Le titre se met alors en italique, et non entre guillemets.

Ouvrage en plusieurs tomes ou volumes

Exemple

ROBERT, Paul. *Dictionnaire alphabétique et analogique de la langue française : Le Grand Robert de la langue française,* 2e éd. ent. rev. et enr. par Alain Rey, Paris, Le Robert, 1988, 9 vol.

Le numéro du tome ou du volume s'écrit en chiffres romains, mais le nombre total de volumes ou de tomes s'écrit en chiffres arabes. Exemples : *Consulter le volume* XI. *L'encyclopédie compte 11 volumes.*

Sans auteur

Exemples

Code typographique : Choix de règles à l'usage des auteurs et des professionnels du livre, 16e éd., Paris, Fédération C.G.C. de la communication, 1989, 121 p.

Guide du rédacteur de l'administration fédérale, 2e éd., Ottawa, Secrétariat d'État, Direction de l'information, Bureau des traductions, 1988, 218 p.

Pagination liminaire en chiffres romains

Exemple

COLETTE, Gabrielle-Sidonie. *Œuvres I*, éd. publiée sous la direction de Claude Pichois, Paris, Gallimard, coll. « Bibliothèque de la Pléiade », n° 314, 1984, CLVI-1686 p.

Voir tableau **Bibliographie**
Voir tableau **Note de contenu et note de référence**
Voir tableau **Notice bibliographique : Principes généraux**
Voir tableau **Notice bibliographique d'un article**
Voir tableau **Notice bibliographique d'une partie de livre**
Voir tableau **Notice bibliographique d'une publication gouvernementale**
Voir tableau **Références dans le texte**
Voir tableau **Titre d'œuvre : Règles d'écriture**

Notice bibliographique d'une partie de livre

Ensemble conventionnel de renseignements tirés de la page de titre et du verso de la page de titre du document hôte ainsi que des pages de la partie dont il est question.

Plan du tableau

Partie de livre

- Chapitre ou section d'un livre
- Essai, poème, nouvelle tirés d'un recueil
- Article ou chapitre d'un ouvrage collectif
- Article de dictionnaire, d'encyclopédie

On ne peut assimiler un article de périodique à une partie de livre, car l'article paraît dans des publications en série qui exigent une description bibliographique particulière.

Présentation

- La notice bibliographique d'une partie de livre se présente de la même façon que celle d'un livre, sauf qu'il y a quelques **renseignements supplémentaires** à inclure concernant la contribution précise qu'on présente.
- On énumère d'abord les renseignements concernant la **contribution**, puis ceux concernant le document dans lequel se trouve cette contribution (le **document hôte**).

Ponctuation

Le titre d'une partie de livre est suivi soit d'une virgule, soit de la préposition *dans*.

Méthode auteur-date

Renseignements →	Explications
Contribution	
Auteur →	**Nom de personne ou de collectivité** ☞ Dans une bibliographie, le nom de l'auteur précède son prénom et est écrit en majuscules. Le nom d'une collectivité s'écrit en minuscules, sauf pour la majuscule initiale.
Date →	**Année de parution**
Titre →	**Titre et sous-titre, s'il y a lieu** ☞ Un titre et un sous-titre d'une partie de livre sont toujours présentés **entre guillemets**. Un deux-points sépare titre et sous-titre.
Document hôte	
Auteur →	**Prénom puis nom de l'auteur, s'il est différent de celui de l'auteur de la contribution** ☞ Le prénom précède le nom, car ces renseignements ne servent pas au classement alphabétique. Le nom de l'auteur s'écrit en minuscules, avec la majuscule initiale.
Titre →	**Titre et sous-titre, s'il y a lieu** ☞ Le titre et le sous-titre sont en italique. Un deux-points sépare titre et sous-titre.
Auteur secondaire →	**Nom du préfacier, du traducteur, de l'illustrateur, du directeur scientifique, du présentateur, etc.**, si ces renseignements sont pertinents.
Édition →	**Numéro de l'édition, mentions spéciales concernant l'édition** ☞ On ne signale pas une première édition.
Adresse bibliographique →	**Lieu, éditeur** ☞ Le nom de l'éditeur est inscrit dans la notice de la façon dont il apparaît dans le document recensé. L'article initial est normalement omis ainsi que les termes accessoires tels que « ltée », « cie », « inc. » et parfois même les termes « les Éditions » ou « Éditeur ».
Collection →	**Titre et numérotation, s'il y a lieu**
Localisation dans le document hôte →	**Pagination de la partie de livre**

Exemples

Texte dans un ouvrage collectif

Exemple

HAREL GIASSON, Francine. 1990, « Femmes gestionnaires – L'actrice et l'organisation » dans *l'Individu dans l'organisation : Les Dimensions oubliées*, sous la direction de Jean-François Chanlat, Québec, Presses de l'Université Laval et Eska, coll. « Sciences de l'administration », p. 407-416.

Contribution à des Actes de colloque

Exemple

GOYARD-FABRE, Simone. 1988, « La justice : Idée ou institution? » dans Vincent Cauchy (dir.), *Philosophie et culture : Actes du XVIIe Colloque mondial de philosophie, Montréal, 1983 / Philosophy and Culture : Proceedings of the XVIIth World Congress of Philosophy*, Montréal, Éditions Montmorency, vol. V, p. 143-145.

Article de dictionnaire

Exemple

GRIMAL, Pierre. 1963, « Mercure », *Dictionnaire de la mythologie grecque et romaine*, préf. de Charles Picard, 3e éd., Paris, Presses universitaires de France, p. 292.

Poème dans un recueil

Exemple

CHAR, René. 1988, « Congé au vent », *Fureur et mystère*, préf. d'Yves Berger, Paris, Gallimard, coll. « Poésie », no 15, p. 20.

Chapitre de livre

Exemple

DUMONT, Gérard-François. 1982, « Un environnement planétaire » dans *Apprendre l'économie*, préf. d'Alfred Sauvy, Paris, Economica, p. 137-203.

Article d'encyclopédie

Exemples

BARDOS, Jean-Pierre. 1984, « Bibliothèques » dans *Encyclopædia Universalis*, Paris, Encyclopædia Universalis, corpus III, p. 590-593.

ZARDET, Véronique. 1989, « Systèmes et politiques de rémunération du personnel », Patrick Joffre et Yves Simon (dir.), *Encyclopédie de gestion*, présentation de Jean-Maurice Esnault, Paris, Economica, t. III, p. 2837-2866.

Plusieurs notices du même auteur la même année

Exemples

CHOUILLET, Anne-Marie. 1988a. « Problèmes généraux posés par l'utilisation d'un index des formes lexicales : Exemple des *Lettres à Sophie Volland* » dans Hisayasu Nakagawa (dir.), *Diderot – le XVIIIe siècle en Europe et au Japon : Colloque franco-japonais. Université de Kyoto (19-23 novembre 1984)*, Nagoya, Centre Kawai pour la culture et la pédagogie, p. 81-87.

CHOUILLET, Anne-Marie. 1988b. « Autour de Condorcet », *Recherches sur Diderot et l'Encyclopédie*, no 5, octobre, p. 175-176.

Méthode traditionnelle

Renseignements →	Explications
Contribution	
Auteur →	**Nom de personne ou de collectivité** ☞ Dans une bibliographie, le nom de l'auteur précède son prénom et est écrit en majuscules. Le nom d'une collectivité s'écrit en minuscules, sauf pour la majuscule initiale.
Titre →	**Titre et sous-titre, s'il y a lieu** ☞ Un titre et un sous-titre d'une partie de livre sont toujours présentés **entre guillemets**. Un deux-points sépare titre et sous-titre.
Document hôte	
Auteur →	**Prénom puis nom de l'auteur, s'il est différent de celui de l'auteur de la contribution** ☞ Le prénom précède le nom, car ces renseignements ne servent pas au classement alphabétique. Le nom de l'auteur s'écrit en minuscules, avec la majuscule initiale.
Titre →	**Titre et sous-titre, s'il y a lieu** ☞ Le titre et le sous-titre sont en italique. Un deux-points sépare titre et sous-titre.
Auteur secondaire →	**Nom du préfacier, du traducteur, de l'illustrateur, du directeur scientifique, du présentateur, etc.**, si ces renseignements sont pertinents.
Édition →	**Numéro de l'édition, mentions spéciales concernant l'édition** ☞ On ne signale pas une première édition.
Adresse bibliographique →	**Lieu, éditeur** ☞ Le nom de l'éditeur est inscrit dans la notice de la façon dont il apparaît dans le document recensé. L'article initial est normalement omis ainsi que les termes accessoires tels que « ltée », « cie », « inc. » et parfois même les termes « les Éditions » ou « Éditeur ».
Collection →	**Titre et numérotation, s'il y a lieu**
Date →	**Année de parution**
Localisation dans le document hôte →	**Pagination de la partie de livre**

Exemples

Texte dans un ouvrage collectif

Exemple

HAREL GIASSON, Francine. « Femmes gestionnaires – L'actrice et l'organisation » dans *l'Individu dans l'organisation : Les Dimensions oubliées*, sous la direction de Jean-François Chanlat, Québec, Presses de l'Université Laval et Eska, coll. « Sciences de l'administration », 1990, p. 407-416.

Contribution à des Actes de colloque

Exemple

GOYARD-FABRE, Simone. « La justice : idée ou institution? » dans Vincent Cauchy (dir.), *Philosophie et culture : Actes du XVIIe Colloque mondial de philosophie, Montréal, 1983 / Philosophy and Culture : Proceedings of the XVIIth World Congress of Philosophy*, Montréal, Éditions Montmorency, 1988, vol. V, p. 143-145.

Article de dictionnaire

Exemple

GRIMAL, Pierre. « Mercure », *Dictionnaire de la mythologie grecque et romaine*, préf. de Charles Picard, 3e éd., Paris, Presses universitaires de France, 1963, p. 292.

Poème dans un recueil

Exemple

CHAR, René. « Congé au vent », *Fureur et mystère*, préf. d'Yves Berger, Paris, Gallimard, coll. « Poésie », n° 15, 1988, p. 20.

Chapitre de livre

Exemple

DUMONT, Gérard-François. « Un environnement planétaire » dans *Apprendre l'économie*, préf. d'Alfred Sauvy, Paris, Economica, 1982, p. 137-203.

Article d'encyclopédie

Exemples

BARDOS, Jean-Pierre. « Bibliothèques » dans *Encyclopædia Universalis*, Paris, Encyclopædia Universalis, 1984, corpus III, p. 590-593.

ZARDET, Véronique. « Systèmes et politiques de rémunération du personnel », Patrick Joffre et Yves Simon (dir.), *Encyclopédie de gestion*, présentation de Jean-Maurice Esnault, Paris, Economica, 1989, t. III, p. 2837-2866.

Voir tableau **Bibliographie**
Voir tableau **Note de contenu et note de référence**
Voir tableau **Notice bibliographique : Principes généraux**
Voir tableau **Notice bibliographique d'un article**
Voir tableau **Notice bibliographique d'un livre**
Voir tableau **Notice bibliographique d'une publication gouvernementale**
Voir tableau **Références dans le texte**
Voir tableau **Titre d'œuvre : Règles d'écriture**

Notice bibliographique d'une publication gouvernementale

Plan du tableau

Ensemble conventionnel de renseignements tirés de la page de titre et du verso de la page de titre d'une publication gouvernementale.

Publication gouvernementale

- Exposés de politique
- Normes
- Directives
- Rapports de commission
- Mémoires

Présentation

- La notice bibliographique d'une publication gouvernementale ou officielle se présente **de la même façon que celle d'un livre**, sauf en ce qui concerne l'auteur.
- La caractéristique principale d'une publication gouvernementale est d'avoir comme auteur un organisme public. Comme ces organismes ont généralement de longues dénominations comportant souvent plusieurs niveaux administratifs, **il est préférable de ne pas utiliser des majuscules pour indiquer le nom de l'auteur**, car cette présentation est particulièrement inélégante.

Méthode auteur-date

Cas généraux

Exemples

Délégation générale à la langue française. 1991, *Dictionnaire des termes officiels*, Paris, Direction des journaux officiels, 306 p.

Québec (Gouvernement du). Commission de toponymie. 1983, *Guide à l'intention des éditeurs et des rédacteurs de manuels scolaires*, Québec, Éditeur officiel du Québec, 41 p.

Canada. Ministère des Travaux publics. 1979, *Lexique bilingue de termes et expressions utilisés dans les bureaux / Bilingual Glossary of Terms and Expressions Used in the Office*, Hull, Approvisionnements et Services Canada, 20 p.

Auteur individuel mentionné

Exemple

Statistique Canada. 1978, *la Division de mots en français / Word Division in French*, préparé par Gérard D. Fontaine, Ottawa, Approvisionnements et Services Canada, 287 p.

Travaux d'une commission, d'un comité

Exemple

Canada (Gouvernement du). Commission royale sur le développement des technologies de l'information au Canada. 1995, *Rapport*, sous la présidence de Svend Robinson, Ottawa, Approvisionnements et Services Canada, 3 vol.

Méthode traditionnelle

Cas généraux

Exemples

Délégation générale à la langue française. *Dictionnaire des termes officiels*, Paris, Direction des journaux officiels, 1991, 306 p.

Québec (Gouvernement du). Commission de toponymie. *Guide à l'intention des éditeurs et des rédacteurs de manuels scolaires*, Québec, Éditeur officiel du Québec, 1983, 41 p.

Canada. Ministère des Travaux publics. *Lexique bilingue de termes et expressions utilisés dans les bureaux / Bilingual Glossary of Terms and Expressions Used in the Office*, Hull, Approvisionnements et Services Canada, 1979, 20 p.

Auteur individuel mentionné

Exemple

Statistique Canada. *La Division de mots en français / Word Division in French*, préparé par Gérard D. Fontaine, Ottawa, Approvisionnements et Services Canada, 1978, 287 p.

Travaux d'une commission, d'un comité

Exemple

Canada (Gouvernement du). Commission royale sur le développement des technologies de l'information au Canada. *Rapport*, sous la présidence de Svend Robinson, Ottawa, Approvisionnements et Services Canada, 1995, 3 vol.

Voir tableau **Bibliographie**
Voir tableau **Note de contenu et note de référence**
Voir tableau **Notice bibliographique : Principes généraux**
Voir tableau **Notice bibliographique d'un article**
Voir tableau **Notice bibliographique d'un livre**
Voir tableau **Notice bibliographique d'une partie de livre**
Voir tableau **Références dans le texte**
Voir tableau **Titre d'œuvre : Règles d'écriture**

Offre de service

Plan du tableau

Formulation concrète d'une proposition de vente d'un bien ou d'un service à un client potentiel dans des conditions données en réponse à un besoin réel ou perçu.

L'offre de service constitue une réponse à un appel d'offres (voir exemple d'offre de service longue) ou joue un rôle informatif à l'égard de la clientèle de l'entreprise (voir exemple d'offre de service publicitaire).

Éléments

- Lettre de présentation
- Page de titre attrayante
  - Titre de l'offre
  - Nom et adresse du client
  - Raison sociale et adresse du soumissionnaire
- Sommaire
- Table des matières
- Historique de l'entreprise
  Bref rappel des dates et réalisations importantes de l'histoire de l'entreprise.
- Compréhension du mandat
  À partir des renseignements recueillis au cours d'entretiens, de conversations téléphoniques, de réunions ou dans l'appel d'offres, le rédacteur transmet sa compréhension du travail demandé par le client en démontrant qu'il saisit bien toutes les facettes du problème (contexte, but, critères de sélection, problèmes à résoudre, ampleur du travail).
- Démarche d'intervention
  Description de la marche à suivre proposée par le soumissionnaire, de ses valeurs et de ses facteurs de succès.
- Méthodologie
  Explicitation des étapes de réalisation, des ressources matérielles et humaines nécessaires, etc.
- Échéancier
  Calendrier des activités.
- Montant de la soumission
  Tarifs et budgets.
- Expérience similaire
  Description des réalisations récentes qui s'apparentent au projet faisant l'objet de l'appel d'offres.
- Ressources affectées au projet
  Liste des personnes qui travailleront à la réalisation du projet.
  Un organigramme est souvent joint pour des équipes de plus de trois personnes.
- Annexes
  Curriculum vitæ des responsables du projet, calendriers très détaillés, description des produits semblables que l'entreprise a déjà créés pour d'autres projets, photographies, fiches techniques, etc.

Conseils pour la rédaction

Nombreux styles à maîtriser :

- **Narration,** pour parler de l'entreprise, de son historique, de ses réalisations.
- **Description,** pour traiter des ressources humaines et matérielles, des marches à suivre, etc.
- **Style télégraphique,** pour rendre les informations des fiches techniques, du calendrier, etc.
- **Style persuasif,** pour convaincre le client potentiel que le produit ou le service proposé dans l'offre de service est le plus avantageux pour lui et que le soumissionnaire est le candidat le mieux placé pour satisfaire pleinement ses besoins, et ce, de la façon la plus économique.

Le style de l'offre de service doit être tonique, excluant le doute, et le rédacteur doit mettre l'accent sur les aspects positifs de sa proposition.

Exemple de lettre de présentation

Le 13 octobre 1995

Monsieur Pierre Bassellier
Chef du Service des ressources humaines
Association des cadres assureurs du Québec
1012, chemin Beauséjour, bureau 500
Sherbrooke (Québec)
L8J 9O0

Objet : Offre de service pour la conception des niveaux I et II du programme de formation professionnelle de l'ACAQ

Monsieur,

Vous trouverez ci-joint notre offre de service pour la conception des niveaux I et II du programme de formation professionnelle de l'ACAQ ainsi que les exemples de programmes antérieurs que vous nous avez demandés.

Pourquoi choisir Dupondt Consultants?

- Notre expérience en conception de cours sur mesure nous amène à jouer dans ce domaine un rôle-conseil dont vous pourrez profiter.
- Notre capacité de fournir des produits pédagogiques de qualité vous sera vantée par nos clients, parmi lesquels se trouvent des assureurs et d'autres entreprises de services financiers.
- Notre capacité de gérer des mandats de l'ampleur du vôtre et notre connaissance du milieu constituent des atouts non négligeables.

Espérant que le tout répond à vos attentes, nous vous prions d'agréer, Monsieur, l'expression de nos sentiments les meilleurs.

Robin Desboies

Robin Desboies

Conseiller en formation

p. j. (4)

Exemple d'offre de service courte

	OFFRE DE SERVICE
TITRE DU COURS	**Communication d'affaires** Société Perron inc.
ANIMATRICE	Claude Boulanger Directrice des communications École supérieure de commerce
OBJECTIF GÉNÉRAL	Permettre aux participants d'accroître l'efficacité de leurs communications écrites, aussi bien à l'intérieur de leur organisation qu'à l'extérieur de celle-ci, et notamment auprès de leurs clients actuels et potentiels.
OBJECTIFS PARTICULIERS	Sensibiliser les participants à l'importance d'une communication de qualité et accroître leurs habiletés à : • définir l'objectif de leur communication ; • choisir une stratégie adaptée au destinataire ; • structurer la communication ; • rédiger la communication ; • présenter la communication.
DURÉE	Formation de deux jours comportant des exposés théoriques, des travaux pratiques et des mises en situation à l'aide de cas et de discussions de groupe.
DATES	12 et 13 juin 1995
PARTICIPANTS	Personnel de la société Perron inc.
MATÉRIEL PÉDAGOGIQUE	Recueil — **Communication d'affaires** Direction des communications École supérieure de commerce
HONORAIRES PROFESSIONNELS	Conception et adaptation (2 jours à 500 $) 1000 $ Animation du cours (2 jours à 800 $) 1600 $

Exemple d'offre de service publicitaire

Objet : Offre de service

Madame,
Monsieur,

Forte d'une réputation acquise au fil de son expérience de plus de 27 ans dans le domaine de la vitrerie et soucieuse de la satisfaction de sa clientèle, la Vitrerie Mentana offre ses services à votre commission scolaire. Avec notre entreprise, vous obtenez toutes les garanties nécessaires relativement à la réalisation des travaux ainsi qu'un service après-vente empressé et efficace. Vous trouverez ci-joint un dépliant énumérant nos produits et services.

À la Vitrerie Mentana, nous savons que les problèmes de portes et de fenêtres requièrent une solution rapide. C'est pour cette raison que nous mettons à votre disposition un service d'urgence 24 heures. Notre clientèle peut aussi compter sur un service professionnel d'entretien, de réparation et d'installation des portes et des fenêtres. De plus, pour mieux coordonner toutes les étapes du travail, nous avons entièrement informatisé notre système de gestion.

À la Vitrerie Mentana, nous n'utilisons que du matériel sécuritaire et de première qualité. En outre, par la variété de nos produits, qui couvrent tous les types de verre ainsi que les films protecteurs et les grilles de sécurité, nous sommes en mesure de répondre aux besoins particuliers de notre clientèle. Cela sans parler de notre personnel spécialisé et de nos prix très compétitifs.

Si, après avoir pris connaissance de ces renseignements et de notre dépliant, notre offre vous intéresse, n'hésitez pas à nous appeler au 234-0987. Un de nos représentants pourra vous rencontrer au moment que vous jugerez opportun. Nous sommes convaincus de pouvoir nous plier à vos contraintes, budgétaires ou autres.

Nous vous prions d'agréer, Madame, Monsieur, l'expression de nos sentiments respectueux.

Exemple d'offre de service longue

Association des cadres assureurs du Québec

Service des ressources humaines

Offre de service

Conception des niveaux I et II du programme de formation professionnelle

Dupondt Consultants
Octobre 1995

TABLE DES MATIÈRES

3

COMPRÉHENSION DU MANDAT

CONTEXTE

L'Association des cadres assureurs du Québec (ACAQ) a fait une priorité de la formation qu'elle offre à ses membres. Cette priorité se concrétise par la volonté de l'Association de mettre à jour ses programmes de formation professionnelle des niveaux I et II.

OBJECTIFS DE LA MISE À JOUR

- Proposer aux cadres assureurs un cheminement professionnel :
  - qui réponde aux exigences de précertification du Conseil des assurances du Québec ;
  - qui soit cohérent par rapport à l'attestation d'études collégiales ;
  - qui réponde aux nouvelles exigences du marché.
- Utiliser une approche pédagogique axée sur la pratique plutôt que sur la théorie et permettant de développer des habiletés concrètes.
- Approfondir de nouvelles notions afin de développer chez les participants des compétences en gestion des affaires, en communication, en vente et en planification financière.
- Fournir aux participants et aux formateurs un cours et du matériel de formation de qualité.
- Uniformiser la formation donnée à l'échelle provinciale.

POINT DE DÉPART DU MANDAT

Le sous-comité responsable du projet a élaboré une analyse de tâches avec profil de compétences et a déterminé les objectifs de formation et le contenu des niveaux I et II.

MANDAT DU FOURNISSEUR

Le mandat du fournisseur est de concevoir les modules et de produire le matériel de formation des niveaux I et II.

CRITÈRES DE SÉLECTION DU FOURNISSEUR

L'ACAQ choisira son fournisseur à partir des critères suivants :

- Capacité de concevoir des modules et de produire le matériel de formation de qualité à un coût avantageux.
- Compréhension du projet démontrée dans l'offre de service.
- Proposition d'une approche pédagogique adaptée aux objectifs de la formation et à la philosophie du cours.
- Expériences antérieures pertinentes.

4

DÉMARCHE D'INTERVENTION GLOBALE DE DUPONDT CONSULTANTS

ÉTAPES DE LA DÉMARCHE

Cette démarche standard sera adaptée au mandat du client.

Clarifier le mandat. ↓	→ Rencontrer le demandeur. Réunir l'information pertinente. Établir un plan d'action global.
Concevoir la démarche d'implantation. ↓	→ Définir les objectifs de la formation. Confirmer le choix de la méthode de formation. Prévoir l'implantation. Déterminer le matériel de formation. Faire valider et approuver.
Planifier la réalisation du mandat. ↓	→ Planifier la conception. Planifier l'implantation. Faire valider et approuver.
Concevoir le profil. ↓	→ Définir les objectifs du programme. Structurer le contenu. Déterminer le déroulement. Faire valider et approuver.
Produire le matériel de formation. ↓	→ Établir la liste de contrôle du matériel. Rédiger le matériel du participant. Rédiger le matériel du formateur. Faire valider et approuver. Faire produire le matériel.
Encadrer les formateurs.	→ Recruter les formateurs. Analyser leurs besoins. Préparer l'encadrement. Former les formateurs. Les observer en exercice. Évaluer et commenter.

5

FACTEURS DE SUCCÈS

DIFFICULTÉS À PRÉVOIR	SOLUTIONS
• Disponibilité restreinte des experts en contenu.	• Coordination serrée des activités et des ressources. • Établissement rapide des disponibilités de chacun.
• Validation fastidieuse et improductive (causée par la variété des points de vue que peuvent avoir les valideurs).	• Définition de règles du jeu et d'un processus de validation précis.
• Duplication des renseignements (manuel de précertification, études collégiales et formation maison).	• Élaboration d'un programme axé sur la réalité que vivent les participants.
• Variété du groupe cible.	• Élaboration d'un programme basé sur le plus petit dénominateur commun.
• Variété de diffuseurs.	• Conception d'un guide du formateur précis et encadrement des diffuseurs.

6

MÉTHODOLOGIE

APPROCHE PÉDAGOGIQUE

Modules

Objectifs

- Partir du plus petit dénominateur commun.
- Utiliser l'expérience des participants.
- Faire participer.

...

Déroulement

1. Autodiagnostics.
2. Retour sur les transferts.
3. Réflexions.
4. Exposés-discussions.

...

Consolidation des acquis

Objectifs

- Assurer un lien entre chaque module.
- Assurer un transfert immédiat des apprentissages.

Déroulement

- À la fin de chaque module :

...

- Entre chaque module :

...

- Au début de chaque module :

...

7

PRODUITS À CONCEVOIR

Niveau I	Niveau II
7 modules (60 heures)	6 modules (60 heures)

Chaque module comprendra le matériel suivant :

Matériel du formateur

Guide du formateur

- Introduction.

...

- Description de chaque activité (y compris les suivis recommandés).

...

Supports visuels

- Transparents, tableaux, schémas pertinents.
- Questionnaire d'évaluation des acquis.
- Questionnaire d'évaluation de la formation.
- Liste de contrôle du matériel.

Matériel du participant

Cahier du participant

- Retour sur le travail de consolidation réalisé entre les modules.
- Activités d'apprentissage.
- Bilan des apprentissages et travail de consolidation à réaliser entre les modules.

Manuel de référence

- Buts du module.
- Objectifs généraux du module.
- Objectifs spécifiques.
- Contenu pertinent et centré sur l'essentiel.

Les documents finaux seront remis au client dans leur version imprimée et sur disquette.

8

TARIFS

Tarif horaire des services professionnels

- Conception : 85 $.
- Encadrement : 110 $.

Tarif horaire des services administratifs

- Traitement de textes : 30 $.
- Infographie : selon un devis.

Frais facturés[1]

- Photocopies : 0,10 $ l'unité.
- Messagerie : au prix coûtant.
- Déplacement hors de Montréal : 0,32 $ le km.
- Stationnement : au prix coûtant.
- Hébergement : au prix coûtant.
- Interurbain : au prix coûtant.

1. Des pièces justificatives seront présentées, s'il y a lieu.

9

BUDGET PRÉVISIONNEL DES NIVEAUX I ET II

Le budget que nous présentons ici est une prévision basée sur l'information que nous avons à ce jour. Seules les activités réellement effectuées seront facturées (un rapport d'activité mensuel sera remis au client).

Nous recommandons la conception et la diffusion d'un module pilote avant d'aller plus avant dans l'élaboration des niveaux I et II (voir plus loin le budget prévisionnel du module pilote).

Différents rapports sont utilisés dans notre secteur pour évaluer les coûts de formation. Ces chiffres sont difficiles à analyser : on ne sait jamais très bien ce qu'ils recoupent. Nous pensons toutefois que les rapports présentés ici se comparent fort avantageusement aux chiffres que nous confient nos clients. Ils ont été établis à partir de nos nombreuses expériences et, plus particulièrement, à partir d'un projet que nous venons de terminer et qui ressemble à celui de l'ACAQ en ce qui a trait au contenu, aux experts à consulter, aux produits à concevoir, à la clientèle, etc.

Rapports

- Heures de conception / heure de formation : 20 à 25 / 1.
- Heures d'encadrement / heure de formation : 0,5 à 1 / 1.
- Heures de traitement de textes / heure de formation : 3 à 5 / 1.

Durées par niveau

- Conception : de 1200 à 1500 heures.
- Encadrement : de 30 à 60 heures / 6 personnes.
- Traitement de textes : de 180 à 300 heures.

Coûts par niveau

- Conception : de 102 000 à 127 500 $.
- Encadrement : de 3300 à 6600 $ / 6 personnes.
- Traitement de textes : de 5400 $ à 9000 $.

Coût total par niveau : de 110 700 à 143 100 $

10

L'expérience acquise par l'ACAQ et Dupondt Consultants dans la conception du niveau I devrait faciliter la conception du niveau II. Ainsi :

- le rapport maximal (25 / 1) entre la durée de conception et la durée de formation s'appliquerait plutôt au niveau I ;
- le rapport minimal (20 / 1) entre la durée de conception et la durée de formation s'appliquerait plutôt au niveau II.

ÉQUIPE DE PROJET

Nous recommandons qu'une équipe de projet conçoive de concert les niveaux I et II (le niveau I serait livré dans un premier temps et le niveau II par la suite).

Avantages

- Respecter l'échéance de livraison des niveaux I et II, soit juin 1996.
- Livrer un produit de qualité de façon efficace grâce à la synergie de plusieurs personnes d'expérience.

Cette équipe sera constituée des concepteurs suivants auxquels pourront se joindre d'autres personnes en fonction des besoins[1] :

- Robin Desboies, conseiller en formation ;
- Nicole Phaneuf, directrice associée ;
- Alain Préfontaine, conseiller en formation.

1. Quelle qu'en soit la raison, toute modification à l'équipe de projet sera soumise à l'approbation du client.

11

ÉCHÉANCIER DU MODULE PILOTE — 11 ÉTAPES[1]

Les durées globales indiquées à la page 9 pour la formation, la conception, l'encadrement et le traitement de textes sont réparties dans les 11 étapes qui suivent.

Activité	*Durée*	*Échéance*[2]	*Responsable*
1. Analyser les objectifs d'apprentissage et le contenu du niveau I.	1 ou 2 j	22 octobre	Dupondt
2. Élaborer le profil du module pilote.	1 j	27 octobre	Dupondt
3. Rédiger le manuel de référence du module pilote.	7 ou 8 j	8 novembre	Dupondt
4. Rédiger les activités d'apprentissage du module pilote.	7 ou 8 j	22 novembre	Dupondt
5. Concevoir les supports visuels du module pilote.	1 j	23 novembre	Dupondt
6. Rédiger le guide du formateur du module pilote.	8 à 10 j	7 décembre	Dupondt
7. Saisir le matériel de formation du module pilote.	3 à 6 j	7 décembre	Dupondt
8. Encadrer les formateurs du module.	1 ou 2 j	13 décembre	Dupondt
9. Observer le module pilote.	2 j	20 décembre	Dupondt
10. Adapter le module pilote.	2 ou 3 j	9 janvier	Dupondt
11. Saisir les modifications du module pilote.	1 j	9 janvier	Dupondt

1. Le client doit valider tous les produits livrés : ainsi, il est essentiel qu'il nous prévienne si nous n'allouons pas le temps nécessaire pour cette étape dans l'échéancier.
2. Présenté à titre indicatif, cet échéancier, qui répartit de façon séquentielle les activités comme si elles étaient exécutées par une seule et même personne, est à négocier. Nous recommandons que le module pilote soit conçu par l'équipe de projet qui travaillera à l'ensemble du projet.

12

RÉALISATIONS RÉCENTES DE DUPONDT CONSULTANTS

Conception sur mesure pour des entreprises de services financiers

- Conception sur mesure, pour le compte du groupe Affaires, d'un programme d'intégration et de formation technique.
- Conception sur mesure et diffusion d'un atelier de formation sur le changement organisationnel pour les cadres de Favreault.
- Conception sur mesure et diffusion d'un programme de formation en gestion du temps pour les cadres de McKenzie Chicoine et fils.

Conception sur mesure pour des entreprises de services

- Conception sur mesure du programme de qualification du commis recouvrement d'Hydro 2000.
- Conception sur mesure et diffusion d'un programme de service à la clientèle pour le compte de Gaz 3000.
- Conception sur mesure d'un module en efficacité énergétique pour les représentants en service à la clientèle d'Hydro 2000.
- Conception sur mesure et diffusion d'un programme d'intégration et de formation pour les représentants en service à la clientèle de la ligne 1 900 d'Hydro 2000.

Autres conceptions sur mesure

- Conception sur mesure et diffusion de modules de formation sur la gestion de réunions et la gestion de mandats pour le personnel de Rouyn inc.

Dupondt Consultants forme la majorité des concepteurs d'Hydro 2000.

Dupondt Consultants est le fournisseur officiel de Clochette inc. pour la formation de ses formateurs.

Des références vous seront transmises sur demande.

13

ANNEXES

Curriculum vitæ

- Robin Desboies
- Nicole Phaneuf
- Alain Préfontaine

Profil des programmes

- Communication client
- Formation des concepteurs
- Formation des formateurs I
- Formation des formateurs II
- Techniques de formation
- Analyse des besoins de formation
- Qualité totale en formation
- Techniques de créativité en formation
- Évaluer la formation
- Innover en formation

Produits présentés

- Programme de formation *Techniques de formation*
- Un module — Commis recouvrement d'Hydro 2000
- Programme *Le Représentant en service à la clientèle et l'efficacité énergétique d'Hydro 2000*

Voir tableau **Annexe**
Voir tableau **Correction**
Voir tableau **Énumération**
Voir tableau **Lettre — Corps**
Voir tableau **Lettre — Généralités**
Voir tableau **Lettre — Présentation**
Voir tableau **Organigramme**
Voir tableau **Page de titre**
Voir tableau **Révision**
Voir tableau **Sommaire**
Voir tableau **Table des matières**

Ordre des parties d'un texte

Plan du tableau

Ordre des parties
Conseils pour la rédaction

Séquence des éléments d'un document.

Pages liminaires, corps du texte, pages annexes composent les parties de la plupart des textes. Selon l'ampleur et le but du document, on inclura ou on omettra certaines parties.

Ordre des parties[1]

Rapport

Lettre de transmission

Pages liminaires	Corps du texte	Pages annexes
Page de titre Remerciements Sommaire Table des matières Liste des tableaux Liste des figures Liste des abréviations et des sigles	Introduction Développement Conclusion	Annexes Appendices Bibliographie Index

Travail trimestriel

Pages liminaires	Corps du texte	Pages annexes
Page de titre Sommaire Table des matières Liste des tableaux Liste des figures	Introduction Développement Conclusion	Annexes Appendices Bibliographie

Travail universitaire d'envergure (thèse et mémoire)

Pages liminaires	Corps du texte	Pages annexes
Page de garde Page de titre Identification du jury Sommaire Résumé Table des matières Liste des tableaux Liste des figures Liste des abréviations et des sigles Dédicace, épigraphe Remerciements Avant-propos	Introduction Développement Conclusion Notes	Annexes Appendices Glossaire Bibliographie Index Page de garde

1. Tous ces éléments font l'objet d'un tableau qu'on pourra consulter à l'ordre alphabétique du mot clé.

Conseils pour la rédaction

pagination

- Les pages liminaires sont celles qui précèdent l'introduction et elles sont paginées en chiffres romains petites capitales. À partir de l'introduction commence la pagination en chiffres arabes qui se poursuit jusqu'à la fin du document.

notes

- Les notes de contenu et les notes de référence seront placées après la conclusion si elles ne sont ni en bas de page ni en fin de chapitre.

renseignements importants

- Les renseignements très importants à signaler au lecteur seront plus faciles à repérer s'ils sont seuls sur une page blanche plutôt que noyés dans les remerciements, l'avant-propos ou l'introduction. On peut alors utiliser un des textes suivants : avis, avertissement, note liminaire, pour attirer l'attention des lecteurs sur ces renseignements importants ainsi isolés.

résumé

- Le résumé (à ne pas confondre avec le sommaire) n'est nécessaire que dans les cas où la thèse ou le mémoire sont rédigés dans une langue autre que le français.

Voir tableau **Correction**
Voir tableau **Révision**

Ordre du jour

Plan du tableau

Liste des questions ou des sujets qui seront débattus lors d'une assemblée, d'une rencontre, d'une réunion.

Un ordre du jour comprend toujours un point « Divers » ou « Questions diverses » pour les questions ajoutées à la dernière minute ou en début de réunion.

Exemple d'ordre du jour

Département de français
Assemblée ordinaire du 19 septembre 1996
Ordre du jour

1. Ouverture de la séance ;
2. Élection d'un président et d'un secrétaire de séance ;
3. Lecture et adoption de l'ordre du jour ;
4. Lecture et approbation du procès-verbal de l'assemblée du 29 août 1996 ;
5. Informations à transmettre :
   - 5.1. Mise à jour du bottin,
   - 5.2. Horaire des professeurs à temps partiel,
   - 5.3. Révision des notes,
   - 5.4. Évaluation préventive,
   - 5.5 Évaluation des professeurs,
   - 5.6. Nouveau calendrier scolaire ;
6. Horaire hiver 1997 :
   - 6.1. Nomination des responsables des sous-groupes,
   - 6.2. Distribution des horaires ;
7. Questions diverses ;
8. Date de la prochaine assemblée ;
9. Clôture de la séance.

Exemple d'ordre du jour avec avis de convocation

Le 7 juillet 1995

Madame,
Monsieur,

Je vous prie d'assister à la prochaine réunion de la Commission « D » de la Régie régionale de la santé et des services sociaux de Montréal-Centre.

Cette réunion aura lieu le mercredi 19 juillet 1995, à 9 h, à la Régie de Lac-à-la-Truite, au 702, rue Trudel, salle 337.

Je vous propose l'ordre du jour suivant et vous invite à y ajouter des sujets de discussion si vous le jugez à propos :

1. Ouverture de la séance ;
2. Élection d'un président et d'un secrétaire de séance ;
3. Lecture et adoption de l'ordre du jour ;
4. Lecture et approbation du procès-verbal de la réunion du 12 juin 1995 ;
5. Affaires découlant du procès-verbal de la réunion du 12 juin 1995 :
   5.1. Suivi des dossiers ;
6. Correspondance ;
7. Rapport déposé :
   7.1. Bilan de la 8e période ;
8. Questions diverses ;
9. Date et lieu de la prochaine réunion ;
10. Clôture de la séance.

Veuillez agréer, Madame, Monsieur, mes salutations distinguées.

Réjean Boutros
Réjean Boutros, coordonnateur
Commission « D »

Conseils pour la rédaction

Date

Voir tableau **Lettre — Généralités**, section Date.

Heure

- On donne toujours l'indication de l'heure en chiffres selon la période de 24 heures.

  Exemples

  9 h 14 h 30 17 h 15 20 h 45

- Le symbole du nom *heure* est *h* sans point abréviatif. Il ne prend jamais la marque du pluriel et doit être précédé et suivi d'un espace.

  Exemple

  La réunion débutera à 9 h 30 précises.

- On peut également écrire le mot *heure* en toutes lettres.

  Exemple

  L'assemblée aura lieu de 14 heures à 16 heures 30.

  L'utilisation du deux-points (:) pour indiquer l'heure doit être limitée à l'échange d'informations entre systèmes de données et à la présentation en tableau.

Mention du lieu

Voir tableau **Lettre — Généralités**, section Vedette (Adresse du destinataire).

Erreurs courantes

Forme fautive	**Forme correcte**
agenda	ordre du jour
am, pm	selon la période de 24 heures
chambre	bureau
hres, hr, hre, H, h.	h
item	point, question, sujet
pièce	bureau
suite	bureau
varia	questions diverses

Pour désigner le lieu de travail des employés d'une entreprise, d'une administration, on emploie le nom ***bureau***. Pour nommer un ensemble de pièces destinées à l'habitation, on utilise le nom ***appartement***. Au sens de bureau ou d'appartement, les termes *chambre, *pièce et *suite sont fautifs.

Transmission

- L'ordre du jour est envoyé aux personnes intéressées avant la réunion.
- Il peut faire partie de la convocation ou être transmis séparément.
- On peut y joindre les textes, documents et dossiers dont les membres doivent avoir pris connaissance pour que les échanges soient fructueux.

Voir tableau **Avis de convocation**
Voir tableau **Compte rendu**
Voir tableau **Féminisation des titres et des textes**
Voir tableau **Lettre — Corps**
Voir tableau **Lettre — Généralités**
Voir tableau **Lettre — Présentation**
Voir tableau **Procès-verbal**

Organigramme

Plan du tableau

Représentation graphique de la structure d'une organisation complexe (entreprise, groupement, etc.), des divers services dont elle se compose et de leurs relations.

Pour les renseignements concernant toutes les figures, y compris les organigrammes, voir le tableau **Figure**.

But

L'organigramme a pour but de schématiser les liens entre collègues, services ou postes de travail, de représenter le système hiérarchique de l'organisation.

Mise en pages

- Plus la fonction est placée haut dans l'organigramme, plus elle est importante dans la hiérarchie.
- À chaque fonction correspondent deux cases superposées. Dans l'une figure le titre et dans l'autre, le nom du titulaire du poste.
- Selon l'usage que l'on compte faire de l'organigramme, on peut n'indiquer que la fonction.
- On peut adopter une orientation gauche-droite plutôt qu'une orientation haut-bas pour indiquer le sens décroissant de la hiérarchie.

Exemples d'organigrammes

Exemple 1

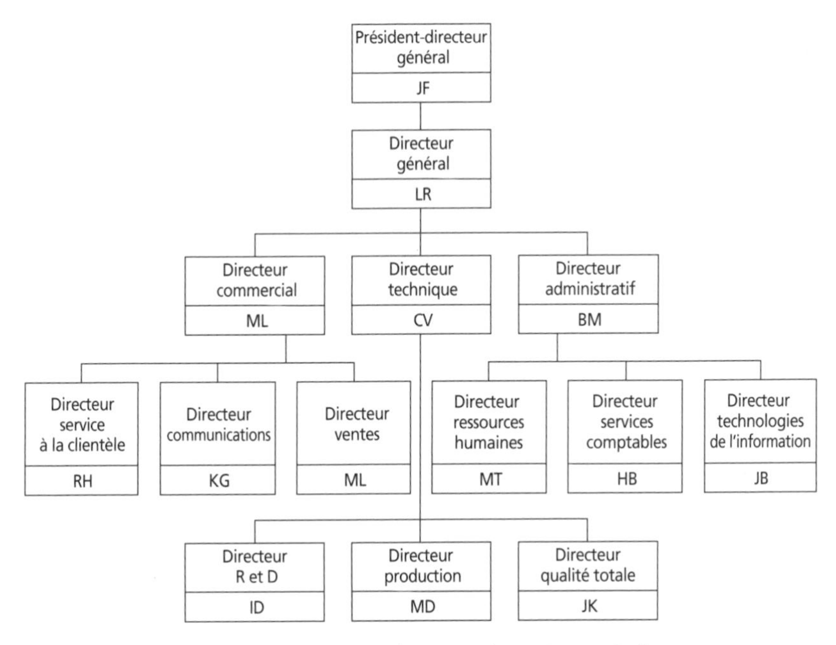

Fig. 1 — *Organigramme selon une présentation verticale.*

Exemple 2

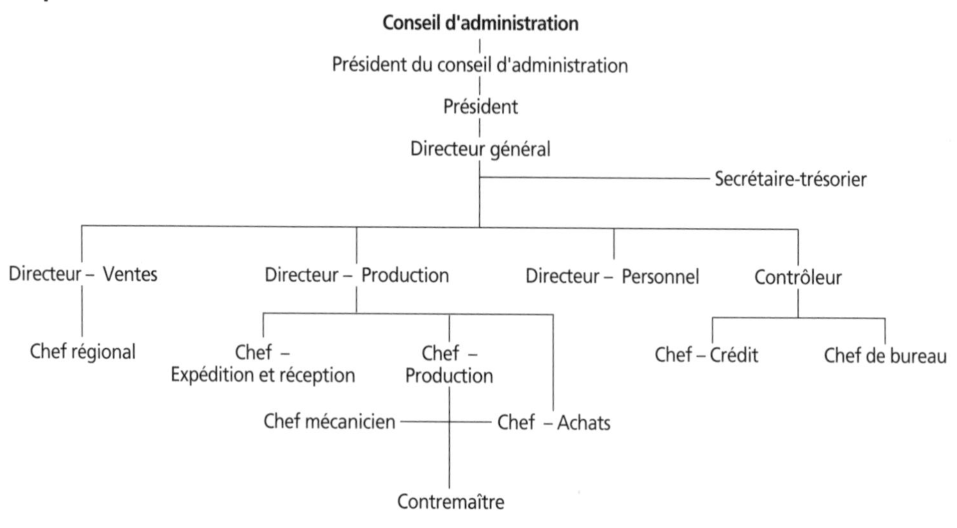

Fig. 2 — *Organigramme sans le nom des titulaires des postes.*

Source : Office de la langue française, 1974, p. 181.

Exemple 3

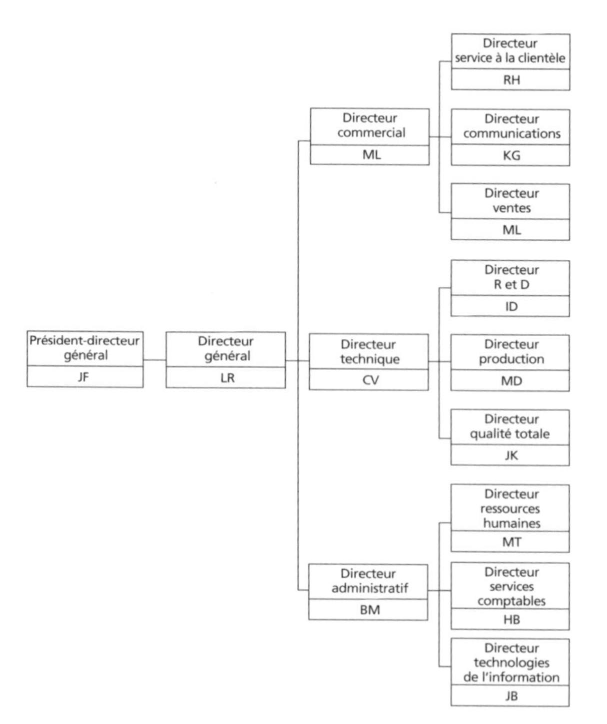

Fig. 3 — *Organigramme selon une présentation horizontale.*

Voir tableau **Figure**

Page de titre

Plan du tableau

Première page d'un texte comportant le titre, le sous-titre, s'il y a lieu, le nom de l'auteur, la date, le nom de l'établissement d'enseignement, de l'organisme ou de l'entreprise.

But

La page de titre informe rapidement le lecteur de la question traitée dans le texte ; elle précise l'objet de l'étude par le choix d'un titre clair et concis.

Éléments

Pour un travail scolaire

- Titre du travail et sous-titre, s'il y a lieu
- Prénom et nom du ou des rédacteurs
- Numéro matricule
- Titre et numéro du cours
- Nom du professeur qui demande le travail
- Nom de l'établissement d'enseignement
- Lieu et date : jour, mois, année

Pour un rapport, une offre de service

- Titre et sous-titre du document, s'il y a lieu
- Nom de l'entreprise ou de la personne à qui est destiné le document
- Nom du ou des rédacteurs avec leurs titres et qualités
- Nom de l'entreprise, de la direction, du service d'où émane le document
- Numéros de référence, de projet, de contrat, de commande
- Date et lieu

Situation et pagination

- La page de titre est la **première page** de tout texte. Elle peut être précédée d'une page de garde destinée à la protéger.
- La page de garde et la page de titre **ne sont pas paginées,** mais comptent dans la pagination en **chiffres romains** propre aux pages liminaires de tout texte, c'est-à-dire les pages qui précèdent l'introduction.

Ponctuation

- Les renseignements disposés sur la page de titre ne nécessitent **aucune ponctuation** en fin de ligne.
- Lorsqu'ils font partie du titre et du sous-titre, les **points de suspension**, **d'interrogation** et **d'exclamation** sont permis.

Mise en pages et typographie

- Les renseignements d'une page de titre sont disposés avec **harmonie** et **équilibre**.
- En règle générale, sur une page de titre, les renseignements doivent aller **du général au particulier**, **de l'ensemble au détail**.
- La page de titre est composée dans la **même police de caractères** que le document.
- Il faut **éviter** les surcharges de toutes sortes (gras, italiques, polices de caractères différentes, etc.).

Choix du titre

- Un **bon titre** facilite la compréhension du texte et renseigne rapidement le lecteur ; il est composé d'une expression ou d'une courte phrase qui résume l'objet précis des recherches consignées dans le texte, par exemple.
- Le **choix des mots** qui composent le titre est important ; il faut écarter les titres vagues, ambigus ou sans signification.
- Dans le libellé du titre, on évitera les **écueils** suivants : un titre trop bref, une surabondance de détails, une allusion au texte qui suit, un résumé de la conclusion.
- De façon générale, les titres de thèses et de mémoires ne doivent pas comporter plus de **15 mots**, articles et prépositions inclus.

Thèse de doctorat, mémoire de maîtrise

La page de titre des thèses de doctorat et des mémoires de maîtrise doit satisfaire aux exigences administratives décrites dans les **brochures** produites par les divers établissements d'enseignement. Il est donc indispensable de consulter ces brochures.

Exemples de pages de titre d'un travail scolaire

UNIVERSITÉ DU QUÉBEC À TROIS-RIVIÈRES

L'INFORMATION FINANCIÈRE PRÉVISIONNELLE
UN SOUTIEN QUANTITATIF

Par
Marie-Hélène Maisonneuve
Matricule : NCC1991A
Groupe XX

Travail présenté à monsieur Laurent Legault
dans le cadre du cours Comptabilité publique II

Trois-Rivières

Le 15 décembre 1995

Château-Gaillard vu par
Viollet-le-Duc

par Mathieu Rouy
Matricule : NCC1991A
Groupe XX

Travail présenté à madame Caroline Haury

7-811-84 : Histoire de l'art II

Collège de Bois-de-Boulogne
Montréal

Le 15 décembre 1995

Exemple de page de titre d'un rapport

Prospero inc.

Échantillonnage
Mesure de débit
Mesure du pH
Résultats analytiques

Du 4 au 7 juillet 1995

Rapport présenté au conseil d'administration des
textiles Corbeil inc.

Projet n° P95Z978

Chantal Faulkner, coordonnatrice
Services internes et services techniques
Prospero inc.
1212, rue Lemoyne, Lévis
Septembre 1995

Pictogramme

Représentation graphique symbolique destinée à désigner certaines indications simples.

Certains pictogrammes sont normalisés, par exemple ceux de la signalisation routière.

voie à sens unique

En informatique, les icônes s'apparentent à des pictogrammes.

Légende
Conseils pour la rédaction

Légende

- Le décodage des pictogrammes figure généralement dans une note liminaire ou dans la liste des abréviations et des sigles en début de document.

Exemple

Liste des pictogrammes utilisés

 Exemple commenté

Note

* L'astérisque précède une forme ou un exemple fautifs.

- S'ils servent à illustrer une figure, une carte géographique par exemple, ils seront expliqués dans la légende de la figure.

Exemple

Nombre de camions dans le parc des entreprises de camionnage du Québec

moins de 5
de 5 à 10
de 11 à 20
plus de 20

Conseils pour la rédaction

uniformité

- Les pictogrammes utilisés devront conserver la même signification tout au long du document.

repère significatif

- Le pictogramme sert de repère pour guider le lecteur ; il doit être le plus simple et le significatif possible.

  Le pictogramme ne nécessite, contrairement aux autres types de figures, ni titre, ni numérotation, ni source, ni note explicative.

abus à éviter

- Comme pour les abréviations et les sigles, il ne faut pas abuser des pictogrammes.

ordre de grandeur

- Dans certains cas, la proportion de l'image ou le nombre de pictogrammes semblables traduisent l'ordre de grandeur des données.

LÉGENDE DES SYMBOLES [1]

COÛT
$ faible
$$ moyen
$$$ élevé

TEMPS DE PRÉPARATION
moins d'une heure
une à deux heures
deux heures et plus

1. « Les Recettes *Coup de pouce* », *Coup de pouce*, n° 106 (novembre 1994), p. 40.

Plan

Projet décrivant l'organisation des parties d'un texte élaboré dans le détail selon une progression stratégique qui permet d'atteindre l'objectif visé par la démonstration.

Faire un plan est un exercice :
- d'organisation méthodique des faits et des réflexions,
- d'agencement précis des informations,
- d'articulation logique des arguments de la démonstration en fonction de la progression retenue (voir section Types de progressions).

Le temps passé à concevoir un plan n'est jamais perdu. Une grande partie du travail de rédaction est faite à ce moment-là.

Buts

- Planifier la stratégie de démonstration
- Organiser les idées de façon logique
- Ordonner les idées les unes par rapport aux autres selon leur valeur
- Établir une progression dans le texte, assurer l'équilibre des parties

Avantages

Pour le rédacteur

- Faciliter la sélection des informations que l'on inclura dans le texte (il faut renoncer à tout dire).
- Prendre des distances par rapport aux détails, éliminer l'accessoire, les redites, les chevauchements, les incohérences, ne conserver que l'essentiel.
- Favoriser le découpage des étapes de rédaction.
- Fournir les charnières, les transitions qui ponctuent le raisonnement.
- Rappeler constamment l'objectif premier du texte afin qu'il ne soit jamais perdu de vue en cours de route.

Pour le lecteur

- Saisir la démarche, le raisonnement du rédacteur.
- Mieux comprendre la logique du texte, ce qui aide à rester attentif tout au long de la lecture.
- Juger de la raison d'être de chaque étape.

Méthodologie

- L'élaboration d'un plan consiste à placer l'**essentiel** de ce que l'on veut écrire dans un **ordre pertinent** servant la **progression** privilégiée (voir section Types de progressions).
- Ainsi, on conçoit un **canevas** auquel on greffe de façon abrégée les idées directrices, les idées secondaires, les exemples, les citations, les références, des ébauches de titres, de sous-titres, etc., et à partir duquel on rédigera le texte intégral.
- Les idées directrices et les idées secondaires sont le **matériau de base** du plan.

Marche à suivre pour concevoir un plan

L'élaboration du plan est une étape intermédiaire entre la recherche, la réflexion et la lecture, puis la rédaction du texte. C'est l'aboutissement du travail de réflexion qui précède toute entreprise d'écriture, la mise au point de la stratégie pour convaincre le lecteur.

a) Il faut d'abord cerner le sujet au moyen de lectures, d'enquêtes, de recherches.

b) On doit également bien connaître les besoins du destinataire ou les exigences du genre de texte que l'on souhaite écrire.

c) Parallèlement à l'étape de collecte des informations, on met au point le plan provisoire qui comprend :
- une liste des points essentiels à traiter,
- une ébauche de la progression que l'on pense adopter,
- une esquisse de la solution envisagée ou de la réponse à laquelle on pense arriver.

d) Par la suite, on réunit et met en ordre tout ce qui servira à la rédaction (résumés, idées, données, statistiques, exemples, citations, arguments, éléments d'information, etc.).

e) Suit la sélection des idées directrices.
- L'ensemble des idées retenues doit répondre à tous les problèmes soulevés par le sujet que l'on a circonscrit avec précision dans la première étape.

f) On étaye les idées directrices d'idées secondaires.
- La somme des idées secondaires doit correspondre à la totalité de l'idée directrice à laquelle elles sont rattachées.
- De plus, toutes les idées doivent être distinctes les unes des autres et s'enchaîner de façon logique et progressive.

g) Une série de faits, d'arguments ou d'exemples vient appuyer les idées directrices et les idées secondaires. On inscrit vis-à-vis de celles-ci les citations, les arguments ou les exemples qui serviront à les illustrer.

h) On agence ensuite les idées directrices en une argumentation qui respecte la progression choisie (voir section Types de progressions).

i) On commence à concevoir les transitions entre divisions et subdivisions.
- Elles sont à soigner, tant à cette étape qu'à celle de la rédaction, car ce sont ces éléments qui assurent la progression de la pensée.

j) Il est bon de réviser le plan au besoin, de le réorganiser

Idée directrice et idée secondaire

Une idée est une vue que l'intelligence élabore à partir des faits observés, des lectures faites et des recherches menées au cours de l'étape de collecte des informations.

- Selon l'importance du document, une idée directrice correspondra :
  - à un chapitre, dans une thèse ou un mémoire ;
  - à une section ou à un chapitre, dans un rapport ;
  - à un paragraphe, dans une dissertation ou une lettre.
- L'idée directrice est étayée d'idées secondaires qui l'expliquent, l'illustrent, la précisent.
- Le traitement d'une idée secondaire est le même que celui d'une idée directrice.

Traitement d'une idée directrice ou secondaire

La détermination et l'articulation des idées directrices et des idées secondaires permettent de charpenter l'argumentation, d'amener progressivement le lecteur vers la conclusion, de le persuader du bien-fondé de la position défendue, de gagner enfin son adhésion. L'explicitation, ou la défense, d'une idée directrice ou d'une idée secondaire se fait selon la structure décrite en page 83.

Plan universel

Le plan commun à toute communication écrite, de la lettre à la thèse, est le suivant :

Introduction

- Présentation du sujet traité, des buts poursuivis par le rédacteur
- Formulation du problème
- Explication concise de la structure du texte et annonce des thèmes majeurs

Développement

- Articulation des idées directrices et des idées secondaires
- Exposé des théories, des faits, des éléments d'information destinés à étayer les idées
- Analyse des informations
- Tentative de réponse au problème initial

Conclusion

- Synthèse des thèmes du texte et récapitulation concise de l'articulation du développement
- Formulation précise et claire de la solution au problème initial ou de la réponse à la question de départ
- Élargissement de la perspective

Types de progressions

Les arguments d'un texte peuvent être structurés selon un nombre infini de progressions. Voici une liste non exhaustive des types de progressions possibles ; il s'agit d'adopter celle qui convient le mieux au texte à écrire.

Il ne faut pas plaquer artificiellement une progression sur un sujet. Au contraire, le sujet peut susciter sa propre logique et il faut y être attentif.

Progression linéaire

Le cheminement du raisonnement est linéaire : chaque élément (paragraphe, idée) est commandé par celui qui le précède et commande celui qui le suit. Le lecteur est amené à la conclusion par une succession de propositions liées entre elles par des liens logiques. Voici quelques exemples de liens qui peuvent unir les idées :

Exemples

du simple au complexe (ou l'inverse)
du moins important au plus important
du négatif au positif (ou l'inverse)
du concret à l'abstrait (ou l'inverse)
du superficiel au profond
du pratique au théorique (ou l'inverse)
de l'objectif au subjectif
du particulier au général (ou l'inverse)
etc.

La progression chronologique est également très utile.

Exemples

passé, présent, futur
présent, passé, futur (plan chronologique inversé)

Progression binaire

Chaque division du texte se ramifie en deux subdivisions. Les propositions sont formulées en couples d'opposition. Il ne faut pas poursuivre les oppositions pendant plus de deux ou trois subdivisions.

Exemples

Le pour et le contre d'une série de mesures
Les ressemblances et les différences entre systèmes économiques
Les avantages et les inconvénients de deux horaires

Progression dialectique classique

Ce plan compte trois parties bien distinctes :
- thèse (défense d'un certain point de vue sur la question),
- antithèse (défense du point de vue contraire),
- synthèse (établissement d'une vérité moyenne plus nuancée ou dépassement de la contradiction apparente à l'aide d'éléments nouveaux).

Dans ce type de progression, la synthèse ne tient pas lieu de conclusion. Elle est la dernière partie du développement.

Il faut se garder, dans la thèse et l'antithèse, de créer des oppositions trop artificielles.

En règle générale, on réserve pour l'antithèse la position qui correspond à son opinion.

Progression thématique

On aborde à la suite les différentes facettes d'une question.

Exemple

- aspect financier,
- aspect scientifique,
- aspect esthétique,
- aspect commercial,
- aspect historique,
- aspect sociologique,
- etc.

Progression scientifique

Les scientifiques adoptent généralement le plan suivant :
- éléments de la situation,
- hypothèse,
- vérification de l'hypothèse,
- solution.

Conseils pour la rédaction

deux préoccupations
- Pour faciliter le choix des idées à retenir, le rédacteur doit tenir compte de deux contraintes : le sujet et les objectifs du texte, puis les exigences du destinataire.

intérêt à susciter
- En règle générale, on conseille de garder les meilleurs arguments, les idées les plus percutantes pour la fin, afin de susciter et de soutenir l'intérêt du lecteur.

conclusion
- La conclusion aura plus de poids si elle est immédiatement précédée d'éléments allant dans le même sens qu'elle.

Voir tableau **Conclusion**
Voir tableau **Développement**
Voir tableau **Hiérarchie des titres**
Voir tableau **Introduction**
Voir tableau **Transition et marqueur de relation**

Ponctuation : Règles de saisie

Grille des espacements[1]

Signe de ponctuation	Espacement avant	Espacement après	Exemple
Apostrophe ’	rien	rien	aujourd’hui
Appel de note [1]	rien	un espace sécable	bactéries[1] des
Arithmétique + − × ÷ = ± ≠	un espace insécable	un espace insécable	14 + 9 − 2 = 21
Astérisque * • avant le mot • appel de note • discrétion avec lettre • discrétion sans lettre	 un espace sécable rien rien un espace insécable	 rien un espace sécable un espace sécable un espace sécable	 *fixture Baudelaire * Mme de R *** M. de ***
Barre oblique / • abréviation, symbole • notions opposées, traductions	 rien un espace insécable	 rien un espace sécable	 km/h Ouvert / fermé
Crochet ouvrant [	un espace sécable	rien	marketing [affiches,
Crochet fermant]	rien	un espace sécable	seulement] et
Deux-points : • cas généraux • dans les heures	 un espace insécable rien	 un espace sécable rien	 vêtements : jupe,... 10:30
Dollar (symbole) $	un espace insécable	un espace sécable	30 $
Guillemet ouvrant «	un espace sécable	un espace insécable	lire « des yeux...
Guillemet fermant »	un espace insécable	un espace sécable	yeux » rapidement
Guillemet anglais ouvrant "	un espace sécable	rien	poésie "du pays...
Guillemet anglais fermant "	rien	un espace sécable	... pays" nous
Heure (symbole) h	un espace insécable	un espace insécable	10 h 30
Parenthèse ouvrante (	un espace sécable	rien	bouquin (niveau...
Parenthèse fermante)	rien	un espace sécable	... familier) et livre
Point . • point final • point abréviatif	 rien rien	 un espace sécable un espace sécable	 maison. La porte... boul. Gouin...
Point d’exclamation !	rien	un espace sécable	Attention! Tu vas...
Point d’interrogation ?	rien	un espace sécable	Pourquoi? Je ne...
Points de suspension ... • pause, hésitation • troncation • à la fin d’une phrase	 rien rien rien	 un espace sécable rien un espace sécable	 j’ai peur... de... société [...] moderne la compagnie...
Point-virgule ;	rien	un espace sécable	jamais; la semaine...
Pourcentage %	un espace insécable	un espace sécable	30,9 % de la...
Tiret —	un espace insécable	un espace sécable	il a le temps — et l’argent — pour...
Trait d’union -	rien	rien	pot-pourri
Tranches de trois chiffres dans les nombres de quantité	un espace insécable	un espace insécable	2 000 000
Unités diverses (symboles) [m, cm, g, kg, etc.]	un espace insécable	un espace sécable	30 kg, 2,5 cm
Virgule , • dans la phrase • virgule décimale	 rien rien	 un espace sécable rien	 seconde, et il... 12,89

On n’inclut pas d’espacement entre la parenthèse fermante, le guillemet fermant ou le crochet fermant et la ponctuation qui suit (sauf si c’est un tiret ou un deux-points).

1. Cette grille s’inspire du chapitre « Ponctuation » dans Ramat, 1996, p. 77.

Plan du tableau

Signes graphiques marquant les pauses entre phrases ou éléments de phrases, les rapports syntaxiques ou certaines nuances de sens.

- Un **espace sécable** permet la séparation des éléments qui l'entourent, en fin de ligne par exemple.
- Un **espace insécable** empêche les deux éléments qu'il unit de se séparer. Il évite, par exemple, qu'un deux-points soit rejeté en début de ligne alors qu'il doit rester lié à l'élément qui le précède tout en en étant séparé par un espace.

Apostrophe

On ne laisse jamais d'apostrophe en fin de ligne, même dans le cas d'un texte centré. On écrit le mot dans lequel il y a l'apostrophe au long ou on le renvoie sur la ligne suivante.

Exemples

Une pièce de théâtre de
Alexandre Dumas
ou
Une pièce de théâtre
d'Alexandre Dumas

Barre oblique

- Lorsqu'on écrit au long le nom des unités de mesure, on utilise la préposition *par* et non la barre oblique.
- On n'emploie la barre oblique que dans les cas où l'on s'exprime à l'aide des symboles des unités de mesure.

Exemples

trente kilogrammes de riz par personne
7,5 m/s
24 km/h

- La barre oblique ne doit pas être utilisée pour marquer les formes masculines et féminines d'un mot. On écrit au long les deux formes.

Exemple

Les étudiants et les étudiantes
et non
*Les étudiants/tes
*Les étudiants / étudiantes

Crochets et parenthèses

- Un texte déjà entre parenthèses ne peut contenir d'autres parenthèses. S'il faut isoler un membre de phrase qui est déjà entre parenthèses, on utilise les crochets.

Exemple

Le talent de l'auteur (Victor Hugo [1802-1885]) a été reconnu de son vivant.

- En mathématiques, c'est le contraire : les crochets se placent à l'extérieur des parenthèses.

Exemple

[30 - 5(4 + 1) + 2] ÷ 7 = 1

- De même, deux séries de parenthèses ne peuvent se suivre. On remplace la deuxième paire par des crochets.

Exemple

Exercices d'autocorrection (accords, prépositions, formes verbales) [20 fautes]
et non
*Exercices d'autocorrection (accords, prépositions, formes verbales) (20 fautes)

- Les crochets et les parenthèses ne sont jamais précédés de la virgule, du point-virgule et du deux-points.

Degré

- Le symbole de *degré* est un petit zéro placé en exposant (°).
- Il se place contre le dernier chiffre du nombre si l'échelle de mesure n'est pas précisée.

Exemple

23°

- Si l'échelle de mesure est précisée, le symbole de *degré* (°) s'écrit contre le symbole de l'échelle de mesure et un espace insécable sépare le dernier chiffre du nombre et le symbole.

Exemples

23 °C, 23 °F, 23 °K

Deux-points

- La répétition du deux-points dans une même phrase n'est pas recommandée. Il vaut mieux réécrire la phrase.

Exemple

Elles étaient arrivées : la mère et les deux filles, Camille et Claire.

et non

*Elles étaient arrivées : la mère et les deux filles : Camille et Claire.

- Toutefois, si le deux-points introduit une citation, cette dernière peut contenir elle-même un deux-points.
- On supprime le deux-points à la fin d'un titre centré.
- On ne termine jamais une page par un deux-points.

Etc.

- L'abréviation *etc.* est toujours précédée d'une virgule.

Exemple

… grammaires, dictionnaires, etc.

- Quand l'abréviation *etc.* se trouve au milieu d'une phrase, elle est précédée et suivie d'une virgule.

Exemple

… chaussettes, chaussures, bottes, etc., elle avait tout emporté…

- Elle ne peut être immédiatement précédée ou suivie de points de suspension.
- Cette abréviation ne doit jamais être renvoyée en début de ligne. Elle est toujours précédée d'un espace insécable.

Perluète ou esperluette

La perluète ou esperluette (&), appelée aussi *et commercial*, remplace la conjonction de coordination *et* dans les raisons sociales uniquement. Elle ne peut remplacer la conjonction *et* dans aucun autre cas.

Exemple

Goulemot & fils

et non

*Louise & Marie sont venues.

Point

- Si le point abréviatif termine la phrase, il se confond avec le point final.

Exemple

L'abréviation de Colombie-Britannique est C.-B.

- Le point final est omis au profit des points de suspension à la fin d'une phrase.

Exemple

Le règlement a été oublié…

- Il n'y a pas de point final après un titre ou un sous-titre centré, après un nom propre ou une raison sociale dans un en-tête de lettre ou une signature, après les renseignements sur une carte professionnelle ou une affiche. Toutefois, si ces renseignements comportent une ponctuation interne, on pourra alors mettre une ponctuation finale, dans une carte d'invitation, par exemple.

Exemple

Pascal Fortin, président et chef de l'exploitation de Simard inc., vous invite au lancement de son livre le 15 novembre 1995.

- Le point n'est jamais utilisé dans les nombres exprimant une quantité en chiffres. On utilise la virgule pour les décimales, et non le point. Pour détacher les tranches de milliers, on utilise l'espace insécable.

Exemple

1 333 555 989,000 000 1

Point d'exclamation et point d'interrogation

Le point d'interrogation et le point d'exclamation sont admis comme ponctuation finale des titres centrés.

Points de suspension

- Les points de suspension sont **toujours** au nombre de trois.
- Ils sont admis comme ponctuation finale des titres centrés.
- Ils laissent subsister la ponctuation normale de la phrase, à l'exception du point final et du point abréviatif qui disparaissent à leur profit.
- Si les points de suspension sont combinés avec une virgule ou un point-virgule, ils doivent précéder ces signes de ponctuation.

Exemple

La porte se referma sur les derniers invités… ; la fête était enfin finie.

Symbole des unités de mesure

Les symboles des unités de mesure sont normalisés et invariables. On les écrit toujours en minuscules.

Exemple

MAGASIN DE 500 m^2 À VENDRE OU À LOUER

Tiret et trait d'union

Il ne faut pas confondre *tiret* et *trait d'union* qui sont deux signes de ponctuation différents.

Trait d'union

Exemple

Sa tenue en poult-de-soie est de couleur cuisse-de-nymphe et gorge-de-pigeon.

Tiret

Exemple

Le tiret — et ce n'est qu'une de ses nombreuses utilisations — sert à isoler un membre de phrase.

- Le tiret est plus long que le trait d'union et s'emploie comme les parenthèses pour isoler un mot, une expression, un membre de phrase. Les tirets signalent une coupure moins marquée que les parenthèses.
- Le tiret sert également de jalon énumératif.
- Si le tiret fermant précède immédiatement un point final, un point d'exclamation, un point d'interrogation, un deux-points ou un point-virgule, il est omis au profit de ces derniers.

Exemple

Il n'aime pas ses cousins — et c'est réciproque !

et non

*Il n'aime pas ses cousins — et c'est réciproque — !

- Si le tiret est précédé d'un point, dans le libellé d'un titre par exemple, il n'y a pas d'espace entre eux, mais il y a un espace insécable après.

Exemple

Chapitre 4.— Le temps des lilas

Procès-verbal

Document officiel qui rend compte de la façon la plus objective possible d'une assemblée, d'une réunion, d'un événement.

☞ À la différence du compte rendu, le procès-verbal doit recevoir l'approbation des personnes présentes pour être authentifié. À part cette distinction, tout ce qui s'applique au compte rendu est valable pour le procès-verbal.

Plan du tableau

But

Le procès-verbal permet de conserver un témoignage écrit et officiel de certains événements importants. Son objet n'est pas de juger, d'argumenter, de convaincre ou de provoquer une décision, mais strictement de rendre compte, d'informer, de relater.

Types de procès-verbaux

Procès-verbal résumé ou sélectif

- Les faits importants sont retenus en fonction des besoins des destinataires. Ainsi, une même situation peut donner lieu à plusieurs procès-verbaux, selon ce qu'en attendent les destinataires.
- La sélection des informations doit être faite consciencieusement et avec discernement afin de conserver toutes les données utiles et seulement ces données.

☞ Les procès-verbaux sélectifs ou résumés sont les plus fréquents.

Procès-verbal centré sur les décisions

- Seules sont rapportées les propositions, les décisions ; les échanges, les discussions qui ont précédé la prise de décision ne sont pas retenus par souci de concision.

Procès-verbal littéral ou exhaustif

- Les propos, les faits sont notés et retransmis intégralement avec les nom et titre de fonction de chaque participant.

Structure du procès-verbal

Le procès-verbal peut être plus ou moins détaillé et sa présentation n'est pas standardisée. Elle peut varier d'un organisme à un autre.

1. Titre

Exemple

Procès-verbal de l'assemblée annuelle des copropriétaires Les Lampadaires tenue le vendredi 8 décembre 1995, de 19 h à 21 h 30, dans la salle de réunion de l'Association des propriétaires, à La Minerve, sous la présidence de Mme Jocelyne Gagnon.

2. Liste des personnes présentes et des membres absents

Exemple

Sont présents :

Raynald Jodoin, secrétaire d'assemblée
François Cloutier
Lionel Paquette
Marie Daoust
Denis Frégault
Louise Bernier
Jean Arsenault
Jules Saint-Pierre
Georges Amyot
Carole Bertrand
Gustave Tremblay
Pierre Cholette
Linda Lupien
Michèle Routhier
Jeanne Poulin
Line Girard
Jocelyne Gagnon, présidente
Gaston Legault
Mylène Bouthillier
Réjean Royer
André Corbeil

Se sont excusés :

Jean-François Thuot
Maryse Popovic
Daniel Weiss
Thomas Greenspan
Robin Sirois
François Biron

Assistait également à l'assemblée : Laurent Mailhot, maire de La Minerve

3. Ouverture de la séance

Exemple

Le président ouvre la séance. Il souhaite la bienvenue à tous et remercie M. Georges Amyot d'avoir fourni le magnétoscope à l'aide duquel l'assemblée pourra visionner le film sur les travaux de réparation.

4. Élection d'un président et d'un secrétaire de séance

Exemple

Sur proposition de M. Jules Saint-Pierre, appuyée par Mme Michèle Routhier, Mme Jocelyne Gagnon est élue présidente de l'assemblée à l'unanimité. Sur proposition de M. Réjean Royer, appuyée par Mme Line Girard, M. Raynald Jodoin est élu secrétaire de l'assemblée.

5. Lecture et adoption de l'ordre du jour

Exemple

M. Pierre Cholette propose l'adoption de l'ordre du jour tel qu'il a été transmis avec l'avis de convocation. M. André Corbeil demande que soit ajoutée au point « Questions diverses » la question de la réfection du toit. La proposition de M. Cholette, appuyée par Mme Mylène Bouthillier, est adoptée.

6. Lecture et approbation du procès-verbal de la réunion précédente

Exemple

Le président d'assemblée lit le procès-verbal de la dernière assemblée annuelle qui a déjà été transmis aux copropriétaires. M. Pierre Cholette propose que le procès-verbal soit approuvé. La proposition est appuyée par M. Jean Arsenault.

7. Résumé des débats pour chaque point de l'ordre du jour

- À moins de faire un procès-verbal exhaustif, le rédacteur fait la synthèse des propos échangés sur une question.
- La relation proprement dite de l'activité peut se faire selon un plan chronologique ou un plan thématique.
  - Plan chronologique
    On rend compte des événements, des échanges, des prises de décision dans l'ordre dans lequel ils se sont déroulés.
  - Plan thématique
    À propos de chaque aspect traité, on dégage : les principales idées formulées, les diverses tendances qui se sont manifestées, les décisions prises.
- Les propositions et les décisions sont cependant transcrites intégralement.
- Si une question est mise aux voix, il doit être fait mention du nombre de personnes qui se sont prononcées pour ou contre la proposition ainsi que de celles qui se sont abstenues de voter.

Exemple

Mme Louise Bernier propose que l'aménagement paysager de la partie commune soit confié à une entreprise spécialisée à la suite d'un appel d'offres. Mme Marie Daoust appuie la proposition qui est soumise au vote et acceptée à l'unanimité des voix.

8. Date et lieu de la prochaine réunion

Exemple

Il est décidé que la prochaine assemblée des copropriétaires Les Lampadaires se tiendra le vendredi 6 décembre 1996 dans la salle de réunion de l'Association des propriétaires à La Minerve.

9. Levée de la séance

Exemple

L'ordre du jour étant épuisé, la séance est levée par la présidente à 21 h 30.

10. Signatures du président et du secrétaire

- Les procès-verbaux peuvent comporter la signature du secrétaire uniquement ou les signatures du président et du secrétaire.
- Lorsque le procès-verbal comporte les signatures de ces deux personnes, on fait comme pour une lettre où il y a deux signataires : on dispose les signatures l'une à côté de l'autre en plaçant à droite la signature de la personne qui détient le plus haut niveau d'autorité.

Exemple

Le secrétaire,	La présidente,
signature manuscrite	*signature manuscrite*
Raynald Jodoin	Jocelyne Gagnon

Conseils pour la rédaction

Prise de notes pendant l'activité

notes brèves et complètes
- Lors de l'activité dont on rend compte, il faut veiller à prendre les notes les plus complètes possible.

liste d'émargement
- Si le nombre de participants est important, le secrétaire peut faire circuler une feuille, dite liste d'émargement, pour que chaque personne présente y inscrive son nom.

représentation
- Si les personnes convoquées à l'activité se font représenter, on le signale dans la liste des présences.

Rédaction du procès-verbal

style impersonnel
- Compte tenu du fait que le procès-verbal doit rapporter des faits objectivement, l'emploi de la première personne du singulier ou du pluriel n'est pas recommandé.
  - Seule exception possible : les paroles citées textuellement et qui doivent être alors entre guillemets.

style neutre
- Tournures courantes du style neutre :
  - M. X présente (un rapport, une étude, etc.), estime, indique, souligne ;
  - M. Y aborde (tel problème, telle question), fait remarquer, observe ;
  - Mme Z se déclare d'accord ou s'élève contre, constate, déclare, ajoute ;
  - Mme W souhaite, attire l'attention, conclut, formule des réserves ;
  - Les membres marquent leur volonté de poursuivre l'œuvre amorcée.

indicatif présent
- Le procès-verbal est toujours rédigé au présent de l'indicatif.

niveau de langue
- Le niveau de langue est soutenu. Les échanges de niveau familier ou oral doivent être transposés dans un style plus approprié à la nature du document, sans trahir la pensée exprimée.

correction des fautes
- Les erreurs de construction syntaxique, les impropriétés, les emplois fautifs, les anglicismes doivent être remplacés par les constructions justes et les termes appropriés.

désignation des participants
- Dans la rédaction du procès-verbal, on peut nommer les participants par leur nom lorsqu'ils interviennent, on peut également les désigner par leur titre de fonction uniquement (le directeur du Service des relations publiques a suggéré que...) ou on peut ne rien préciser si les participants sont nombreux ou si cette information n'est pas pertinente (un participant a proposé que...).

style
- Le procès-verbal peut être rédigé en phrases complètes ou, lorsque c'est commode, présenté en style télégraphique.

objectivité
- Le rédacteur doit mettre de côté ses impressions personnelles, ses goûts et présenter tous les aspects d'une question, et pas seulement ceux qui lui plaisent.

pas de conclusion
- Le signataire du procès-verbal ne formule aucune proposition, ne fait pas de recommandation. Le procès-verbal ne comporte pas de conclusion, d'avis ou de jugement personnel. On peut terminer en disant tout simplement : « La réunion s'est terminée à 20 h. »

Quelques formes fautives[1]

Forme fautive	Forme correcte
Agenda	Ordre du jour
Ajourner	Lever la séance
Assemblée régulière	Assemblée ordinaire
Assemblée spéciale	Assemblée extraordinaire
Aviseur légal	Conseiller juridique
Avis légal	Avis juridique
Comité, être sur un	Faire partie, être membre d'un comité, siéger à un comité
Commission, être sur une	Faire partie, être membre d'une commission, siéger à une commission
Constitution	Statuts (d'une société, d'une association)
Être sur un comité, sur une commission	Faire partie, être membre d'un comité, d'une commission, siéger à un comité, à une commission
Hors d'ordre, être	Enfreindre un règlement, violer un règlement
Inscrire dans les minutes	Inscrire au procès-verbal
Item sur l'agenda	Point, rubrique, question à l'ordre du jour
Livre des minutes	Registre des procès-verbaux
Membre ex-officio	Membre de droit, membre d'office
Membre régulier	Membre titulaire, membre en titre
Membre substitut	Membre suppléant
Mettre un item sur l'agenda	Inscrire une question à l'ordre du jour
Minutes	Procès-verbal
Mise en nomination	Présentation d'un candidat, mise en candidature
Officiers	Bureau (président, vice-président, secrétaire d'une assemblée)
Prendre les minutes	Tenir, dresser, rédiger le procès-verbal
Prendre le vote	Mettre une question aux voix, passer au vote
Prendre un vote	Voter (à main levée, au scrutin secret)
Président sortant de charge	Président sortant
Procédure des assemblées délibérantes	Règles des assemblées délibérantes
Qualifications	Conditions d'éligibilité, conditions d'admissibilité, titres et qualités
Question de privilège	Explication sur un fait personnel
Question d'ordre	Motion d'ordre, question relative au règlement
Question hors d'ordre	Question antiréglementaire, irrecevable, irrégulière
Rappel à l'ordre	Rappel au règlement
Référer à un comité, à une commission	Renvoyer à un comité, à une commission
Seconder une proposition	Appuyer une proposition
Siéger sur un comité, une commission	Siéger à un comité, une commission, faire partie, être membre d'un comité, d'une commission
Soulever un point d'ordre	Invoquer le règlement, faire appel au règlement, en appeler au règlement
Sur un comité, sur une commission, être	Faire partie, être membre d'un comité, d'une commission, siéger à un comité, à une commission
Technicalités	Subtilités, points de détail, détails juridiques, détails de procédure
Terme d'office	Durée des fonctions, mandat, période d'exercice
Vote secret	Scrutin secret

1. Cette section est inspirée de Cajolet-Laganière, Collinge et Laganière, 1986, p. 28-30.

Exemples de procès-verbaux

Exemple 1

Procès-verbal de la neuvième réunion de la Commission « D » tenue le mercredi 19 juillet 1995 à la Régie de Lac-à-la-Truite à 9 h, salle 337, sous la présidence M. Marcel Jacques.

Sont présents :

Marcel Jacques	Les Centres Défi de Montréal, président
France Lapierre	CA Louis-Joseph-Papineau
Roger Bernier	Manoir Chomedey
Louis Gendreau	CA Jacques-Cartier
Louise-Andrée Bilodeau	CLSC Nord-Ouest
Réjean Boutros	Régie de Lac-à-la-Truite, secrétaire

Se sont excusés :

Jean Sansfaçon	CJ Cyclamen
France Perron	CLSC Sud-Est

1. **Ouverture de la séance et élection du secrétaire de séance**
   La séance est ouverte à 9 h 15. M. Marcel Jacques préside l'assemblée et M. Réjean Boutros est nommé secrétaire de séance. Le président souhaite la bienvenue à tous.
2. **Lecture et adoption de l'ordre du jour**
   Le président lit l'ordre du jour. Mme France Lapierre, appuyée par M. Louis Gendreau, propose l'ajout au point 9 (Questions diverses) du sous-point 9.1 : Négociations de gré à gré Laurel et Phaneuf (solutions parentérales et appareils connexes). L'ordre du jour est alors adopté à l'unanimité.
3. **Lecture et approbation du procès-verbal de la réunion du 12 juin 1995**
   Sur proposition de Mme Louise-Andrée Bilodeau appuyée par M. Roger Bernier, le procès-verbal de la huitième réunion est adopté sans modification par les membres.
4. **Affaires découlant du procès-verbal de la réunion du 12 juin 1995**
   4.1 Suivi des dossiers
   - Formation (point 7 du procès-verbal de la réunion du 12 juin 1995) : voir le point 7 de ce procès-verbal.
   - Comité provisoire des approvisionnements en commun : voir le point 8 de ce procès-verbal.
   - Produits d'incontinence (politique du gré à gré) : Le président informe les membres que, lors d'une réunion qui a eu lieu le 29 mai 1995, les présidents et les coordonnateurs des quatre commissions ont rencontré les responsables du MSSS au sujet de la politique du gré à gré. Avec le libre-échange et les ententes interprovinciales, il semble qu'il y ait beaucoup moins d'intransigeance en ce qui a trait à l'application de cette politique de la part du MSSS. Voir le point 9 de ce procès-verbal.
5. **Correspondance**
   Sans objet.
6. **Rapports déposés : Bilan de la 8e période**
   La trésorière, Mme France Lapierre, fait l'analyse du bilan financier de la 8e période. Elle demande des détails au sujet de l'article Créditeurs et frais engagés et de l'article Comptes clients.
7. **Formation**
   Les commissaires ont pris connaissance des documents relatifs au projet de formation. M. Roger Bernier fait des commentaires au sujet des changements effectués depuis la dernière réunion de la Commission. Ainsi, l'horaire a été changé, les cours auront lieu pour un premier groupe les 8 et 9 mars prochain et pour un deuxième groupe les 15 et 16 mars prochain, à l'Auberge sur la montagne à Montréal, avenue des Pins Ouest.
8. **Comité provisoire des approvisionnements en commun**
   Le président, membre du comité, résume la situation. Les établissements ont reçu les documents relatifs à la formation d'un regroupement des approvisionnements en commun et les conseils d'administration doivent renvoyer les résolutions avant le 30 septembre prochain. D'ici là, le président du comité provisoire présentera le projet au conseil d'administration de la Régie lors de sa prochaine réunion. Jusqu'à maintenant, l'échéancier est respecté et le MSSS attend notre demande. À suivre.
9. **Questions diverses**
   9.1 Négociation de gré à gré Laurel et Phaneuf (solutions parentérales et appareils connexes)
   Un comité de négociation sera formé pour le dossier des solutions parentérales et appareils connexes afin de faire des économies de l'ordre de 2 % et plus. Il y aura un représentant par commission. Mme France Lapierre siégera à ce comité pour la Commission « D ».
10. **Date et lieu de la prochaine réunion**
    La prochaine réunion du groupe aura lieu le 18 septembre 1995 à 9 h à la Régie de Lac-à-la-Truite, salle 337.
11. **Levée de la séance**
    L'ordre du jour étant épuisé, le président souhaite de bonnes vacances à tous et à toutes et lève la séance à 12 h 30.

Le secrétaire,	Le président,
Réjean Boutros	*Marcel Jacques*
Réjean Boutros	Marcel Jacques

Exemple 2

Procès-verbal de l'assemblée générale annuelle des membres de l'Association des usagers de la langue française (ASULF) tenue le lundi 30 mai 1994 à 18 h à la salle de conférence de la Commission d'appel en matière de lésions professionnelles située au 1200 de l'avenue McGill College à Montréal.

Les membres suivants sont présents :

1. AUCLAIR, Emmanuel
2. CARRIER, Benoît
3. CONFÉDÉRATION DES SYNDICATS NATIONAUX, Fernande PILON
4. COURTEMANCHE, Walter
5. DELLIAC, Catherine
6. DEMERS, Jean
7. DUFAULT, Claude
8. FLEURY, Pierre
9. GAGNÉ, Guy
10. GIASSON, Max
11. INCHAUSTEGUI, Éliane
12. LANGELIER, Yvonne
13. LANGLOIS, Didier
14. LAVALLÉE, André
15. LE BORGNE, Marc
16. LEBRASSEUR, Christiane
17. MIREAULT, Joseph
18. MONTMINY, Jeannine
19. MOUVEMENT NATIONAL DES QUÉBÉCOIS, Jacques TROTTIER
20. ORSONI, Maurice
21. PARADIS, Jean-Claude
22. QUESNEL, Normand
23. RENAUD, Richard
24. SAINT-LAURENT, Philippe
25. SAUVÉ, Isabelle
26. TAILLON, Simone

M. Jean-Marie VALOIS participe à la réunion à l'invitation de M. Didier LANGLOIS. Il signe une adhésion sur place. Mme Georgette TREMBLAY, secrétaire de M. Emmanuel AUCLAIR, assiste à la réunion à l'invitation du président. Quatre-vingt-dix-sept membres ont tenu à s'excuser de leur absence.

1. **Ouverture de l'assemblée par le président**
Le président ouvre la séance. Il souhaite la bienvenue et remercie M. Joseph MIREAULT d'avoir obtenu gratuitement la salle de conférence de la Commission d'appel en matière de lésions professionnelles pour la tenue de l'assemblée annuelle. Il remercie M. Walter COURTEMANCHE d'avoir recueilli les réponses des membres de la région de Montréal. Il remercie aussi la CSN de payer une partie du léger repas qui a précédé la réunion.

2. **Constatation de la régularité de la convocation et vérification du droit de présence et du quorum**
Il s'agit d'une assemblée convoquée de façon régulière. Le droit de présence est vérifié. Il y a quorum : 27 membres assistent à la réunion.

3. **Élection du président de l'assemblée**
Sur proposition de M. Benoît CARRIER, appuyée par M. André LAVALLÉE, Me Jean DEMERS est élu président de l'assemblée à l'unanimité.

4. **Élection du secrétaire de l'assemblée**
Sur proposition de M. Guy GAGNÉ, appuyée par Mme Jeannine MONTMINY, Mme Simone TAILLON est élue secrétaire de l'assemblée.

5. **Adoption de l'ordre du jour**
M. Marc LE BORGNE demande l'ajout d'un point à l'ordre du jour. Sur proposition de M. Pierre FLEURY, appuyée par Mme Isabelle SAUVÉ, l'ordre du jour est adopté avec l'ajout proposé par M. Marc LE BORGNE.

6. **Lecture et approbation du procès-verbal de l'assemblée générale du 31 mai 1993**
Mme Simone TAILLON fait lecture du procès-verbal de l'assemblée générale du 31 mai 1993. Sur proposition de M. Didier LANGLOIS, appuyée par M. Benoît CARRIER, le procès-verbal est adopté à l'unanimité.
....

7. **Rapport du bureau : étude et adoption**
Le président fait une lecture commentée du rapport des activités de l'année écoulée suivi des perspectives d'avenir.
....
On souligne l'aberration de la loi 86 qui veut qu'une marque déposée en anglais seulement soit correcte. On note également que de nombreuses raisons sociales sont devenues anglaises.

Mme Isabelle SAUVÉ demande si les critères de l'OLF concernant les plaintes acceptées et traitées sont connus. Ces deux points pourraient faire l'objet de questions auprès de l'OLF. Elle suggère une coordination de l'action de l'ASULF et de celle de l'OLF. Elle suggère aussi que l'ASULF ne néglige aucun domaine d'action, mais fasse plutôt un tri.

M. Marc LE BORGNE souligne le fait que l'ASULF fait un travail dont l'OLF devrait s'occuper.

Le président suggère aux membres de porter plainte à l'OLF lorsque le français brille par son absence et d'envoyer une copie de l'intervention à l'association. Il souligne que l'OLF n'intervient que dans les cas de violation de la Charte de la langue française, c'est-à-dire lorsqu'il y a absence de français. L'OLF n'intervient pas pour améliorer la qualité défaillante.
....
Sur proposition de M. Philippe SAINT-LAURENT, appuyée par M. Joseph MIREAULT, le rapport des activités est adopté à l'unanimité.

8. **États financiers au 31 mars 1994 : étude et réception**
Le président présente les états financiers au 31 mars 1994 et fait lecture du rapport du vérificateur. Sur proposition de M. Walter COURTEMANCHE, appuyée par Mme Isabelle SAUVÉ, les états financiers et le rapport du vérificateur sont reçus par l'assemblée, qui autorise le président, le premier vice-président ou la secrétaire générale à les signer

9. **Présentation des prévisions budgétaires**
Le président fait lecture des prévisions budgétaires. Sur proposition de M. Benoît CARRIER, appuyée par M. Marc LE BORGNE, les prévisions budgétaires sont adoptées à l'unanimité.

10. **Élection de deux membres du bureau à la présidence et à la troisième vice-présidence**
Ces postes sont respectivement occupés par MM. Emmanuel AUCLAIR et Marc LE BORGNE.
Sur proposition de M. Jean-Claude PARADIS, appuyée par Mme Isabelle SAUVÉ, M. Emmanuel AUCLAIR est élu président.
M. Benoît CARRIER propose M. Marc LE BORGNE à la troisième vice-présidence. M. Normand QUESNEL appuie cette proposition. M. Marc LE BORGNE refuse un nouveau mandat.
Sur proposition de M. Emmanuel AUCLAIR, appuyée par M. Normand QUESNEL, M. Joseph MIREAULT est élu à la troisième vice-présidence.

11. **Nomination du vérificateur**
Sur proposition de M. Normand QUESNEL, appuyée par M. Didier LANGLOIS, il est résolu à l'unanimité de nommer pour l'exercice courant les mêmes vérificateurs que pour l'exercice précédent, à savoir RAYMOND, CHABOT, MARTIN, PARÉ et associés.

12. **Divers**
L'État ayant un rôle à jouer pour ce qui concerne la qualité de la langue, M. Marc LE BORGNE suggère de faire des interventions publiques pour obtenir l'appui des autorités civiles dans des cas susceptibles de les intéresser. L'intervention pourrait prendre la forme de questions en Chambre.
....

13. **Levée de l'assemblée**
Sur proposition de Mme Simone TAILLON, appuyée par Mme Isabelle Sauvé, l'assemblée générale annuelle de 1994 de l'Association des usagers de la langue française (ASULF) est levée à 20 h 45.

Fait à Québec le 30 septembre 1994.

Simone Taillon — Simone TAILLON

Emmanuel Auclair — Emmanuel AUCLAIR

Voir tableau **Avis de convocation**
Voir tableau **Compte rendu**
Voir tableau **Correction**
Voir tableau **Ordre du jour**
Voir tableau **Révision**

Questionnaire d'enquête

Plan du tableau

Série de questions auxquelles on soumet un échantillon représentatif de personnes pour connaître leur opinion sur un sujet, un produit, etc. ; formulaire où sont inscrites ces questions.

Généralités

Le bon questionnaire doit :

- répondre aux objectifs de la recherche et couvrir tout le sujet ;
- être adapté aux besoins, au langage et aux réactions des personnes interrogées ;
- être rédigé avec des mots simples, précis, faciles à comprendre ;
- poser une seule question à la fois ;
- fournir des réponses claires et courtes ;
- être présenté de façon ordonnée et aérée ;
- contenir des instructions précises sur la façon de répondre au questionnaire : par un crochet (✓), par une croix (✗), par un chiffre (1), par un signe (+).

Introduction

Une introduction écrite, surtout dans le cas d'un questionnaire que l'on fait passer oralement, permet aux enquêteurs de ne rien oublier au moment de la présentation. L'introduction doit être très courte.

Conseils pour la rédaction

Impératif / infinitif

Il faut respecter l'uniformité à l'intérieur d'un même questionnaire d'enquête.

a) Impératif

- Dans le cas de questionnaires où on demande à une personne de répondre à une série de questions, l'utilisation de l'impératif (deuxième personne du pluriel) est recommandée.
- Il faut s'assurer de tout accorder à la deuxième personne du pluriel.

Exemple

Assistez-vous à ce spectacle...
❏ seul?
❏ avec votre compagne ou votre compagnon?
Quand avez-vous acheté votre billet?
❏ Au cours de la journée
❏ Il y a plus d'un mois
❏ Je ne le sais pas

- Lorsqu'on veut ajouter l'expression *s'il vous plaît* à une demande, on la met à la fin de l'énoncé.

Exemples

Veuillez remettre ce questionnaire à l'entrée, s.v.p.
Veuillez remplir le questionnaire en caractères d'imprimerie, s'il vous plaît.

b) Infinitif

- L'infinitif est plus courtois, moins direct que l'impératif. On l'utilise surtout pour donner des instructions très courtes à un large public où chacun est incité à faire ou à ne pas faire quelque chose.

Exemples

Écrire son nom en caractères d'imprimerie.
Prière de ne pas fumer dans cet édifice.

- Lorsqu'on écrit des instructions à l'infinitif, il faut accorder les pronoms, les adjectifs possessifs et les autres expressions à la troisième personne du singulier.

Exemples à suivre

Prière de remplir son questionnaire au crayon mine.
Ne pas répondre si son revenu est de plus de 25 000 $.

Exemples à ne pas suivre

*Remplir votre questionnaire au crayon mine, s.v.p.
*Ne pas répondre si votre revenu est de plus de 25 000 $.

L'expression *s'il vous plaît* est de la deuxième personne du pluriel. Elle ne peut s'employer avec un verbe à l'infinitif. On se sert plutôt de l'expression *Prière de…*

Pluriel / singulier

Il faut éviter de mettre les marques de pluriel entre parenthèses quand on veut indiquer que l'énoncé vaut pour le pluriel et le singulier. Il faut plutôt

- reformuler,
- mettre tout au pluriel, car le pluriel inclut le singulier,
- utiliser une formulation du type : *le ou les billets vendus*.

Exemples à suivre

Combien d'enfants avez-vous?
Indiquez le titre de la ou des pièces de théâtre que vous avez vues cette année.

Exemples à ne pas suivre

*Combien d'enfant(s) avez-vous?
*Indiquez le titre de la (des) pièce(s) de théâtre que vous avez vue(s) cette année.

Ponctuation

Il faut respecter l'uniformité à l'intérieur d'un même questionnaire d'enquête.

Point d'interrogation

Le point d'interrogation est obligatoire à la fin de toutes les questions directes.

Exemple

Combien de pièces de théâtre allez-vous voir en moyenne par année?
- ❑ 0 ou 1 pièce
- ❑ 2 ou 3 pièces
- ❑ 4 ou 5 pièces
- ❑ 6 pièces ou plus

Point final

Le point final est facultatif à la fin des réponses, mais on doit adopter une règle pour l'ensemble du questionnaire.

Deux-points

Le deux-points est facultatif à la fin des phrases introductives qui ne se terminent pas par un point final ou un point d'interrogation, mais on doit adopter une règle pour l'ensemble du questionnaire.

Exemple

Travaillez-vous ou étudiez-vous dans un des domaines suivants :
- ❑ Agriculture, mines, forêt (secteur primaire)?
- ❑ Fabrication (secteur manufacturier)?
- ❑ Construction?
- ❑ Transport?

Syntaxe et vocabulaire

- Privilégier les phrases courtes à structure simple mais complète.
- Respecter l'uniformité.
- Soigner les énumérations : tous les éléments d'une énumération doivent s'enchaîner à la suite de la phrase ou de l'expression introductive.

Exemple à suivre

Travaillez-vous ou étudiez-vous dans un des domaines suivants :
- ❑ Agriculture, mines, forêt (secteur primaire)?
- ❑ Fabrication (secteur manufacturier)?
- ❑ Construction?
- ❑ Transport?
- ❑ Services publics?

Exemple à ne pas suivre

Travaillez-vous ou étudiez-vous dans le secteur...
- ❑ Primaire (agriculture, mines, forêt)?
- ❑ Fabrication (secteur manufacturier)?
- ❑ Construction?
- ❑ Transport?
- ❑ Services publics (électricité, gaz, poste, téléphone)?

- La personne qui conçoit le questionnaire peut, si un aspect de sa recherche n'a pas été abordé, ajouter une question ; elle **complète** alors le questionnaire. La personne qui y répond le **remplit** cependant.
- On **conduit**, **effectue** un sondage ou on **fait passer** un questionnaire à quelqu'un ; on ne l'*administre pas.

Féminisation

Il faut donner les formes masculines et féminines des désignations de postes, de fonctions, de titres et de personnes dans la formulation des questions, si le contexte s'y prête.

☞ Il est recommandé de ne pas recourir aux parenthèses, aux traits d'union, aux barres obliques ou aux tirets pour indiquer le féminin (voir tableau **Féminisation des titres et des textes**).

Codage des réponses

Le codage des réponses facilite le traitement des données recueillies car, quand vient le moment de saisir les données, on n'a plus qu'à inscrire des codes et non les énoncés au complet. On accélère ainsi l'étape de la saisie des données et on diminue les risques d'erreurs.

Exemple

Depuis combien de temps avez-vous pris un abonnement?

1❑ Un an ou moins	4❑ Quatre ou cinq ans
2❑ Deux ans	5❑ Six ans ou plus
3❑ Trois ans	

Exemple de questionnaire d'enquête[1]

BIENVENUE AU THÉÂTRE

Nous vous invitons à répondre à ce court questionnaire. Les données recueillies serviront à faire une étude sur les théâtres montréalais dans le cadre du programme de maîtrise ès sciences (M.Sc.) de l'École des Hautes Études Commerciales. En répondant à ce questionnaire, vous nous aiderez à trouver des moyens d'augmenter la rentabilité des troupes de théâtre tout en maintenant la qualité des pièces qui vous sont présentées.

Merci de votre collaboration !

Veuillez cocher (✔) la réponse qui correspond à votre opinion ou à votre situation.

1. Combien de fois avez-vous assisté à une pièce de théâtre dans cette salle?
   ❑ 1 fois ❑ 2 à 5 fois ❑ 6 fois et plus

2. Assistez-vous à ce spectacle…
   ❑ Seul ou seule?
   ❑ Avec votre compagne ou compagnon?
   ❑ Avec un membre de votre famille?
   ❑ Avec un ami ou une amie?
   ❑ Avec des amis et votre compagne ou compagnon?
   ❑ Avec des membres de votre famille et votre compagne ou compagnon?
   ❑ Avec un groupe organisé?

3. Quel genre de billet avez-vous?
   ❑ Un billet simple
   ❑ Un abonnement

Si vous avez répondu **abonnement** à la question n° 3, passez à la question n° 8.

4. Quand avez-vous acheté votre billet?
   ❑ Moins d'une heure avant le début de la représentation
   ❑ Au cours de la journée
   ❑ Au cours de la dernière semaine
   ❑ Il y a plus d'une semaine
   ❑ Il y a plus d'un mois
   ❑ Je ne sais pas

5. Comment avez-vous acheté votre billet?
   ❑ En personne au guichet
   ❑ Par téléphone
   ❑ Je ne l'ai pas acheté moi-même

6. Combien avez-vous payé pour votre billet ?
   ❑ 35 $ ou plus
   ❑ De 30,00 $ à 34,99 $
   ❑ De 25,00 $ à 29,99 $
   ❑ De 20,00 $ à 24,99 $
   ❑ De 15,00 $ à 19,99 $
   ❑ De 10,00 $ à 14,99 $
   ❑ Moins de 10 $
   ❑ Rien (cadeau)

7. Auriez-vous assisté à ce spectacle si le billet avait coûté…

	Oui	Non
2 $ de plus?	❑	❑
3 $ de plus?	❑	❑
4 $ de plus?	❑	❑
6 $ de plus?	❑	❑
8 $ de plus?	❑	❑

Si vous avez répondu **billet simple** à la question n° 3, passez à la question n° 11.

8. Depuis combien de temps avez-vous pris un abonnement?
   ❑ Un an ou moins
   ❑ Deux ans
   ❑ Trois ans
   ❑ Quatre ou cinq ans
   ❑ Six ans ou plus

9. Pourquoi avez-vous pris un abonnement?
   (Si vous avez plusieurs raisons, indiquez le rang [1er, 2e] des deux raisons les plus importantes.)

	1er	2e
Pour m'obliger à aller au théâtre	____	____
Pour profiter des réductions de prix	____	____
Pour ne pas avoir à acheter des billets chaque fois	____	____
Pour avoir une bonne place assurée	____	____
Pour encourager les troupes de théâtre	____	____
Autre : ________________	____	____

10. Généralement, assistez-vous à toutes les pièces auxquelles vous donne droit votre abonnement?
    ❑ Oui
    ❑ Non Dans ce cas, que faites-vous le plus souvent avec votre billet?
    ❑ Je le donne
    ❑ Je le vends
    ❑ Je le jette

11. Pour chacune des phrases suivantes, indiquez votre opinion personnelle. (Encerclez le chiffre correspondant.)

	Accord total	Plutôt d'accord	Neutre	Plutôt en désaccord	Désaccord total
Je préfère voir des pièces classiques	1	2	3	4	5
Je préfère voir des pièces contemporaines	1	2	3	4	5
Je me reconnais dans les pièces des auteurs et des auteures d'ici	1	2	3	4	5
Je préfère voir des pièces jouées par des comédiens et des comédiennes connus	1	2	3	4	5

12. Quel est votre sexe?
    ❑ Homme ❑ Femme

13. Quel âge avez-vous? ________ ans

14. Quel est votre statut?
    ❑ Célibataire
    ❑ Séparée ou séparé, divorcée ou divorcé
    ❑ Veuve ou veuf
    ❑ Mariée ou marié
    ❑ Conjointe ou conjoint de fait

15. Quelle langue parlez-vous à la maison?
    ❑ Français ❑ Anglais ❑ Autre : ______________

16. Quel est votre revenu personnel avant impôts?
    ❑ Moins de 10 000 $
    ❑ De 10 000 $ à 19 999 $
    ❑ De 20 000 $ à 29 999 $
    ❑ De 30 000 $ à 39 999 $
    ❑ De 40 000 $ à 49 999 $
    ❑ De 50 000 $ à 59 999 $
    ❑ De 60 000 $ à 69 999 $
    ❑ De 70 000 $ à 79 999 $
    ❑ De 80 000 $ à 99 999 $
    ❑ 100 000 $ et plus

17. Avez-vous des enfants à charge?
    ❑ Non ❑ Oui
    Si oui, combien? _______ enfants

18. Combien d'années de scolarité avez-vous? ___________ ans

19. Quelle est votre situation d'emploi?
    ❑ Je travaille à temps plein
    ❑ Je travaille à temps partiel
    ❑ Je suis sans emploi, mais en recherche active
    ❑ Je suis sans emploi, mais n'en recherche pas activement
    ❑ Je travaille à la maison
    ❑ Je suis aux études à temps plein
    ❑ Je suis à la retraite

20. Travaillez-vous ou étudiez-vous dans un des domaines suivants
    ❑ Agriculture, mines, forêt (secteur primaire)?
    ❑ Fabrication (secteur manufacturier)?
    ❑ Construction?
    ❑ Transport?
    ❑ Services publics?
    ❑ Restauration, hôtellerie, tourisme?
    ❑ Commerce?
    ❑ Assurance, secteur bancaire, immobilier?
    ❑ Consultation?
    ❑ Communication?
    ❑ Arts et culture?
    ❑ Éducation, santé?

21. Avez-vous la nationalité canadienne?
    ❑ Oui ❑ Non

22. Quels sont les trois premiers caractères de votre code postal? _ _ _

Merci de votre collaboration.
Une fois le questionnaire rempli, veuillez le remettre à la personne qui vous l'a donné ou le déposer aux endroits indiqués, s.v.p.

1. Caroline Beauregard, « La tarification des billets de théâtre », travail dirigé de maîtrise, Montréal, École des Hautes Études Commerciales, 1994, p. 71-75.

Enquête effectuée par la poste

Documents à inclure au départ

Lorsque l'on effectue une enquête ou un sondage par la poste, on ne peut envoyer uniquement le questionnaire aux personnes dont on sollicite les réponses. Il faut inclure les éléments suivants :

- Lettre d'accompagnement
  - But du questionnaire
  - Nom de la personne ou de l'organisme qui le soumet
  - Phrase sur l'importance de la collaboration du répondant
  - Assurance de l'anonymat du répondant
    - Cette lettre doit être très courte afin d'être lue des personnes dont on souhaite recueillir l'opinion.
- Instructions
  - Mode de réponse
  - Termes employés
  - Types d'échelles
- Questionnaire
- Enveloppe-réponse affranchie

Suivi

Par la suite, on pourra envoyer une **lettre de rappel** si les personnes sollicitées tardent à répondre, puis, à la fin de l'enquête, une **lettre de remerciements** à tous ceux qui ont participé à l'enquête.

Dans cette dernière, on peut dire aux participants où ils trouveront une copie des résultats de l'enquête.

Exemple de lettre d'accompagnement[1]

Enquête auprès des présidents d'entreprise sur l'impact des technologies de l'information

Madame,
Monsieur,

Nous vous remercions de bien vouloir participer à notre enquête sur l'impact des technologies de l'information. Notre étude est subventionnée par le Conseil de recherches en sciences humaines du Canada et par le fonds pour la Formation des chercheurs et l'aide à la recherche du Québec. Conduite dans l'ensemble du Québec, cette étude a également reçu l'appui de l'Association des manufacturiers du Québec et d'Industrie Canada. Les résultats de notre recherche seront divulgués dans des articles que nous publierons ultérieurement.

Ce questionnaire porte sur l'impact des technologies de l'information au sein de l'entreprise et nous permettra de mieux comprendre ce qu'est cet impact. De façon plus précise, nous comptons concentrer nos recherches sur la perspective du président de l'entreprise. Ainsi, il est impératif que vous remplissiez ce questionnaire vous-même.

Quatre sections principales composent le questionnaire : « Les technologies de l'information », « Les stratégies d'entreprise », « L'environnement » et « La performance organisationnelle ». Aucune connaissance précise des technologies de l'information n'est nécessaire pour répondre à nos questions et vous trouverez des instructions pour bien remplir le questionnaire à la page suivante. Nous estimons que 30 minutes seront suffisantes pour y répondre.

Nous vous assurons que vos réponses seront confidentielles et traitées de façon tout à fait anonyme, sans que nous fassions référence aux individus ou aux organisations dans nos articles. Notre recherche n'a pas comme but de faire l'analyse ou la description d'organisations ou d'individus précis. Tous nos résultats et toutes nos analyses renverront à des tendances générales et aux moyennes qui ressortent de notre échantillonnage.

Nous vous remercions du temps que vous consacrerez à cette enquête et de votre participation. Si vous avez des questions concernant ce questionnaire, n'hésitez pas à nous appeler à frais virés au (514) 453-9876. Nous vous serions très reconnaissants si vous pouviez nous retourner le questionnaire dans les 30 jours. Une enveloppe-réponse affranchie est jointe à notre envoi.

Veuillez agréer, Madame, Monsieur, l'expression de nos sentiments les meilleurs.

Geneviève Bassellier	*Jean Tardy*
Geneviève Bassellier	Jean Tardy
Étudiante à la M.Sc. (gestion)	Professeur de technologies de l'information

1. Geneviève Bassellier, « L'appui de la haute direction face aux technologies de l'information : Développement d'une mesure », mémoire de maîtrise, Montréal, École des Hautes Études Commerciales, 1995, IX-165 p.

Exemple d'instructions[1]

Instructions

1. Veuillez répondre à chaque question le plus spontanément possible en choisissant la réponse qui reflète le mieux votre opinion.

2. Dans ce questionnaire,
   - l'expression ***technologies de l'information*** désigne l'ensemble des technologies de traitement de l'information nécessaires aux fonctions d'exécution, de gestion et de prise de décision (p. ex. ordinateurs, télécommunications, etc.) ;
   - le terme ***systèmes d'information (SI)*** fait référence aux systèmes informatisés (p. ex. systèmes de paie, système de gestion des stocks, etc.) ;
   - le ***responsable des systèmes d'information*** est la personne la plus haut placée dans l'entreprise qui gère les systèmes d'information et les technologies de l'information ;
   - le ***service des systèmes d'information*** fait référence à l'unité au sein de l'organisation qui gère les systèmes d'information.

3. Dans ce questionnaire, deux types d'échelles sont utilisés :
   a. Échelle numérique
   Je joue au golf durant l'été.
   jamais 1 2 3 4 5 ⑥ 7 très souvent
   Selon la réponse fournie, le répondant joue au golf assez souvent.
   b. Échelle différentielle
   Mes vacances en Floride ont été :
   ennuyeuses |_|_|_|_|_|_|_|X|_| amusantes
   économiques |_|_|X|_|_|_|_|_|_| coûteuses
   Selon les réponses fournies, les vacances du répondant ont été plutôt économiques et très amusantes.

4. Certaines questions peuvent vous sembler délicates. L'objectif de notre recherche est de mieux comprendre ces sujets, de façon à pouvoir fournir des recommandations quant à l'utilisation des technologies de l'information dans les organisations. Cela ne sera possible que si vous répondez selon ce que vous ressentez vraiment.

Merci de votre précieuse collaboration !

Voir tableau **Correction**
Voir tableau **Féminisation des titres et des textes**
Voir tableau **Révision**

1. Geneviève Bassellier, « L'appui de la haute direction face aux technologies de l'information : Développement d'une mesure », mémoire de maîtrise, Montréal, École des Hautes Études Commerciales, 1995, IX-165 p.

Rapport

Plan du tableau

Document de longueur variable dont la fonction est d'analyser une situation déterminée, d'étudier un problème, une question, puis, à partir de cet examen, de formuler des propositions, un avis, des recommandations et, le cas échéant, de proposer une action, une décision.

Éléments du rapport[1]

Lettre de transmission

Pages liminaires	Corps du texte	Pages annexes
Page de titre Remerciements Sommaire Table des matières Liste des tableaux Liste des figures Liste des abréviations et des sigles	Introduction Développement Conclusion	Annexes Appendices Bibliographie Index

Types de rapports

Rapport d'information

- On y communique des renseignements en laissant au destinataire le soin de porter lui-même un jugement et de prendre une décision. Ces rapports ne comprennent ni propositions, ni recommandations.

Rapport d'analyse et de recommandation

- Après un exposé raisonné des faits, on tire des conclusions et on propose une décision.

Caractéristiques du rapport

- À la **différence du compte rendu**, qui s'en tient à la simple présentation de la réalité, le rapport s'appuie sur une situation pour dégager les informations pertinentes et aboutir à des **propositions** qui prépareront l'action du destinataire. C'est un document d'aide à la décision.
- Rédigé à la demande d'un destinataire, le rapport oblige son rédacteur à un **travail de recherche**, **de réflexion** et **de synthèse** ; ce document se caractérise par l'établissement de **conclusions** (basées sur l'analyse des faits) et généralement par la formulation de **recommandations** sur lesquelles le destinataire du rapport aura à se prononcer.

1. Tous ces éléments font l'objet d'un tableau qu'on pourra consulter à l'ordre alphabétique du mot clé.

- Le rapport est essentiellement cette émergence d'un **avis personnel** à partir de l'étude de faits et d'informations exactes.
- Il est basé sur une **démonstration rigoureuse** qui part d'une analyse systématique des faits et des données recueillis, et aboutit à des conclusions et des recommandations pratiques et justifiées.

Importance du destinataire

- Il est primordial de s'interroger sur les **connaissances**, la **formation**, les **responsabilités**, voire la **personnalité** du destinataire, car on n'écrit pas de la même façon si l'on s'adresse à un spécialiste ou à un généraliste, à la direction de son entreprise ou à son supérieur immédiat.
- Afin de s'éviter du travail inutile, le rédacteur doit bien connaître les **exigences** et les **besoins en information** de son destinataire et sans cesse les avoir à l'esprit au moment de la préparation et de la rédaction du rapport.
- Le rapport étant un écrit professionnel destiné à faire agir le destinataire, il est important que le document soit conçu, écrit et présenté de façon **efficace**.

Caractéristiques du rédacteur

- Le rédacteur de rapport doit très bien **maîtriser les règles de la communication écrite**, car il lui faut, tout au long du rapport, décrire, analyser et argumenter (voir tableau **Dissertation**, section Argumentation).
- Le rédacteur doit **présenter tous les points de vue**, même ceux avec lesquels il est en désaccord ; cependant, il devra choisir les bons arguments, les étayer solidement afin de convaincre le destinataire du bien-fondé de la position défendue.
- En tant qu'expert de la question à l'étude, le rédacteur doit être capable de la décrire avec une certaine **distance** et d'en donner une **vue globale et complète** ; toutefois, il devra orchestrer sa stratégie de démonstration pour arriver à faire partager son point de vue.

Étapes du travail : le rapport en dix étapes

Préparation

Étape 1 : Délimitation précise du sujet

- Définition de l'objet du rapport et de toutes ses implications possibles
- Bonne compréhension du mandat et des besoins du destinataire

Étape 2 : Élaboration d'un plan de travail provisoire

- Liste des aspects à considérer, des démarches à effectuer
- Établissement d'un calendrier, d'un échéancier

Étape 3 : Collecte des informations

- Observation directe de la situation
- Recueil de témoignages, de questionnaires d'enquête, d'entrevues, etc.
- Lecture d'articles, d'ouvrages, de rapports, etc.
- Recours à son expérience personnelle

Étape 4 : Analyse et sélection des données

- Tri des éléments significatifs selon le sujet et les besoins des destinataires

Étape 5 : Organisation matérielle des données

- Classement des éléments d'information (fiches, résumés, dossiers, etc.)

Structuration

Étape 6 : Élaboration du plan détaillé

- Choix des idées directrices et des idées secondaires
- Articulation logique des arguments de la démonstration
- Agencement précis des éléments d'information

Étape 7 : Structure du rapport

- Introduction
  - Présentation du sujet traité, des buts poursuivis
  - Objet du rapport
  - Énoncé de la problématique
  - Annonce des étapes essentielles du document
- Développement
  - Articulation des idées directrices
  - Articulation des idées secondaires
  - Exposé des faits, des éléments d'information
  - Démonstration de l'hypothèse de travail
  - Formulation de propositions
- Conclusion
  - Synthèse des thèmes de la recherche
  - Récapitulation concise de l'articulation de la démonstration
  - Présentation du résultat final de la recherche, des réponses apportées aux problèmes soulevés, des recommandations

---

Rédaction

Étape 8 : Rédaction du rapport

- Expression spontanée des idées, des faits
- Intégration logique des éléments d'information, des citations, des avis
- Contrôle fréquent de la concordance avec le plan détaillé

Étape 9 : Révision du rapport

- Contenu
  - Atteinte de l'objectif visé
  - Satisfaction des besoins en information du destinataire
  - Adaptation au destinataire
  - Respect du plan détaillé
  - Équilibre des parties
  - Transitions soignées
- Forme
  - Révision du vocabulaire
  - Vérification de l'orthographe d'usage et de l'orthographe grammaticale
  - Examen des constructions syntaxiques, de la concordance des temps
  - Correction du style
  - Vérification des citations et des références, des notes et des appels de note
  - Examen de la numérotation et de la pagination

Présentation

Étape 10 : Présentation et transmission du rapport

Vérification des aspects suivants :

- Présence d'une lettre de transmission impeccable
- Présentation attrayante de la page de titre
- Disposition aérée et agréable du texte
- Hiérarchisation des titres
- Exactitude des renseignements de la table des matières
- Présentation correcte des tableaux et graphiques, s'il y a lieu
- Bon ordre des annexes et appendices
- Précision de la bibliographie, s'il y a lieu

Conseils pour la rédaction

Lettre de transmission

- La lettre de transmission sert à introduire le sujet et à rappeler les objectifs et l'importance de la question traitée. Elle permet à l'auteur de mettre l'accent sur les points importants, d'indiquer ses erreurs ou omissions et d'ajouter des renseignements encore inconnus au moment de la saisie du rapport.
  Dans le cas d'un rapport très court, cette lettre pourra être remplacée par une note figurant en tête du rapport.

Plan

- Tout rapport, aussi court soit-il, doit comporter un plan (voir tableau **Plan**). Il s'agit d'être attentif à la logique du sujet et d'adopter le plan qui lui convient le mieux.

Langue et vocabulaire

- Le rapport est rédigé dans une langue neutre et correcte ; le registre familier est à éviter.
- Il n'y a pas de vocabulaire propre au rapport. Tout dépend de la discipline et de la méthode.

Style et ton

- Le style et le ton du rapport doivent être parfaitement adaptés au contexte du rapport ainsi qu'à son destinataire.

Personne

- Si le rédacteur parle au nom de plusieurs personnes ou au nom de l'organisme ou de l'entreprise qu'il représente, il emploiera la première personne du pluriel.
- Si le rédacteur écrit en sa qualité d'expert, il utilisera le nous de modestie en prenant soin d'accorder adjectifs et participes au masculin singulier, si c'est un homme, et au féminin singulier, si c'est une femme.
- Le rédacteur n'utilisera le *je* que s'il parle en son seul nom.
- Il faut conserver la même personne tout au long du rapport.

Conditionnel

- Dans les propositions et les recommandations, il est parfois plus judicieux d'employer le conditionnel que le futur.

Liens

- Les transitions sont essentielles, car elles appuient l'argumentation et aident à jalonner les diverses étapes du raisonnement. Elles facilitent le passage d'une idée à l'autre, d'un paragraphe au suivant, et elles mettent en relief une remarque, un fait, un commentaire. (Voir tableau **Transition et marqueur de relation**.)
- Le lien logique qui existe entre le fait constaté et la proposition à laquelle on aboutit ne doit jamais être sous-entendu. Affirmer n'est pas prouver. Étant donné que, dans le rapport, le rédacteur doit amener le lecteur à penser comme lui-même, il est important de bien établir et expliquer ce lien logique.

Développement et conclusion

- Chaque partie du développement participe à la solidité du tout et contribue à préparer la conclusion finale.
- Un développement bien construit doit prédisposer le lecteur à la conclusion.
- Toute observation, toute information retenue dans le développement doit être utile au raisonnement, doit servir la démonstration.
- L'avis du rédacteur ne doit être donné que s'il a été suffisamment préparé par l'argumentation tout au long du développement.

Exemple de lettre de transmission

Le 11 septembre 1995

Madame Julie Brodeur
Directrice de l'exploitation
Les textiles Corbeil inc.
35, rue Brasseur
Candiac (Québec)
J8I 4E6

Objet : **Campagne d'échantillonnage, de mesure de débit et de mesure de pH**

Madame,

Vous trouverez ci-joint le rapport portant sur la campagne d'échantillonnage, de mesure de débit et de mesure de pH effectuée du 4 au 7 juillet 1995 sous la supervision de M. Frédéric Fortin, technicien en assainissement des eaux.

Pour faire suite à votre demande, une vérification complète et un calibrage du pH-mètre ont aussi été faits. Comme l'a indiqué M. Fortin lors d'un entretien téléphonique entre vous et lui, le tout fonctionne bien à l'exception d'un écart de 4 unités en ce qui concerne l'enregistrement du signal. L'appareil devra donc être réglé par le fournisseur.

Pour tout renseignement supplémentaire, n'hésitez pas à communiquer avec nous. En espérant le tout conforme à vos attentes, je vous prie d'agréer, Madame, l'expression de mes sentiments les meilleurs.

Chantal Faulkner
Chantal Faulkner
Coordonnatrice
Services internes
et services techniques

CF/nb

Exemple de rapport d'information

Prospero inc.

Échantillonnage
Mesure de débit
Mesure du pH
Résultats analytiques

Du 4 au 7 juillet 1995

Rapport présenté au conseil d'administration des textiles Corbeil inc.

Projet n° P95Z978

Chantal Faulkner, coordonnatrice
Services internes et services techniques
Prospero inc.
1212, rue Lemoyne, Lévis

Septembre 1995

TABLE DES MATIÈRES

LISTE DES TABLEAUX

1 Introduction

L'entreprise Prospero inc. a effectué une campagne d'échantillonnage, de mesure de débit et de mesure de pH à l'effluent de l'entreprise Les textiles Corbeil inc. située au 35, rue Brasseur à Candiac, du 4 au 7 juillet 1995. Il a été entendu avec Mme Julie Brodeur que le mandat suivant serait exécuté en une seule fois :

- mesure et enregistrement du débit pendant 72 heures ;
- mesure et enregistrement du pH pendant 72 heures ;
- échantillonnage composé de 24 heures proportionnel au temps (pendant 72 heures) ;
- vérification quotidienne du matériel par un technicien ;
- analyses des paramètres suivants : DBO_5, DCO, MES, phosphore total, huiles et graisses totales, et azote total ;
- analyse d'un blanc de lavage.

Le mandat ayant été exécuté comme prévu, ce rapport dresse un bilan de la campagne et contient les éléments suivants :

- personnel affecté à cette campagne,
- appareils et méthodes utilisés,
- rapports de visite,
- résultats des mesures de débit et de pH,
- résultats analytiques,
- discussion.

2

2 Personnel, méthodologie et appareils

2.1 Personnel affecté à cette campagne

L'installation des appareils et la collecte des échantillons et des données ont été effectuées par M. Mario Gladu sous la supervision de M. Frédéric Fortin.

2.2 Méthodologie

L'élément primaire pour la mesure de débit en place est un canal Parshall 3″ (76 mm). Un débitmètre de type bulle à bulle a été installé pour enregistrer les débits conformément aux spécifications du canal.

Les mesures de pH ont été prises en aval du canal Parshall.

Les échantillons ont été prélevés proportionnellement au temps à une fréquence de 10 minutes et en aval du canal. Un blanc de lavage a été prélevé.

Vous trouverez, à l'annexe I, des photographies de l'installation.

2.3 Appareils

- Débitmètre bulle à bulle ISCO 3230 avec charte d'enregistrement.
- PH-mètre Analytical measurement avec enregistreur de pH.
- Échantillonneur ISCO 3700 toxique.
- Parshall 3″ (76 mm).

3

3 Rapports de visite

Les rapports de visite (feuilles de suivi) qui suivent ont été remplis par l'équipe de Prospero inc. et résument les activités des visites, ainsi que les observations faites sur le terrain pouvant avoir des conséquences sur la campagne.

[...]

4 Résultats des mesures de débit et de pH

Tableau I
Résultats des mesures de débit

Date Du	au	Q. max. (m^3/j)	Q. min. (m^3/j)	Q. moy. (m^3/h)	Q. tot. (m^3/j)
4 juillet	5 juillet 1995	134	5,6	35,9	861
5 juillet	6 juillet 1995	122	0,5	33,6	806
6 juillet	7 juillet 1995	154	7,1	44,2	1061

La variation des mesures de débit pour la journée du 5 au 6 juillet 1995, comme le démontre le tableau I, n'a pas été enregistrée avec précision sur la charte en raison d'un mauvais réglage de la hauteur maximale de la charte. Cependant, cela n'influence que la qualité graphique de la charte et n'altère en aucune façon la validité des résultats de débit maximal, minimal et total pour cette période ainsi que les heures correspondantes.

Les chartes de débit sont présentées à l'annexe II.

Tableau II
Résultats des mesures de pH

Date Du	au	pH max.	pH min.
4 juillet	5 juillet 1995	11,8	8,1
5 juillet	6 juillet 1995	11,9	8,6
6 juillet	7 juillet 1995	11,8	7,0

Les résultats du tableau II sont conformes à ce que laissaient entrevoir les conclusions de l'étude préliminaire. Les chartes de pH sont présentées à l'annexe III.

5 Résultats analytiques

5.1 Méthodologie

Les échantillons prélevés pour la DCO, l'azote, le phosphore et les huiles et graisses ont été préservés avec de l'acide sulfurique. Tous les échantillons ont été conservés à 4 °C sauf ceux destinés à la DBO_5, qui ont été congelés.

Le tableau III présente les méthodes d'analyse utilisées et les limites de détection pour les paramètres analysés lors de cette campagne.

Tableau III
Méthodes d'analyse de laboratoire

Paramètres	Méthodes*	L.D.** (ppm)
DBO_5	5210	2,0
DCO	5220	5,0
Huiles et graisses totales	5520 B	0,1
Azote total	4500-Norg C	2,0
Phosphore total	4500-PE	0,1
MES	2540 D	2,0

* Toutes les méthodes sont tirées du *Standard Methods for the Examination of Water and Wastewater*, 18e éd., 1992.

** L.D. : Limite de détection de la méthode.

Le laboratoire valide les diverses méthodes utilisées en effectuant les vérifications suivantes : la limite de détection théorique et pratique, la sensibilité, la fidélité, la justesse et le pourcentage de récupération.

Le laboratoire effectue un contrôle de la qualité des processus analytiques pour chaque série d'analyse. Ce contrôle implique principalement quatre éléments : les échantillons de contrôle, les échantillons fortifiés, les échantillons en duplicata et les blancs de méthode.

5.2 Résultats

Voici les résultats analytiques globaux de notre campagne (tableau IV).

Tableau IV
Résultats analytiques

Paramètres	1er juillet 1995 (mg/l)	4 au 5 juillet 1995 jour 1 (mg/l)	5 au 6 juillet 1995 jour 2 (mg/l)	6 au 7 juillet 1995 jour 3 (mg/l)
DBO_5	6,00	222,0	152,0	177,0
DCO	<15,00	645,0	601,0	674,0
Huiles et graisses totales	<0,10	14,0	14,0	21,0
Phosphore total ($P-PO_4$)	<0,10	21,4	31,3	40,3
N-NTK	<2,00	21,6	18,4	18,8

La copie originale et certifiée des résultats analytiques est présentée à l'annexe IV.

6 Conclusion

La campagne d'échantillonnage, de mesure de débit et de mesure de pH tenue du 4 au 7 juillet 1995 s'est bien déroulée.

Comme nous l'avons indiqué à la section 4, l'enregistrement graphique du débit est imprécis pour la journée du 5 au 6 juillet en raison d'un mauvais réglage, ce qui n'influence pas la précision des mesures de débit minimal, maximal et total obtenues.

Exemple de rapport d'analyse et de recommandation

RÉVISION DU PROGRAMME D'ASSURANCES COLLECTIVES DE DUNN ÉLECTRONIQUE INC.

RAPPORT PRÉSENTÉ AU CONSEIL D'ADMINISTRATION

DE DUNN ÉLECTRONIQUE INC.

Octobre 1996

Ghislaine Boileau
Directrice
Service des ressources humaines
Dunn électronique inc.

TABLE DES MATIÈRES

I Principes

Les principes dont devrait s'inspirer toute révision du programme d'assurances collectives de l'entreprise sont les suivants :

1. Dunn électronique inc. doit s'assurer de fournir à ses employés un programme qui permette le maintien de leur revenu et, le cas échéant, de celui de leur famille.
2. Le programme d'assurances offert doit répondre aux besoins réels des employés et, le cas échéant, de leur famille. C'est donc dire que ce programme d'assurances doit être suffisant sans offrir, par ailleurs, des protections qui ne sont pas désirées ou qui ne sont pas strictement nécessaires, et ce, selon la capacité de payer de l'entreprise et des employés.
3. Dunn électronique inc. doit s'assurer aussi que chacun des employés paie selon ses propres besoins. Elle ne doit pas obliger l'ensemble des employés à payer pour les besoins de chacun.
4. Les coûts du programme d'assurances pour l'entreprise doivent être perçus plutôt comme des coûts fixes. Il est logique de prévoir une limite à leur croissance dans le temps.
5. Le programme d'assurances doit être envisagé à l'intérieur de ce qu'on appelle généralement la rémunération globale, c'est-à-dire la rémunération directe, plus le coût des avantages sociaux, plus les conditions de travail au sens large.
6. En raison du principe d'équité pris au sens strict, certaines portions du coût du programme d'assurances collectives doivent être partagées entre l'employeur et l'employé. (Voir, à cet effet, une partie du sondage effectué par Cobuild, annexe I.)
7. On doit offrir aux retraités une protection adéquate comme s'ils étaient des employés actifs. Certains ajustements sont toutefois nécessaires en raison de leur âge.

Voilà la liste, non exhaustive bien sûr, des principes sur lesquels s'appuie notre proposition de programme. Cependant, avant de la formuler, il nous semble pertinent de compléter ces principes par quelques considérations de base.

2

II Considérations

Quatre considérations découlent de ces principes.

1. Toute analyse du portefeuille d'assurances repose sur une comparaison assez précise avec le marché de référence. Par marché de référence, nous entendons non seulement les entreprises du même secteur d'activité que Dunn électronique, qui ne constituent en somme qu'un marché primaire, mais également toutes les entreprises de moyenne et de grande taille qui sont en mesure d'offrir des régimes d'assurances comparables à ceux que nous offrons présentement.
2. Il convient de tenir compte de la réforme de la fiscalité provinciale. Au terme de la dernière réforme, la part payée par l'employeur pour l'ensemble des assurances devient imposable pour l'employé. Présentement, le lobby des assureurs tente de faire réviser cette mesure. Chose certaine, l'impact fiscal devient un élément majeur et tout à fait déterminant dans le choix des protections des employés.
3. L'âge moyen des employés de l'entreprise augmente. Il est exact de dire que le personnel se diversifie également. Les employés avec ou sans conjoint, les familles monoparentales, les célibataires et les couples de même sexe n'ont pas nécessairement les mêmes besoins en matière d'assurances. Il en va de même des familles nombreuses par rapport aux couples sans enfant. Cette considération est importante dans la mesure où un programme d'assurances collectives devrait tenter pour un coût comparable de répondre à des besoins différents pour divers groupes d'employés.
4. Il convient de considérer le coût du programme d'assurances collectives à l'intérieur d'un programme plus global. Mentionnons d'abord les salaires qui sont présentement offerts dans l'entreprise et qui, pour certaines catégories d'employés, se situent largement au-dessus des salaires payés par les entreprises du marché de référence.

   Deuxièmement, considérons l'équité salariale dont le principe a été reconnu dans les échelles de rémunération et qui constitue un avantage non négligeable pour les employés.

3

Enfin, il faut prendre en considération le régime de retraite fort avantageux des employés ainsi que le programme d'aide dont le taux d'utilisation est surprenant. Près de 20 % des employés, en deux ans seulement, se sont prévalus des services du programme d'aide.

L'ensemble de ces considérations, de même que les principes qui précèdent, nous amènent à formuler la proposition suivante.

III Proposition de programme

Notre proposition se divise en trois parties qui correspondent aux trois portions du régime d'assurances collectives suggéré. Il s'articulerait ainsi : une première portion est entièrement assumée par Dunn électronique, une seconde portion est assumée en partie par l'entreprise et en partie par l'employé, et enfin une troisième portion, par l'employé seul.

Première portion

Les éléments suivants seraient entièrement payés par Dunn: l'assurance-vie, à raison de deux fois le salaire de la personne assurée, l'assurance décès-mutilation-accident et l'assurance invalidité à court terme et à long terme. (Pour des renseignements supplémentaires concernant l'assurance à court terme, consulter l'annexe II.)

Pour l'assurance à court et à long terme, nous ne proposons aucune modification au régime actuel. Le principe sous-jacent de cette participation à 100 % de l'entreprise est le suivant : il en va de la responsabilité générale de Dunn électronique de s'assurer du maintien du revenu de ses employés pour éviter les situations financières extrêmement difficiles qui peuvent toucher tant les personnes que leurs familles.

Deuxième portion

La deuxième partie est constituée du régime d'assurance-maladie de base. Par régime d'assurance-maladie de base, nous entendons le programme d'hospitalisation et de paiement des médicaments, de même que la fourniture de certains services jugés, sinon nécessaires, du moins utiles dans le cadre d'un programme thérapeutique normal. (Se reporter à l'annexe III pour plus de détails.) Pour cette portion du régime d'assurance-maladie, nous proposons un partage des coûts de 60 % pour l'entreprise et de 40 % pour chaque employé, car nous considérons qu'un coût normal assumé par l'employé réduit les abus.

4

Nous proposons également un programme d'assurance-maladie amélioré sur une base de partage de coûts de 50 % pour l'entreprise et de 50 % pour l'employé. Ce programme couvre des soins un peu plus complets et dont la nécessité n'est peut-être pas évidente pour tous, mais dont l'utilité peut plaire à certains. Nous proposons un partage des coûts différents étant donné que le maintien de la formule 60-40 reviendrait à subventionner davantage les employés qui se prévaudraient d'un tel régime que les autres et cela serait nettement plus avantageux pour eux.

Troisième portion

En troisième partie, nous proposons des services dont chaque employé devrait assumer la totalité des coûts étant donné qu'il ne s'agit pas de couvertures d'assurance absolument nécessaires de prime abord. Il apparaît douteux, sinon inéquitable, de faire assumer par l'ensemble des employés, le coût de ces services qui ne sont utiles qu'à quelques-uns en fonction de leur situation particulière. Dans cette section, nous retrouvons notamment la possibilité de prendre une assurance-vie facultative qui peut s'élever jusqu'à 500 000 $ par année, autant sur une base familiale qu'individuelle.

Nous proposons également deux régimes d'assurance dentaire, un régime de base et un régime amélioré. Ces deux régimes sont entièrement à la charge de l'employé. Nous estimons qu'il s'agit d'une mesure juste étant donné que les programmes d'assurance dentaire ne constituent la plupart du temps qu'une répartition budgétaire des coûts de soins dentaires plutôt qu'une assurance. Par ailleurs, l'utilisation très limitée ou au contraire extrême par les usagers rend le partage des coûts par l'ensemble de la population aléatoire, voire injuste.

IV L'échéancier

Nous comptons procéder selon l'échéancier de l'annexe IV. Les assurances devraient être renouvelées pour le 1er mars, mais nous comptons dès maintenant négocier un délai de prolongation de la couverture actuelle. Il n'est pas certain par ailleurs qu'une consultation en bonne et due forme, sous forme de sondage, soit absolument nécessaire si cette proposition est retenue en grande partie par les groupes consultés et par le comité d'assurances formé.

Quant au coût de la proposition que nous formulons, il figure dans l'annexe V.

5

V Conclusion

Dunn électronique souhaite offrir à chaque employé de l'entreprise la meilleure protection possible en matière d'assurances collectives tout en respectant les besoins et le revenu de chacun. L'entreprise doit cependant, dans sa proposition, tenir compte des conditions de travail plutôt avantageuses dont profitent déjà les employés et des nouvelles règles en ce qui a trait à la fiscalité provinciale. En vertu de ces principes et de ces considérations, Dunn propose un programme d'assurances en trois parties :

1re partie : Coûts entièrement payés par Dunn électronique
- assurance-vie
- assurance décès-mutilation-accident
- assurance invalidité à court et à long terme

2e partie : Coûts payés à 60 % par Dunn et à 40 % par l'employé
- assurance-maladie de base (hospitalisation, médicaments, autres services)

ou

Coûts payés à 50 % par Dunn et à 50 % par l'employé
- assurance-maladie améliorée (hospitalisation, médicaments, autres services)

3e partie : Coûts entièrement assumés par l'employé
- assurance-vie facultative
- assurance dentaire de base ou améliorée

Le programme actuel pourrait être en vigueur, après une consultation minimale, dès le 1er juin 1997 au coût de deux millions de dollars pour l'entreprise.

Ghislaine Boileau

Voir tableau **Annexe**
Voir tableau **Appendice**
Voir tableau **Bibliographie**
Voir tableau **Conclusion**
Voir tableau **Correction**
Voir tableau **Développement**
Voir tableau **Dissertation**, section Argumentation
Voir tableau **Figure**
Voir tableau **Graphique**
Voir tableau **Hiérarchie des titres**
Voir tableau **Index**
Voir tableau **Introduction**
Voir tableau **Liste des abréviations et des sigles**
Voir tableau **Liste des figures**
Voir tableau **Liste des tableaux**
Voir tableau **Page de titre**
Voir tableau **Plan**
Voir tableau **Remerciements**
Voir tableau **Révision**
Voir tableau **Sommaire**
Voir tableau **Tableau**
Voir tableau **Table des matières**
Voir tableau **Transition et marqueur de relation**

Références dans le texte

Méthode de notation dite auteur-date qui permet de donner les références aux citations d'idée et aux citations textuelles en abrégé dans le texte, entre parenthèses, à la suite de ces citations, plutôt que dans une note.

- Cette méthode est de plus en plus populaire, car elle allège la présentation du texte en diminuant de façon draconienne le nombre de notes, qui ne sont alors utilisées que pour les notes de contenu.
- La référence dans le texte renvoie directement à la bibliographie, et non à une note en bas de page. La présentation des notices bibliographiques sera donc faite selon la méthode auteur-date.

Plan du tableau

Éléments

- Trois renseignements sont essentiels et doivent être présentés dans la plus grande proximité possible :
  - le **nom de l'auteur**,
  - l'**année de parution** du texte auquel on renvoie,
  - la ou les **pages** où se situe le passage cité.
- S'il y a risque de confusion, on peut ajouter le **prénom de l'auteur**.
- On peut modifier l'**ordre des trois renseignements** pour qu'il convienne à la structure de la phrase.
- Si, dans un même texte, on renvoie à **plusieurs textes d'un même auteur**, c'est l'indication de l'année qui permet de savoir à quelle publication de cet auteur il faut se reporter.
- Si un auteur publie **plusieurs textes la même année**, on classe d'abord les titres par ordre alphabétique, puis on distingue les références les unes des autres en faisant suivre l'année d'une lettre minuscule. On place cette lettre immédiatement après la date, sans espace.

Citation textuelle

Passage d'un auteur que l'on reproduit intégralement en respectant la ponctuation, la construction syntaxique et les fautes, le cas échéant.

- Les mêmes règles s'appliquent pour les citations courtes (de trois lignes ou moins) et pour les citations longues (plus de trois lignes et en retrait).

Ponctuation

- Les trois éléments (nom de l'auteur, année de parution, numéro des pages citées) sont séparés par des **virgules**.
- La référence qui suit une citation textuelle se place **entre parenthèses** après le guillemet fermant et **avant la ponctuation**. Toutefois, la parenthèse a sa propre **ponctuation finale** si la citation elle-même comporte sa propre ponctuation finale.

Ponctuation finale à l'extérieur des guillemets

Exemple

Selon le chercheur, le fait d'associer structure à stabilité et histoire à changement est tout à fait erroné, comme si « *the persistence of structure through time (think of the* pensée sauvage*) were not also historical* » (Sahlins, 1985b, p. 144).

Ponctuation finale à l'intérieur des guillemets

Exemple

L'auteure écrit : « Les tout premiers fantasmes inconscients visent d'abord les corps et sont vécus comme sensations ; plus tard, ils prennent la forme d'images plastiques et de représentations dramatiques. » (Isaacs, 1952, p. 107-108.)

Cas particuliers

Nom de l'auteur déjà dans le texte

Exemples

De la double contrainte, Laing (1971, p. 183) dit : « Quelqu'un donne à entendre à quelqu'un d'autre [...] »

De la double contrainte, Laing dit : « Quelqu'un donne à entendre à quelqu'un d'autre [...] » (1971, p. 183).

Nom de l'auteur et année déjà dans le texte

Exemple

C'est en 1973 que Réjean Ducharme fait paraître *l'Hiver de force* dont les personnages se sont « arrêtés sur les remblais pour souffler sur les houppes des pissenlits, comme la fille du dictionnaire Larousse » (p. 240).

Deux ou trois auteurs

Exemple

Bernard Grasset, éditeur français, « sera de ceux qui bouleverseront les méthodes de diffusion » (Hamon et Rotman, 1981, p. 85) de l'édition française.

Plus de trois auteurs

Exemple

« Dans la littérature réaliste, les comportements sont l'expression continuelle de la psychologie des personnages. » (Barthes et collab., 1982, p. 49.)

Double référence

Lorsqu'on emprunte une citation à un auteur, il faut indiquer la double provenance de cette citation. On donne d'abord en abrégé la référence du premier texte, puis on la fait suivre des expressions **cité dans** ou **cité par** et de la référence abrégée du texte réellement consulté.

Exemple

« Là où un tisserand rapiécerait sa toile, où un calculateur habile corrigerait ses erreurs, où l'artiste retoucherait son chef-d'œuvre encore imparfait ou endommagé à peine, la nature préfère repartir à même l'argile, à même le chaos, et ce gaspillage est ce qu'on nomme l'ordre des choses. » (Marguerite Yourcenar, *Mémoires d'Hadrien,* citée par Léon Courville, 1994, p. XV.)

Citation d'idée

Emprunt à la pensée d'un auteur dont on ne reproduit pas intégralement le texte.

On exprime en ses propres termes les conclusions, les résultats ou les opinions qui viennent d'un autre tout en s'engageant à ne pas trahir sa pensée.

Présentation

- La présentation des références d'une citation d'idée dans le texte est **plus souple** que ne l'est celle des citations textuelles, les trois éléments pouvant facilement s'intégrer à la structure de la phrase.
- On peut se dispenser de préciser le numéro des pages qui contiennent les passages que l'on résume si on renvoie à l'ensemble du texte cité.

Ponctuation

- Les trois éléments (nom de l'auteur, année de parution, numéro des pages citées), lorsqu'ils sont présentés ensemble entre parenthèses, sont séparés par des **virgules**.
- La référence d'une citation d'idée se place entre parenthèses à la suite de la citation, mais **avant le point final**. Toutefois, si la parenthèse ne fait pas partie de la citation, elle comporte sa propre **ponctuation finale**.

Ponctuation finale de la phrase

Exemple

Le monde des lettres et de l'édition était, sous l'Occupation, dominé par un homme, Gerhard Heller (Lottman, 1981, p. 341).

Ponctuation finale de la parenthèse

Exemple

Le monde des lettres et de l'édition était, sous l'Occupation, dominé par un homme, Gerhard Heller. (Lottman, 1981, p. 341.)

Cas particuliers

Nom de l'auteur mentionné dans le texte

Exemple

Nault (1989, p. 102) croit que la politique monétaire canadienne doit chercher à stimuler la croissance en maintenant des taux d'intérêt bas.

Nom de l'auteur non mentionné dans le texte

Exemple

Une étude récente (Saletti, 1993) rejette carrément toute possibilité que la vente de la marijuana soit décriminalisée en Amérique du Nord.

Année de parution mentionnée dans le texte

Exemple

Dans son article publié en 1982, Pratte (p. 134-136) précisait que l'inforoute était appelée à se développer.

Plusieurs textes : ordre alphabétique

Exemple

Nombre d'auteurs (Fortin, 1988 ; Leblanc et Leduc, 1983 ; Monette, 1982 ; Tremblay, 1988) ont mis l'accent sur la difficulté de se procurer des biens de production en Chine.

Plusieurs textes d'un même auteur : ordre chronologique

Exemple

Michaud a insisté dans de nombreux articles (1981, 1983a, 1983b, 1985) sur l'inflation pseudo-philosophique dont *le Petit Prince* de Saint-Exupéry est souvent l'objet.

Double référence

Exemples

Chassay avait déjà pensé que les conditions de travail des ouvriers du tertiaire de la banlieue parisienne devraient être améliorées (1993, cité par Gervais, 1994).

Aristote (cité par Popovic, 1990) aborde la question de la logique.

Dans le cas d'auteurs déjà passés à l'histoire, la parenthèse ne contient pas la date de parution de l'ouvrage.

Plusieurs collaborateurs pour un même texte

Exemple

Selon les auteurs de l'étude (Rocray et collab., 1988b), l'espèce humaine serait en danger.

Voir tableau **Bibliographie**
Voir tableau **Citation**
Voir tableau **Guillemets**
Voir tableau **Notice bibliographique : Principes généraux**
Voir tableau **Notice bibliographique d'un article**
Voir tableau **Notice bibliographique d'un livre**
Voir tableau **Notice bibliographique d'une partie de livre**
Voir tableau **Notice bibliographique d'une publication gouvernementale**
Voir tableau **Titre d'œuvre : Règles d'écriture**

Remerciements

Témoignage écrit de reconnaissance protocolaire adressé aux personnes, aux entreprises, aux organismes, aux institutions qui, par leurs conseils, leur prêt de matériel, leur soutien financier, etc., ont permis, à un degré ou à un autre, la rédaction d'un texte, la réalisation d'un travail.

Tout document ne nécessite pas des remerciements. Ceux-ci s'imposent surtout dans le cas d'un travail de longue haleine — thèse, mémoire, livre, rapport — pour lequel l'auteur a bénéficié de l'aide de personnes ou d'organismes.

Plan du tableau

Généralités

diplomatie

- Les remerciements sont parmi les pages les plus lues de tout document. Il faut donc les soigner et prendre garde de n'oublier personne : aussi vaut-il mieux inclure trop de noms que pas assez.

première personne du singulier

- Alors que, pour une thèse, un mémoire ou un ouvrage scientifique, on emploie habituellement le « nous de modestie », on peut utiliser le « je » pour les remerciements, tout comme pour la dédicace et l'avant-propos.

longueur

- Les remerciements ne font pas plus de deux pages.

personnalité

- Il faut éviter de remercier une personnalité connue sans lui en demander la permission ; la présence de son nom dans les remerciements pourrait être prise comme une recommandation indirecte du travail.

Le verbe *remercier*

infinitif

- Devant un infinitif, le verbe *remercier* se construit uniquement avec la préposition *de*.

Exemple

Je vous remercie de m'avoir aidé.

nom

- Le verbe *remercier* se construit de préférence avec la préposition *de* devant un nom, surtout un nom abstrait. L'emploi de la préposition *pour* est réservé aux constructions avec un nom concret.

Exemples

Je remercie mon directeur de sa lecture attentive.

Je remercie le CRSH pour le matériel informatique qu'il a mis à ma disposition.

Les noms *remerciement* et *merci*

nom

- Les noms *remerciement* et *merci* se construisent surtout avec la préposition *de* devant un nom, mais la construction avec la préposition *pour* est également admise.

Exemples

Merci de vos précieux conseils.

Mille remerciements de vos bontés.

Merci pour votre don généreux.

Tous nos remerciements pour votre générosité.

infinitif

- Les mots *remerciement* et *merci* se construisent toujours avec la préposition *de* devant un infinitif.

Exemples

Merci de nous avoir aidé.

Tous nos remerciements de nous avoir indiqué cette piste de recherche.

Qui remercier?

- Directeur ou directrice de mémoire ou de thèse
- Personnes, collègues ou spécialistes ayant aidé de leurs conseils, de leurs suggestions, de leurs commentaires ou de leurs corrections
- Personnes ou organismes ayant autorisé le prêt d'équipement ou de matériel, l'utilisation de banques de données, ou ayant facilité l'accès à certains documents, accordé la permission de citer, etc.
- Organismes subventionnaires qui ont accordé des bourses ou des subventions
- Compagne ou compagnon
- Personnes qui ont assuré la saisie, la révision du manuscrit
- Tous ceux envers qui on se sent une dette de reconnaissance

Quelques formules utiles

- Je tiens à remercier X…
- Je remercie…
- J'exprime ma gratitude à X, envers X, à l'égard de X…
- Je suis reconnaissant à X de son soutien indéfectible…
- Je suis très obligé envers X…
- J'adresse mes remerciements aux nombreux lecteurs…
- J'éprouve une reconnaissance toute spéciale envers X pour…
- Je souhaite remercier l'organisme X de son soutien financier…
- Ma gratitude va à X…

Situation et pagination

- Les remerciements prennent place dans les **pages liminaires** d'un document, après les listes et avant l'avant-propos dans le cas d'un travail d'envergure, après la page de titre et avant le sommaire dans le cas d'un rapport.
- Ils sont paginés en **chiffres romains**.
- Si les remerciements sont très **brefs**, on peut se contenter d'un ou deux paragraphes **en fin d'avant-propos.**

Exemple de remerciements

REMERCIEMENTS

Je remercie M. Rainier Grutman d'avoir accepté de diriger ce mémoire et suggéré le sujet de ce travail. Je tiens à lui exprimer ma profonde gratitude de m'avoir fait bénéficier de ses vastes connaissances et de sa riche expérience. Son contact au fil des jours a été pour moi une source constante de stimulation. Je lui dois d'avoir cristallisé mon intérêt pour la logique mathématique et rendu possible des études supérieures dans ce domaine.

J'éprouve une reconnaissance toute spéciale envers Renée Lachapelle, mon unique pair, « collègue logicienne », durant mes études de maîtrise. Nos nombreuses conversations, celles de nature mathématique autant que les autres, m'ont été très précieuses.

Mes remerciements s'adressent aussi à M. Jacques Laurier pour un cours improvisé sur le modèle des idéaux locaux qui marque le début de ma compréhension des modèles, ainsi qu'à Lucie Fortin qui a participé à plusieurs séances de travail en compagnie de M. Grutman.

De mon entourage, je suis très obligé envers Michel, Nicole, Rachel et Sylvie grâce à qui j'ai apprécié ma vie étudiante à l'université. Je suis reconnaissant également à Catherine Létourneau de la révision linguistique de ce travail et à Lucie Dalpé de sa saisie.

Pour la préparation de ce mémoire, j'ai reçu des bourses du Conseil de recherche en sciences naturelles et en génie du Canada et du ministère de l'Éducation du Québec. Je souhaite remercier ces organismes de leur soutien financier.

Voir tableau **Avant-propos**
Voir tableau **Ordre des parties d'un texte**

Résumé

Plan du tableau

Texte qui reprend le contenu d'un autre, mais de façon beaucoup plus concise en se limitant aux idées essentielles.

Le rédacteur d'un résumé fait la contraction des idées du texte d'origine, et non seulement celle des phrases.

Buts

- Permettre de prendre rapidement connaissance du contenu d'un texte
- S'exercer à distinguer l'essentiel de l'accessoire
- Tenter de saisir la pensée d'autrui et de l'exprimer en ses propres mots, de façon extrêmement brève

Qualités d'un bon résumé

- Brièveté
- Fidélité
- Clarté

Étapes du travail

1. Lire le texte attentivement à plusieurs reprises.
   - La première fois, lire le texte rapidement pour en avoir une vue d'ensemble.

     On peut lire d'abord la fin du texte pour en avoir, dès la première lecture, une compréhension plus globale.
   - Chercher les mots inconnus dans le dictionnaire.
   - Au cours des lectures subséquentes, repérer les idées essentielles, les mots clés et les grandes articulations du texte en étant attentif aux transitions, aux mots de liaisons et aux charnières.
2. Déterminer en quelques mots l'idée directrice du texte.
3. En dégager le plan.
   - Isoler les grandes parties du texte, en montrer la structure en séparant les idées essentielles des idées secondaires.
4. Résumer chaque grande partie en éliminant les idées secondaires, exemples, citations, répétitions, digressions, statistiques qui ralentissent le développement de l'idée essentielle.
5. Rassembler ces unités ponctuelles (les résumés de chacune des grandes parties) et en faire un texte suivi.
   - Le résumé doit adopter le mouvement du texte à contracter.
6. Relire et corriger le résumé.
7. Compter les mots périodiquement si une limite est imposée.

Plan et contenu du résumé

- Le résumé suit le **plan du texte de départ** dont il respecte le déroulement, mais pas nécessairement les proportions, certains passages du texte d'origine pouvant être moins denses que d'autres.
- Le résumé est un texte **autonome** et **autosuffisant**. Le lecteur du résumé doit le comprendre sans avoir à relire le texte d'origine.
- On n'y inclut **aucun commentaire sur le texte** ni une **présentation de l'auteur**, un résumé n'étant pas un compte rendu critique.
- Le résumé ne comporte **ni introduction ni conclusion** autres que celles du texte d'origine.
- Le résumé ne contient **aucune idée étrangère** au texte d'origine.
- On **ne cite qu'exceptionnellement** le texte de départ. Un résumé très court ne comporte aucune citation.
- Le résumé n'est **ni une juxtaposition** de phrases tirées du texte à résumer, **ni une paraphrase** de celui-ci.

Conseils pour la rédaction

vocabulaire

- Le rédacteur rend compte du texte à résumer dans **ses propres mots**. Il peut toutefois se servir du vocabulaire de base du texte d'origine.

personne

- Le rédacteur doit rentrer de plain-pied dans le texte d'origine en le résumant **du point de vue de l'auteur du texte**.
  - On ne trouve pas dans un résumé de formules telles que « L'auteur dit que… », « Au début du texte à résumer, André Belleau estime que… ».
- Le résumé d'un texte écrit à la première personne du singulier ou du pluriel doit être rendu **à la même personne** ou **sous la forme impersonnelle**.

attitude

- En dégageant le plan et les grandes articulations du texte de départ, on prend du recul par rapport à celui-ci et peu à peu on le **domine**. Cette attitude est essentielle pour arriver à faire un bon résumé.
- Il est bon d'être **attentif aux procédés d'écriture** du texte d'origine, tels la réfutation, le discours indirect, l'ironie, etc., pour ne pas se méprendre quant à son sens.
- Il est recommandé de faire particulièrement attention au **début** et à la **fin** des **paragraphes**, car ils contiennent souvent davantage d'idées principales que le reste du texte.

style

- Le résumé est un **texte suivi**, et non un texte rédigé en style télégraphique.
- Si on résume un **dialogue** comportant de **longues interventions**, on conserve la **forme dialoguée**. Si on résume un dialogue comportant de **courtes interventions**, on utilise le **style indirect**.

décompte des mots

- En général, si un nombre limite de mots est imposé, on accorde une **tolérance de 10 %** en plus ou en moins.
  - Ex. : Si on exige un résumé de 250 mots, on acceptera un texte comptant entre 225 et 275 mots.
- **Tous les mots comptent** : les **mots composés** (chef-d'œuvre), les **sigles** (HEC) et les **nombres** (1 000 098 098) ne comptent que pour un mot.

Exemple de travail sur un texte à résumer

Légende

①, ②, ③, ④	grandes articulations du texte
souligné	idées essentielles
gras	mots clés

Texte d'origine : 1222 mots

Petite essayistique

① [Commençons par une banalité : le **romancier** et le **poète** ne sont pas plus des **écrivains de première main** que l'**essayiste** (ou le **critique**). On entend encore dire dans notre milieu : « Nous, les poètes et les romanciers, nous travaillons avec la vie tandis que vous, pauvres essayistes, vous travaillez avec ce que nous faisons. » Mais ce qu'on oublie, c'est que les romanciers travaillent aussi avec ce qui a été dit et écrit avant eux, si bien qu'ils ne jouissent pas d'une sorte d'antériorité métaphysique ou de droit vis-à-vis de ce qu'on pourrait appeler la vie ou l'art ou la substance première de l'art. La plupart des critiques et des essayistes — du moins je l'imagine — sont conscients du caractère nécessairement second de leur entreprise. Mais dites à l'un ou l'autre de nos romanciers locaux : « Votre roman se présente comme le réarrangement d'une certaine écriture et de quelques thèmes dont les prototypes ont paru il y a dix, vingt ou trente ans », vous risquez fort de faire l'objet de sévices. Il faut leur pardonner. Ils ne le savent pas ou feignent de l'ignorer.

Un écrivain est toujours d'abord et avant tout un **réécriveur**. Nulle indignité dans cela. Les auteurs ne s'en sont jamais cachés jusqu'à une date récente. L'essentiel n'est pas là. Il est dans le fait d'assumer la fonction esthétique. Ce n'est pas rien.

Donc, pour en finir avec cette banalité, la **distinction** entre « créateur », d'une part, et critique, de l'autre, se révèle maintenant tout à fait désuète et quétaine puisque le **roman moderne** ayant évolué pour comporter de plus en plus une dimension critique, la **critique** ayant évolué aussi pour devenir une aventure de l'écriture, il s'avère bien malaisé de séparer les deux pratiques. De sorte qu'aujourd'hui, un essayiste est un artiste de la narrativité des idées et un romancier, un essayiste de la pluralité artistique des langages. Le roman est mangé par l'essai (*le Choix de Sophie* de Styron, *la Mort vive* de Ouellette), l'essai verse dans la fiction (Vadeboncœur, Borges).]

② [Il y a dans l'essai une **histoire**, je dirais même une **intrigue**, au sens que l'on donne à ces mots quand on parle de l'histoire ou de l'intrigue d'un roman et d'une nouvelle. Ce qui déclenche l'activité de l'essayiste, ce sont tantôt des **événements culturels**, tantôt des **idées** émergeant dans le champ de la culture. Mais pour qu'ils puissent entrer dans l'espace transformant d'une écriture, il faut que ces idées et événements soient comme entraînés dans une espèce de **mouvement** qui comporte des lancées, des barrages, des issues, des divisions, des bifurcations, des attractions et répulsions. Voilà qu'ils se conduisent au fond tels les **personnages** de la fiction et qu'ils nourrissent entre eux des rapports amoureux, de haine, d'opposition, d'aide, etc. Il se produit une réelle **dramatisation du monde culturel** et je parierais qu'à la fin, il existe des idées gagnantes et des idées perdantes. Une idée suscite le goût d'écrire, une idée fait en sorte que le **vouloir-écrire** chez l'essayiste devient plus fort que le non-écrire, et cette idée va rencontrer toutes sortes d'obstacles comme le héros du roman. Idée ou héros problématiques...

Quel événement? Quelle idée? Pensons ici à un événement culturel réel ou possible, à une idée courante ou nouvelle ou surgie tout à coup dans l'esprit de l'essayiste. **Ils ne sont pas immatériels.** Ils ont une couleur, une chaleur, des contours, presque un poids physique. L'idée la plus abstraite, pour l'écrivain passionné d'abstraction, devient vivante de cette **abstraction** même. Il peut même arriver que l'essayiste parte d'un **titre** qui l'attire, le sollicite à la manière de la nuance d'une couleur pour le peintre ou d'un accord chez le musicien. Tout l'essai consistera justement à permettre le plaisir d'un titre convoité (le lecteur ne s'en rend pas compte). On dira qu'ici l'essai se cherche des mots et des idées.

(Il m'est venu il y a quelque temps un titre qui me plaît beaucoup : « Sur un adage d'Érasme ». Je compte écrire bientôt un essai afin de pouvoir l'utiliser.)]

③ [Admettons donc qu'il s'agit d'idées **érotisées** opérant sur l'essayiste à la façon de **fantasmes**. Elles reviennent, elles le hantent. Il garde l'idée en lui comme dans une sorte de champ magnétique élémentaire où il sent des **circuits** s'ébaucher, des possibilités qu'a l'idée de s'orienter, de se connecter à d'autres idées. Pendant cette période de maturation, attentif aux déclics, aux trajets, aux ouvertures et fermetures, l'essayiste décidera si tout cela est assez vif, rapide, nombreux, inattendu, complexe pour donner lieu à la forme d'un essai ou plutôt au parcours d'un essai. On se rappellera l'étymologie latine du mot « essai », *exagium*, lui-même dérivé du verbe *exigere*, lequel a deux sens : *peser* (l'essai « pèse » les idées ; l'*examen*, forme savante d'*exagium*, « pèse » les mérites des candidats) et *chasser hors d'un lieu* (d'où l'*essaim*, forme non pas savante mais populaire d'*exagium*). L'essai n'est pas une pesée, une évaluation des idées ; c'est un **essaim d'idées-mots**.

Tout le monde le sait : les écrivains font du neuf avec les discours de leur société. C'est l'indispensable environnement de langage sans lequel nous ne pourrions même pas commencer à écrire le début d'une phrase. Mais l'apparition d'essayistes dans la littérature suppose une condition supplémentaire : que la **teneur en culture du discours social** ne se situe pas au-dessous d'un certain seuil. Car l'essayiste, lui, travaille plus spécifiquement avec le **langage de la culture**. Et il m'apparaît évident qu'une société où les signes de la culture sont raréfiés produira peu d'essayistes. Il serait facile d'imaginer la culture comme un gaz rare dans une société saturée de discours sportifs, publicitaires, etc.

La **formation d'un essayiste** exige beaucoup plus de temps que celle d'un poète ou d'un romancier. Je le dis sans ironie. À dix-huit ans, on peut être Rimbaud, on ne peut pas être un essayiste. La raison en est simple. Je le répète : l'essayiste travaille dans le champ culturel avec les signes de la culture. Il a le bonheur d'habiter la sémiosphère. Or la connaissance et la maîtrise des langages qui composent le monde culturel se révèlent une entreprise infiniment plus longue que la connaissance et la maîtrise des formes romanesques destinées à représenter les langages sociaux de l'existence. C'est pourquoi, souvent, l'essayiste ne commence à se sentir écrivain que tard dans la vie.]

④ [L'essayiste aime parfois prendre des questions en apparence compliquées et leur donner une autre sorte de **confusion** que la confusion reçue. Mais inversement, il peut lui arriver d'être possédé par le démon de la **clarté**, de la **logique**, du **démontrable**. Il ne faut pas hésiter à parler ici d'**obsessions**. Il existe des désirs du clair, du parfaitement articulé. Ce sont des **déclencheurs** et des **moteurs de l'écriture**. On doit les respecter au même titre que le goût de la couleur mauve chez Flaubert écrivant *Madame Bovary*. Nous avons ici des phénomènes du même ordre. Ce qui est de l'ordre du fantasme est ancré dans les réalités les plus matérielles et les plus profondes de nos vies. Selon certaines vues courtes et superficielles, la passion de clarté chez l'essayiste aurait un vecteur idéologique, elle révélerait un esprit cartésien, réactionnaire, teinté de « chauvinisme mâle ». Et si l'essayiste qui semble se battre contre la confusion instaurait lui-même cette confusion pour éprouver le **plaisir** de la dissiper? En fait, l'essai est un **outil de recherche**. Quiconque l'a pratiqué sait qu'il lui permet de trouver.]

André Belleau, « Petite essayistique », extrait de *Surprendre les voix*, Montréal, Boréal, coll. « Papiers collés », 1986, 237 p., p. 85-89.

Résumé : 254 mots

① [Malgré ce que prétendent nos romanciers et poètes, le travail des essayistes et des critiques est identique au leur; il s'agit d'écriture seconde, de réécriture. Le roman moderne a d'ailleurs montré que l'activité du « créateur » est semblable à celle du « critique », le romancier devenant critique pendant que l'essayiste se faisait artiste.] ② [L'« intrigue » de l'essai est toutefois différente de celle du récit. Dans le champ culturel, l'essayiste choisit des événements ou des idées, les met en mouvement, en fait des personnages, les oppose, les soumet à diverses épreuves. Ces événements et ces idées ont une matérialité, et même la chose la plus abstraite, un titre par exemple, joue pour l'essayiste le rôle de la couleur pour un peintre.] ③ [Érotisés et fantasmés, ils mûrissent au contact d'autres idées ; ce contact permet, ou non, l'écriture de l'essai. Il ne s'agit cependant pas de « peser » les idées, mais de les regrouper en « essaim ». Ce regroupement exige que la culture d'une société soit suffisamment riche : son matériau étant le langage, l'essayiste a besoin d'un monde saturé de signes culturels. Ceci est vrai collectivement et individuellement : puisqu'il faut s'être longtemps déplacé dans le champ culturel pour être essayiste, il faut plus de temps pour le devenir que pour devenir romancier ou poète.] ④ [Quel que soit le choix de l'essayiste — une confusion nouvelle ou la clarté —, il est de même nature que les choix, désirs, obsessions et fantasmes du romancier : créer artificiellement de la confusion pour la dissiper révèle que l'essai est destiné à la recherche et à son plaisir.]

Voir tableau **Correction**
Voir tableau **Révision**

Révision

Examen attentif d'un document pour l'améliorer, le modifier ou le corriger en fonction des objectifs de la communication ou des impératifs de l'exercice.

Liste de vérification pour la révision d'un document

Compréhension des objectifs

- Le **mandat** est-il exposé? ____
- Le **sujet** a-t-il été délimité avec précision? ____
- La **problématique** a-t-elle été bien établie? ____

Stratégie pour l'atteinte des objectifs

- Les **renseignements** retenus répondent-ils aux besoins du destinataire ou aux exigences de l'exercice ? ____
- L'**argumentation**, les **preuves** et les **exemples** sont-ils convaincants? ____

Structuration de l'information

- Le texte est-il bien **structuré?** ____
- Les **transitions** servent-elles correctement l'**articulation logique** du texte? ____
- Les différentes **parties** sont-elles **équilibrées?** ____
- Les **affirmations** sont-elles **étayées** par des faits, des preuves, des exemples? ____
- **L'introduction** situe-t-elle bien le lecteur? ____
- La **conclusion** découle-t-elle de ce qui précède? ____
- Des **synthèses partielles** terminent-elles le traitement de chaque idée directrice? ____

Contenu

- Les **renseignements** transmis sont-ils tous justes, utiles et pertinents? ____
- Certains renseignements pourraient-ils être **enlevés** sans nuire à la clarté du propos? ____
- Les **citations**, les **notes** et les **références** sont-elles complètes? ____

Qualité de la rédaction

- L'**orthographe grammaticale** et **d'usage** a-t-elle été respectée? ____
- Le **vocabulaire** est-il adapté au destinataire ou au type d'exercice ? ____
- Le **ton** est-il approprié? ____
- Le **style** convient-il à la nature de l'écrit33.6 ? ____
- Les **constructions fautives** ont-elles été éliminées? ____
- Le texte est-il correctement **ponctué?** ____

Présentation de l'information

- La présentation est-elle **complète** (page de titre, table des matières, différentes listes, introduction, développement, conclusion, annexes, appendices, etc.)? ____
- La **mise en pages** est-elle harmonieuse et aérée? ____
- Les titres et les sous-titres, les encadrés, les illustrations font-ils du texte un **document à plusieurs entrées**? ____

Voir tableau **Correction**

Sommaire

Présentation écrite brève et concise du contenu d'un document, dont le but est de renseigner les lecteurs qui veulent en connaître rapidement la teneur.

☞ On le nomme *abstract* en anglais.

☞ On ne confondra pas le sommaire avec les textes suivants :
- l'**avant-propos**, court texte facultatif placé en tête d'un document, d'un ouvrage où l'auteur expose succinctement ses intentions ;
- l'**avertissement**, dont l'objet est d'attirer l'attention du lecteur sur un point particulier ;
- l'**introduction**, texte explicatif placé en tête d'un document qui sert à indiquer les liens entre ses différentes parties ;
- la **préface**, qui n'est généralement pas rédigée par l'auteur et dont le but est de présenter brièvement l'auteur ainsi que l'ouvrage.

Plan du tableau

Éléments

- Sujet et but de l'étude
- Hypothèses de travail
- Méthodes adoptées
- Thèmes directeurs
- Résultats, conclusions générales, recommandations
- Mots clés

Conseils pour la rédaction

longueur
- Le sommaire compte en général de 300 à 700 mots pour une thèse de doctorat ou un mémoire de maîtrise, de 125 à 250 mots pour un article de périodique, de 200 à 400 mots pour un rapport.

style télégraphique à éviter
- Le sommaire n'est pas écrit en style télégraphique. Texte dense écrit avec des phrases complètes, il est composé avec les mots et les phrases de transition qui s'imposent.

plan
- On respecte le plan du document à résumer en présentant les informations selon leur ordre d'apparition dans le texte.
- Dans le cas d'un article, le sommaire se présente d'un seul bloc, en un seul paragraphe. Dans le cas d'un texte plus long, le sommaire comportera autant de paragraphes qu'il le faut.

contenu
- Le sommaire ne contient ni citations, ni tableaux, ni figures, ni abréviations. On limitera l'utilisation des symboles à ceux qui sont compris de tous. Il ne contient pas d'informations étrangères au texte original.

vocabulaire
- Le sommaire est rédigé avec le vocabulaire du domaine concerné.

troisième personne du singulier
- Il est écrit à la troisième personne du singulier.

Exemple

Dans cette thèse, l'auteur…

autonomie

- Le sommaire faisant souvent l'objet d'une publication séparée, il sera rédigé pour être lu sans qu'il soit nécessaire de se reporter au document qu'il résume. De même, le document résumé ne renverra en aucune façon au sommaire.

Mots clés

- L'indication de mots clés à la suite du sommaire, mais sur la **même page**, est recommandée.
- Du choix et de la pertinence des mots clés dépendra le **classement du document** dans les bibliographies et les banques de données. Il faut donc les sélectionner avec soin.
- On conseille d'inclure de **cinq à huit mots clés**.

Utilisations

- Le sommaire est fréquemment utilisé dans les **domaines universitaire et scientifique** pour renseigner les lecteurs qui doivent consulter un grand nombre de documents.
- Un sommaire peut également servir de **communiqué** pour la publicité d'un ouvrage.
- On l'emploie pour présenter les travaux d'un chercheur lors de **colloques**, de **conférences**.
- Il est également destiné au **traitement informatique** par les responsables des bibliographies et des banques de données.
- Des organismes de **compilation** diffusent aussi les sommaires dans des publications réservées à cet usage.

Situation et pagination

- Le sommaire fait partie des pages liminaires, celles qui sont numérotées en **chiffres romains**.

Thèse ou mémoire

- Le sommaire est placé tout de suite après la page de titre, avant la table des matières et l'introduction.

Rapport

- Le sommaire est placé entre les remerciements et la table des matières.

Sommaire de gestion *(executive summary)*

définition

- Le « sommaire de gestion », selon l'expression proposée par Robert Larose (1992, p. 57) pour traduire l'expression anglaise « *executive summary* », précède un rapport ou un document présenté à des gestionnaires, à des dirigeants, etc.

destinataire

- Le sommaire de gestion obéit aux mêmes règles que le sommaire destiné à une publication scientifique, sauf qu'il ne s'adresse pas à des spécialistes du domaine.

contenu

- Le sommaire de gestion ne doit donc pas contenir de détails trop techniques, mais aborder le sujet traité dans le rapport de façon générale.

vocabulaire

- Il faut, dans le cas d'un sommaire de gestion, limiter l'emploi de termes techniques et de jargon scientifique.

Exemple d'un sommaire de mémoire

SOMMAIRE

[Il est communément admis que l'amour troubadouresque a pris, pour s'exprimer, le langage et les rites de la féodalité. Il semble pourtant que cette terminologie, parce qu'elle sert à décrire des sentiments amoureux, parce que les personnages qui l'utilisent sont une femme en situation de supériorité et un homme qui se pose comme lui étant inférieur et, surtout, parce qu'elle est employée dans des textes lyriques qui la soumettent à leur visée propre, est détournée de son sens premier.] [La principale hypothèse du mémoire est que la poésie des troubadours, en plaçant la dame au sommet de la hiérarchie, présente un univers « improbable », mis en scène dans un registre lyrique qui, à la fois, le neutralise et le rend acceptable. Il s'agit d'un jeu, jeu essentiellement littéraire mais qui n'est pas sans conséquence] et [dont il faudra déterminer, par une lecture sociocritique (Duchet, Dubois, Angenot), s'il est négligeable ou s'il fait trembler, et à quel point, les certitudes et les valeurs du temps.]

← Sujet et but de l'étude

← Hypothèse de travail

← Méthode adoptée

[Cette étude est composée de deux parties de longueur sensiblement égale, d'une bibliographie limitée aux ouvrages et articles cités dans la recherche et, en annexe, des textes des poèmes analysés.]

← Structure du document

[La première partie est divisée en trois chapitres. Le premier met en place le cadre théorique : il circonscrit le domaine de la sociocritique et explique de quelle façon ce mode de lecture des textes, jusqu'à présent utilisé pour des œuvres modernes, sera adapté aux spécificités de la littérature médiévale. Le deuxième chapitre est une mise en contexte historique qui précise le statut et le rôle des types sociaux concernés par la lyrique troubadouresque : le seigneur, la dame et « les jeunes ». Le troisième donne un relevé des principaux termes féodaux susceptibles d'être présents dans les poèmes.

← Thèmes directeurs

La deuxième partie est consacrée à l'étude de six poèmes de cinq troubadours particulièrement représentatifs et couvrant l'entièreté de la période de production de la lyrique occitane médiévale : de Guillaume IX d'Aquitaine, le premier, à Guiraut Riquier, le dernier, en s'arrêtant à Bernart de Ventadorn, l'auteur des plus belles pages, à Guilhem de Montanhagol, qui a amorcé le virage religieux, et à la plus célèbre des *trobairitz*, la Comtessa de Dia.]

[L'étude de ces poèmes mène à la conclusion que la mise en forme des termes et des tournures contenus dans le sociolecte féodal a provoqué des associations de sens qui ont déplacé le sens premier de ces termes et de ces tours, du moins leur sens et leur visage habituel, et que le texte qui en résulte est autre que le discours officiel dont il est issu, même s'il est traversé par lui. Le poème finit par établir entre ces éléments des relations différentes de celles qui existent dans la réalité, il montre d'autres possibles et, ainsi, agit sur la représentation que la société dont il est issu a d'elle-même.

← Conclusions générales

Mots clés

← Mots clés

Lyrisme. Troubadour. Dame. Féodalité. Sociocritique.

Maryse Rouy, « Le troubadour, un vassal peu orthodoxe : Lecture sociocritique de quelques poètes lyriques occitans des XIe, XIIe et XIIIe siècles », mémoire de maîtrise, Montréal, Université de Montréal, Faculté des arts et des sciences, Département d'études classiques et médiévales, 1994, p. I-II.

Exemple de sommaire d'un article scientifique

SOMMAIRE

[Le contexte actuel d'interdépendance, qui oblige dorénavant les entreprises à se situer dans une perspective supranationale, rend nécessaire le développement de stratégies, de démarches et de pratiques de management multiculturel par lesquelles on s'efforce de mieux comprendre et maîtriser les liens complexes qui relient culture et gestion.] [Après avoir passé en revue, à l'aide d'exemples concrets, les particularités allemandes, anglaises, françaises et italiennes en matière de styles de communication, de valeurs communautaires, d'attitudes professionnelles et d'utilisation des outils ou techniques de gestion,] [l'auteur conclut qu'un modèle de management européen ne peut se concevoir que dans le multiculturalisme et dans le respect d'une certaine idée de l'intégration, qui fait place à la reconnaissance et à la préservation des disparités comme valeur fondatrice.]

← Sujet de l'article

← Structure de l'article

← Conclusion générale

Thierry Pick, « Vers un modèle de management européen multiculturel », *Gestion*, vol. 19, n° 2 (mai 1994), p. 4.

Voir tableau **Ordre des parties d'un texte**

Tableau

Plan du tableau

Série de données, de renseignements, disposés en lignes et en colonnes, d'une manière synthétique et ordonnée pour en faciliter la consultation.

Quelle que soit la présentation adoptée, il faut la conserver pour tous les tableaux d'un même document.

Éléments

- Numéro du tableau (en chiffres romains)
- Titre du tableau en minuscules (avec une majuscule initiale)
- Sous-titre (facultatif)
- Têtes de colonnes
- Têtes de lignes
- Données du tableau
- Source (facultatif)
- Notes (facultatif)

Exemple

Tableau XXI
Dépenses de communication des annonceurs
(Frais de production compris)

Organe	Millions de francs	1988 (%)
Presse	16 925	29,0
Télévision	11 320	19,4
Publicité extérieure	5 135	8,8

Numérotation

- Les tableaux doivent être numérotés en **chiffres romains**, indépendamment des figures qui sont numérotées en chiffres arabes.
- Cependant, si pour l'ensemble du document on a adopté le système décimal de numérotation des divisions, on peut numéroter les tableaux par chapitre. On utilisera alors la **double numérotation arabe** : tableau 1.2, tableau 7.1, etc.

Titres

Titre du tableau

- Le titre se place **au-dessus du tableau**.
- Il sera précis, concis et composé à l'aide d'un **substantif**, plutôt qu'à l'aide d'un verbe conjugué ou d'une proposition relative.

Exemple

Contenu en zinc de certains aliments

et non

Zinc que contiennent certains aliments.

Têtes de colonne et de ligne

- Les titres de colonne et de ligne seront précis, concis et composés à l'aide d'un **substantif**, plutôt qu'à l'aide d'un verbe conjugué ou d'une proposition relative.
- Il faut que tous les éléments d'une même colonne soient **de même nature grammaticale**.

Exemple

Auteur, Éditeur, Distributeur, Imprimeur

et non

*Auteur, Éditer le manuscrit, Distributeur, Celui qui imprime

- Les titres de colonne et les titres de ligne sont le plus souvent au **singulier**.
- Il faut essayer de mettre le **maximum de renseignements** dans les titres et les têtes de colonne et de ligne, afin d'éviter de les répéter dans le tableau. Ainsi, on peut mettre en tête de colonne ou en sous-titre une grandeur, par exemple, commune à tous les éléments de la colonne ou du tableau.

Exemple

Budget (en millions de dollars)
10
20
30

plutôt que

*Budget
10 000 000 $
20 000 000 $
30 000 000 $

Notes et source

- Si l'on doit expliquer un élément ou un renseignement dans un tableau, on place un **appel de note** tout de suite après cet élément et on met une **note** en bas du tableau.
- Les appels de note à utiliser dans un tableau sont les **lettres** ou les **astérisques**.
  - On n'utilise pas de chiffres afin d'éviter les risques de confusion avec les données du tableau.
- On **ne mêle pas** les notes du texte courant et celles du tableau.
- Il faut donner la **source** de chaque tableau, s'il y a lieu, après les notes du tableau.

Conseils pour la rédaction

- Le tableau doit être annoncé dans le corps du texte, puis analysé, commenté.
  - Tout comme pour une citation, on ne doit pas laisser au lecteur le soin de faire le lien entre le tableau et le texte.
- Les titres, les têtes de ligne et de colonne sont écrits sans ponctuation finale.
- Les phrases complètes comportent des signes de ponctuation, y compris la ponctuation finale.

Situation et pagination

- On insère le tableau **le plus près possible** de l'endroit où on en fait mention dans le texte.
- On ne commence **jamais** un tableau **en bas d'une page** pour le continuer en haut de la page suivante. On reporte plutôt le tableau à la page suivante, en insérant dans le texte à l'endroit où serait le tableau une des mentions suivantes.

Exemples

(voir tableau XII page suivante) ou *(voir tableau XII page 79)*

- Si le tableau excède deux pages, on le reporte en **annexe**.
- Si le tableau n'est pas annoncé dans le texte, il ne doit pas faire partie du corps du manuscrit et doit être reporté en **appendice**.
- Les pages qui contiennent des tableaux sont **paginées** de la même façon que les autres pages du texte. Cependant, si le tableau remplit toute la page, on peut se dispenser de la numéroter.

Mise en pages

Longueur

- Un tableau devrait idéalement tenir sur une page. S'il doit continuer sur une deuxième page, on indique à nouveau sur cette page le numéro et le titre du tableau (et le sous-titre, s'il y a lieu), suivis de la mention *suite* entre parenthèses. On réécrit également au complet les têtes de colonne et les têtes de ligne.

Exemple

Tableau XXI
Dépenses de communication des annonceurs (suite)
(Frais de production compris)

Organe	Millions de francs	1988 (%)

Traits

- Les traits verticaux sont à éviter dans un tableau, surtout ceux des côtés qui l'emboîtent.
- Les traits horizontaux sont à utiliser avec parcimonie, car ils surchargent le tableau et uniformisent l'information. On conseille plutôt d'employer des lignes blanches ou certaines mises en valeur.

Marges

- Il faut respecter les marges de la page ; si le tableau est plus étroit que les marges, on le centre par rapport à celles-ci.

Disposition

- Un tableau doit être présenté en hauteur dans la page. Si l'on doit absolument le présenter en largeur, le haut du tableau sera placé contre la reliure, et on lira le tableau du bas au haut de la page.

Hauteur

Largeur

Alignement des données et des décimales

- Dans un tableau, il faut aligner les renseignements des colonnes, soit sur la marge de gauche de la colonne, soit à partir de la virgule décimale si ce sont des nombres avec décimales.
- Dès qu'un nombre dans une colonne comporte virgule et décimales, il faut ajouter virgule et décimales aux autres nombres de la colonne.
- Cependant, si aucun nombre de la colonne ne comporte de décimales, il est inutile de mettre virgules et décimales aux nombres. Cela surcharge inutilement le tableau.

Écriture des nombres

- Dans les nombres, les tranches de trois chiffres sont séparées par un espace insécable, même les décimales. Cependant, l'espace n'est obligatoire que dans les nombres de cinq chiffres et plus.

Exemples

1 000 000   0,900 099 009   1000   15 000

- Il n'est pas obligatoire de mettre d'espace dans les nombres à quatre chiffres uniquement, sauf s'ils se retrouvent dans une colonne avec des nombres à cinq chiffres ou plus.

Exemples

1000	1 000
2000	2 000
3000	19 000

Interligne

- En règle générale, on utilise le même interligne que celui du texte courant. Pour des raisons d'économie d'espace, on peut cependant utiliser un interligne plus petit. On n'utilise jamais un interligne plus grand.
- Toute deuxième ligne (d'un titre, d'une tête de colonne ou de ligne) est à simple interligne.
- Dans un document court (note, lettre, rapport bref, etc.), on peut mettre tous les tableaux à simple interligne.

Exemple de tableau

Tableau XXI
Dépenses de communication des annonceurs
(Frais de production compris)

Organe	**Millions de francs**	**1988 (%)**
Grands médias		
Presse*	16 925	29,0
Télévision	11 320	19,4
Publicité extérieure	5 135	8,8
Radio	3 120	5,4
Cinéma	420	0,7
Total : Grands médias*	**36 920**	**63,3**
Autres actions publicitaires et promotionnelles		
Promotion	9 115	15,6
Publicité directe et édition d'imprimés publicitaires	5 395	9,3
Publicité sur le lieu de vente (PLV)	3 315	5,7
Expositions, foires, salons, congrès	940	1,6
Insertions dans annuaires, programmes	265	0,5
Sponsoring sportif ou culturel, mécénat	2 220	3,8
Autres	130	0,2
Total : Autres actions publicitaires et promotionnelles	**21 380**	**36,7**
Total : Dépenses publicitaires et promotionnelles	**58 300**	**100,0**

*Hors petites annonces.

Source : IREP, *le Marché publicitaire français*, Paris, IREP, 1990, cité dans Philip Kotler et Bernard Dubois, *Marketing management*, 7e éd., Paris, Publi-Union Éditions, 1992, p. 635.

Voir tableau **Figure**
Voir tableau **Liste des tableaux**
Voir tableau **Table des matières**

Table des matières

Plan du tableau

But	Mise en pages et typographie
Éléments	Exemples de tables des matières
Conseils pour la rédaction	
Situation et pagination	

Liste détaillée des différentes composantes du contenu d'un texte (parties, chapitres, sections, figures, tableaux, annexes, etc.) avec indication de la pagination.

But

La table des matières donne une vue d'ensemble du texte et permet de juger de la profondeur du sujet traité.

Éléments

- **Titre des parties**, **titre des chapitres** et **de leurs divisions, titre des annexes**, **des appendices**, **de la bibliographie et de l'index**, selon leur ordre d'apparition dans le texte.
- **Numéros de pages.**
  La table des matières ne comprend pas les pages liminaires (remerciements, dédicace, table des matières, listes) ; elle commence avec l'introduction et inclut les pages annexes (annexes, appendices, bibliographie, index).
- Lorsque le texte comporte trois tableaux ou moins, la **liste des tableaux** fait partie de la table des matières. On les indique sur la même page, après la mention des pages annexes.
  Si le texte compte plus de trois tableaux, la liste des tableaux suit la table des matières. Elle est titrée et placée sur une page distincte.
- Lorsque le texte comporte trois figures ou moins, la **liste des figures** fait partie de la table des matières. On les indique sur la même page, après la mention des pages annexes et des tableaux, s'il y a lieu.
  Si le texte compte plus de trois figures, la liste des figures suit la table des matières et la liste des tableaux, s'il y a lieu. Elle est titrée et placée sur une page distincte.

Conseils pour la rédaction

- La table des matières est **établie** une fois que le texte est terminé et complet.
- C'est un **outil indispensable** dans tout type d'écrit, n'eût-il que dix pages, sauf les textes de fiction.
- Une **dissertation** ne comporte pas de table des matières.

Situation et pagination

- La table des matières se trouve dans les **pages liminaires** d'un texte (voir tableau **Ordre des parties d'un texte**).
- La table des matières est paginée en **chiffres romains** ; la première page de la table des matières compte dans la pagination en chiffres romains, mais elle ne comporte pas de numéro de page.

Mise en pages et typographie

- En règle générale, on indique le titre des parties en **majuscules**, le titre des chapitres et des divisions de chapitre en **minuscules** (avec majuscule initiale).
- La table des matières est saisie à **simple interligne**. Cependant, on laisse un **double interligne** de part et d'autre des titres de parties et des grandes divisions.
- L'emploi de **points conducteurs** est facultatif, mais recommandé.
- On **reproduit scrupuleusement** le libellé des titres tels qu'ils se retrouvent dans le texte.

Exemples de tables des matières

Exemple 1 : Table des matières avec subdivisions paginées[1]

TABLE DES MATIÈRES

1. Exemple emprunté à Christiane Demers, « La diffusion stratégique en situation de complexité : Hydro-Québec, un cas de changement radical », thèse de doctorat, Montréal, École des Hautes Études Commerciales, 1990, IX-292 p.

Exemple 2 : Table des matières avec subdivisions en sommaire[1]

TABLE DES MATIÈRES

1. Exemple emprunté à Christiane Demers, « La diffusion stratégique en situation de complexité : Hydro-Québec, un cas de changement radical », thèse de doctorat, Montréal, École des Hautes Études Commerciales, 1990, IX-292 p.

Exemple 3 : Table des matières avec numérotation décimale[1]

TABLE DES MATIÈRES

Voir tableau **Hiérarchie des titres**
Voir tableau **Liste des figures**
Voir tableau **Liste des tableaux**
Voir tableau **Ordre des parties d'un texte**

1. Exemple emprunté à Christiane Demers, « La diffusion stratégique en situation de complexité : Hydro-Québec, un cas de changement radical », thèse de doctorat, Montréal, École des Hautes Études Commerciales, 1990, IX-292 p.

Titre d'œuvre : Règles d'écriture

Plan du tableau

Les règles qui suivent s'appliquent aux titres d'œuvres (ballet, film, journal, livre, magazine, peinture, périodique, pièce de théâtre, récit, recueil de nouvelles, recueil de poèmes, revue, roman, sculpture, etc.). Ces règles ne s'appliquent pas aux titres d'articles, de parties de livres, de poèmes, de nouvelles — bref, à tout ce qui est une partie d'un tout. Ces types de titres ne prennent qu'une majuscule initiale et se transcrivent en caractères romains et entre guillemets.

Exemples

Le Lac des cygnes, les Enfants du paradis, le Monde, Piloter dans la tempête, le Nouvel Observateur, les Baigneuses, le Cid, Au bonheur des ogres, Maria Chapdelaine, le Baiser, le Torrent, etc.

« La marche à l'amour », de *l'Homme rapaillé* de Gaston Miron, est un grand poème.

Majuscules et minuscules

- Le classement des titres se faisant d'après la première majuscule du titre, il est indispensable de respecter les règles des majuscules dans un titre.
- Les articles définis *le*, *la*, *les* ne comptent pas aux fins de classement, sauf si le titre est une proposition (c'est-à-dire s'il contient un verbe conjugué).

Les règles que nous proposons en ce qui a trait aux majuscules et aux minuscules dans les titres d'œuvre valent surtout pour les œuvres littéraires et artistiques. **Les titres d'ouvrages techniques ou scientifiques peuvent ne comporter qu'une majuscule initiale**. Cependant, il faut s'assurer d'adopter une seule règle et de la respecter dans tout le texte.

Exemples

L'Art du roman
L'Immortalité
L'Insoutenable Légèreté de l'être
La vie est ailleurs
La Plaisanterie
Les Testaments trahis

Règle n° 1 : Le titre commence par un article défini (le, la, les)

- On met une majuscule au premier nom.

Exemples

Ils ont admiré *le Baiser* de Rodin.

Il a acheté un exemplaire de *la Grammaire en tableaux*.

L'article prendra la majuscule s'il est en début de phrase.

Exemple

La Grammaire en tableaux est au programme.

- Si un adjectif ou un adverbe précèdent le nom, ils prennent aussi la majuscule. S'ils suivent le nom, ils gardent la minuscule.

Exemples

Avez-vous lu *le Vieux Chagrin*?

Il a fini de lire *la Comédie humaine*.

Mon édition du chef-d'œuvre *les Très Riches Heures du duc de Berry* est épuisée.

Le film *le Jour le plus long* repasse ce soir.

- Si l'article défini ne fait pas partie du titre, s'il est contracté ou traduit, il ne se met pas en italique.

Exemples

Elle consulte le *Dictionnaire de la comptabilité et de la gestion financière*.

Au musée, les *Nymphéas* de Monet ont retenu leur attention.

J'ai lu la *Gazette*, des extraits du *Devoir* et du *Journal de Montréal*.

Elle s'est abonnée au *New York Times*.

L'article du titre s'adapte à la syntaxe de la phrase.

- Si le titre n'est pas reproduit au complet, l'article défini ne fait plus partie du titre et il ne se met pas en italique.

Exemples

Les *Rêveries* de Rousseau sont relues chaque année.

Il a relu *la Mare au diable* de George Sand. Dans la *Mare*, l'auteure...

Règle n° 2 : Le titre est une proposition

- On met une majuscule au premier mot seulement.

Exemples

Ils ont aimé *Les fées ont soif*.

Elle a étudié *Prévoir l'économie pour mieux gérer* de Maurice Marchon.

Faites de beaux rêves est un roman de Jacques Poulin.

Règle n° 3 : Le titre commence par tout autre mot qu'un article défini

- On met une majuscule au premier mot seulement.

Exemples

Au pied de la pente douce

Autant en emporte le vent

Pour une sociologie du roman

Ces enfants de ma vie

Une saison en enfer

Règle n° 4 : Le titre est composé de noms unis par *et*

- On ne met la majuscule qu'au premier nom.

Exemples

Le livre de Laurent Lapierre, *Imaginaire et leadership*, est au programme.

Elle a relu *la Guerre et la paix*.

La parution de *Vie, mort et résurrection des provinces françaises* n'a pas suscité d'émeutes.

Règle n° 5 : Le titre est composé de noms unis par *ou*

- On met la majuscule aux deux noms réunis par *ou*.

Exemple

La bibliothèque devrait acheter dix exemplaires d'*Azalaïs ou la Vie courtoise*.

Italique

- Dans un texte en romain (caractères droits), un titre d'œuvre se met en italique pour en marquer l'authenticité. Toutefois, dans un texte tout en italique, on prendra soin d'inverser le procédé et de mettre le titre en romain.

  Exemples

  Milan Kundera a écrit *les Testaments trahis* en français.

  Milan Kundera a écrit les Testaments trahis *en français.*

- Les titres des travaux non publiés (thèses, mémoires, manuscrits, etc.) sont transcrits en romain et entre guillemets.

Accord du verbe et de l'adjectif avec un titre d'œuvre

Il existe plusieurs cas, selon la nature grammaticale du titre.

Pour simplifier la question de l'accord du verbe et de l'adjectif, on peut insérer un substantif devant le titre. Dans ce cas, le verbe ou l'adjectif s'accordent avec le substantif.

Exemples

Le livre *les Mots* de Jean-Paul Sartre a été publié en 1964.

Le recueil *les Fleurs du mal* est au programme.

Règle n° 1 : Le titre est formé d'un nom propre

- L'accord se fait avec le nom propre si c'est un nom de personne.

  Exemple

  Andromaque est toujours appréciée des étudiants.

- Si le titre est un nom propre qui n'est pas un nom de personne, l'accord se fait plutôt au masculin.

  Exemple

  Paris, Texas est diffusé ce soir.

Règle n° 2 : Le titre est formé d'un nom commun précédé d'un article

- L'accord se fait avec le nom.

  Exemples

  Les Mots de Jean-Paul Sartre ont été publiés en 1964.

  Les Fleurs du mal sont au programme.

Règle n° 3 : Le titre est formé d'un nom commun qui n'est pas précédé d'un article

- Le verbe ou l'adjectif se mettent au masculin singulier.

  Exemples

  Illusions perdues de Balzac est inscrit au programme.

  Grosse Fatigue de Michel Blanc est passé la semaine dernière.

Règle n° 4 : Le titre est une proposition

- L'accord se fait avec le sujet de cette proposition.

  Exemples

  Hier, les enfants dansaient ont été représentés.

  La vie est ailleurs est sortie en livre de poche.

Règle n° 5 : Le titre est formé de plusieurs noms coordonnés par *et* ou par *ou*

- L'accord se fait avec le premier nom.

  Exemples

  Julie ou la Nouvelle Héloïse sera étudiée le trimestre prochain.

  Saviez-vous que *la Guerre et la paix* a été portée à l'écran?

Contraction de l'article défini

- Si l'article défini d'un titre est contracté avec les prépositions *à* et *de* qui précèdent, il ne fait plus alors partie du titre et il ne se met donc pas en italique.

Exemples

Il s'est servi du *Français au bureau*.

Dans la préface de Gide aux *Fleurs du mal*, [...]

Elle a lu un article du *Monde*.

- Si le titre contient des noms unis par les conjonctions *et* ou *ou*, la contraction se fait avec le premier article seulement.

Exemple

Le chapitre V des *Femmes et le roman policier*

et non

Le chapitre V des **Femmes et du roman policier*

- On peut toujours éviter la contraction en intercalant un substantif entre la préposition et le titre.

Exemple

Le chapitre V du livre *les Femmes et le roman policier*

Élision

- L'élision est facultative mais courante devant un titre d'ouvrage.

Exemples

L'auteur d'*Une saison en enfer*

L'auteur d'*À la recherche du temps perdu*

- On évite toutefois l'élision qui pourrait créer la moindre ambiguïté dans la langue parlée.

Exemples

L'auteur de *Une fois*

Le buveur de *Un verre pour la route*

Accord de *tout*

- *Tout* reste invariable quand il précède l'article *le* ou *les* (au masculin) faisant partie du titre ou quand le titre ne contient pas d'article.

Exemples

J'ai lu tout *les Misérables*, tout *Madame Bovary*, tout *Eugénie Grandet*.

- Devant l'article *la* ou *les* (au féminin), l'accord se fait généralement.

Exemples

J'ai lu toute *la Porte étroite*, toutes *les Fleurs du mal*.

Titres de langue anglaise

- Pour les titres en langue anglaise, on met, dans un texte français, une **majuscule à tous les mots, sauf aux prépositions** *(at, on, by, before, in, for, from, since, during)*, **aux articles** *(the, a, an)* et **à certaines conjonctions** *(and, or, nor)*.
- On ne met pas de majuscule à ***to*** qui précède un infinitif.
- Toutefois, ces **exceptions** (prépositions, articles, conjonctions, *to*) prennent une majuscule si elles sont le **premier** ou le **dernier** mot du titre, ou si elles suivent une **ponctuation forte** (point, deux-points, point-virgule) à l'intérieur d'un titre.

Exemples

Gone with the Wind

How to Build an Empire

The Catcher in the Rye

The Chicago Manual of Style

Fifth Business

Chilly Scenes of Winter

To Have and Have Not

TRANSITION ET MARQUEUR DE RELATION

Plan du tableau

Mots de liaison, expressions, phrases ou paragraphes qui permettent de passer, dans un texte, d'une idée à une autre, d'une étape de la pensée à la suivante et qui indiquent les rapports logiques entre ces éléments.

Les transitions et les marqueurs de relation dont il est question dans ce tableau sont ceux qui servent à relier entre elles les phrases et les unités supérieures à la phrase. Nous n'abordons pas l'étude des charnières qui servent à la rédaction de simples phrases.

Buts

- Signaler au lecteur le rapport entre deux idées.
- Établir la progression du texte.
- Faire naître chez le lecteur le besoin d'aller de l'avant.
- Donner de la fluidité au discours, de la clarté au raisonnement, une bonne articulation au texte.
- Faire en sorte qu'un texte ne soit pas qu'une juxtaposition d'idées.

Situation

- Fin d'un paragraphe.
- Début du paragraphe suivant.
- Deux endroits (fin d'un paragraphe, début du suivant).
- Paragraphe indépendant entre les deux paragraphes ou sections à lier.

Défauts à éviter

- Emploi d'une charnière qui ne correspond pas au lien à établir.
- Emploi d'une transition alors que la relation entre les deux parties est évidente, leur enchaînement tellement logique que le lecteur s'y retrouve facilement.
- Répétition des mêmes charnières.

Transition

Lorsque l'on passe d'une idée à une autre, parfois une simple formule charnière ne suffit pas à établir le lien entre les deux idées. Il faut expliciter le lien au moyen de quelques phrases de transition qui indiquent le rapport.

Exemples de transitions

Exemple 1 : Paragraphe de transition

[…] Cette problématique est sous-jacente à toute étude biographique. En l'occurrence, nous nous intéressons à Laurendeau parce qu'il a été un penseur politique à la fois fécond et original, qui a su affirmer une vision du monde moderne et soucieuse de continuité dynamique. En ce sens, il a assimilé les valeurs de sa société pour les adapter aux nouvelles réalités et les tourner vers l'avenir. Il a médiatisé la culture de son époque à travers sa sensibilité particulière pour l'amener à se dépasser dans une nouvelle synthèse. Chez cet intellectuel, la circulation entre l'individuel et le collectif est particulièrement intense car il a été un des agents les plus dynamiques de notre conscience collective tant par sa pensée que par son engagement nationaliste.

C'est donc au pluriel qu'il faut mettre ces voyages au pays de l'enfance car, à travers la vie d'André Laurendeau, nous retrouverons ce qui apparaît être à l'observateur d'aujourd'hui l'enfance et l'évolution d'un peuple. ← Transition

Ce portrait d'un intellectuel québécois sera aussi celui d'une société à la recherche d'elle-même car à travers cette biographie nous mettrons en relief l'interaction de l'individu et de son milieu. Cette perspective s'impose en raison même du rôle qu'a joué Laurendeau dans notre histoire. Homme de pensée et homme d'action, André Laurendeau a toujours maintenu la tension dialectique entre l'engagement et la réflexion. Il a autant cherché à comprendre la société québécoise qu'à peser sur son évolution. […]

Denis Monière, *André Laurendeau et le destin d'un peuple*, Montréal, Québec / Amérique, 1983, 347 p., p. 14.

Exemple 2 : Transition répartie sur deux paragraphes

[…] Un tel livre révèle, avec une netteté jamais atteinte ailleurs, un effet de lecture et cette intention que porte en elle l'écriture de fiction de produire des objets imaginaires, se donnant et agissant comme vrais. Sans volonté excessive de provoquer, le roman pornographique sera analysé ici comme le roman même, mis à nu, révélé, en un mot, dans son épure. Car ne parvient-il pas, mieux que ses frères en narration, plus honorables et de premier rayon, à faire prendre la proie pour l'ombre et le mot pour la chose? À qui en douterait, on opposera l'effet physique qu'il provoque, le trouble physiologique qu'il entraîne, les interdictions multiples dont il est l'objet. **À cet égard il est autrement efficace que le roman sentimental qui, à la différence de sa lecture par les hommes du XVIIIe siècle, ne fait plus guère pleurer aujourd'hui et n'est que très rarement l'objet de republication.** ← Transition

On sait pourtant que les lecteurs de *la Nouvelle Héloïse* versèrent des larmes en lisant la mort de Julie et que la fin tragique de Virginie engloutie dans les flots fit sangloter les lecteurs de Bernardin de Saint-Pierre. Que les hommes et les femmes du XVIIIe siècle aient eu les larmes faciles (le siècle n'inventa-t-il pas le « drame larmoyant »?) n'explique pourtant rien. Que Diderot pleure au retour de son ami Grimm, absent depuis une bonne semaine, prouve une facilité lacrymale passée de mode […]

Jean M. Goulemot, *Ces livres qu'on ne lit que d'une main : Lecture et lecteurs de livres pornographiques au XVIIIe siècle*, 2e éd., Paris, Minerve, 1994, 185 p., p. 8.

Exemple 3 : Transition à la fin d'un paragraphe

[…]
Ces signes, s'ajoutant peu à peu aux anciennes lettres que les fondeurs de caractères modifieront, tendaient vers la clarté en précisant la prononciation, en reliant les mots les uns aux autres. **Il n'en sera pas de même pour le reste de l'orthographe que la Renaissance compliquera à loisir, ce que le XVIIe siècle confirmera.** ← Transition

HISTOIRE CRITIQUE DE L'ORTHOGRAPHE

I. Bilinguisme, traduction, humanisme

Orlando de Rudder, *Le français qui se cause : Splendeurs et misères de la langue française*, Paris, Éditions Balland, 1986, 262 p, p. 77-79.

Marqueur de relation

Pour assurer l'enchaînement des idées, pour passer harmonieusement d'un paragraphe à un autre, les mots ou expressions charnières qui suivent sont très utiles.

Quelques marqueurs de relation utiles

Pour introduire un sujet

- À ce propos…
- À ce sujet…
- À cet égard…
- À propos de…
- Au sujet de…
- D'abord…
- Dans cet ordre d'idées…
- De ce point de vue …
- En ce qui a trait à…
- En ce qui concerne…
- En ce qui regarde…
- En ce qui touche…
- En liaison avec…
- En premier lieu…
- Pour ce qui est de…
- Quant à…
- Relativement à…
- Sous ce rapport…
- Sur ce point…
- Tout d'abord…

Pour introduire un avis

- À notre avis…
- À notre sens…
- En ce qui nous concerne…
- Personnellement…
- Pour notre part…
- Quant à nous…

Pour introduire une explication, un exemple

- Ainsi…
- À savoir…
- Autant dire…
- Autrement dit…
- C'est-à-dire…
- De même…
- Effectivement…
- En effet…
- Par exemple…
- Soit…

Pour introduire des faits parallèles

- D'ailleurs…
- De plus…
- En outre…
- Or…
- Quant à…
- Reste que…

Pour introduire un choix

- D'une part… d'autre part…
- Ou… ou…
- Ou bien… ou bien…
- Soit… soit…
- Tantôt… tantôt…

Pour marquer le but

- À cet effet…
- À cette fin…
- Afin de…
- Dans ce but…
- Dans cette optique…
- Dans cette perspective…
- En vue de…
- Pour…
- Pour atteindre ce résultat…
- Pour cela…
- Pour que…

Pour marquer la cause

- À cause de…
  (*et non* *à cause que)
- Car…
- Compte tenu…
- D'autant plus que…
- De ce fait…
- Du fait de…
- Du fait que…
- En raison de…
- Le fait que…
- Parce que…
- Par le fait de…
- Par suite de…
- Puisque…
- Sous prétexte que…
- Vu que…

Pour marquer l'opposition

- À l'encontre de ce qui vient d'être dit…
- À l'inverse…
- À l'opposé…
- À l'opposé de ce qui précède…
- Au contraire…
- Au lieu de…
- À un autre point de vue…
- Cependant…
- Contrairement à ce qui précède…
- D'ailleurs…
- Dans un autre ordre d'idées…
- D'autre part…
- D'un autre côté…
- En dépit de…
- En revanche…
- (Et) pourtant…
- Mais…
- Malgré tout…
- Néanmoins…
- Par ailleurs…
- Par contre…
- Plutôt que…
- Quand bien même…
- Tandis que…
- Toutefois…

Pour marquer la conséquence

- Ainsi…
- Ainsi donc…
- Alors…
- Aussi *(+ inversion entre verbe et sujet)*
- C'est pourquoi…
- Conséquemment à…
- De cette façon…
- De là…
- Donc…
- D'où…
- En conséquence…
- Par conséquent…
- Partant de ce fait…
- Par voie de conséquence…
- Pour ces motifs…
- Pour cette raison…
- Voilà pourquoi…

Pour marquer les moments du discours

- D'abord…
- Enfin…
- En premier lieu…, en deuxième lieu…, en dernier lieu…
- Ensuite…
- Finalement…
- Puis…
- Tandis que…
- Tout d'abord…

Pour marquer l'hypothèse

- Dans ce cas…
- Dans cette hypothèse…
- Dans l'hypothèse où…
- Dans une telle hypothèse…
- Si…
- Si l'on retient cette hypothèse…
- Si tel est le cas…

Pour généraliser, pour introduire une induction

- D'une façon générale…
- D'une manière générale…
- En général…
- En principe…
- En règle générale…
- En théorie…
- Théoriquement…

Pour exprimer la concession

- Bien que (+ *subjonctif*)
- Dans tous les cas…
- De toute façon…
- De toute manière…
- D'une façon ou d'une autre…
- D'une manière ou d'une autre…
- En dépit de…
- En dépit du fait que…
- En tous les cas…
- En tout cas, en tous cas…
- En toute hypothèse…
- En tout état de cause…
- Quoi qu'il arrive…
- Quoi qu'il en soit…
- Malgré (+ *substantif*)

Pour marquer une surenchère

- C'est dire que…
- Non seulement… mais aussi…
- Non seulement… mais encore…
- Non seulement… mais en outre…

Pour mettre en parallèle, pour opposer deux idées, deux aspects

- À première vue… mais à bien considérer les choses…
- Au premier abord… mais réflexion faite…
- De prime abord… mais à tout prendre…
- D'une part… d'autre part…
- Non seulement… mais aussi…
- Non seulement… mais encore…
- Non seulement… mais en outre…

Pour marquer la restriction

- À l'exception de ce qui précède…
- Au moins *(+ inversion entre verbe et sujet)*
- Bien que…
- Cependant…
- Dans la mesure où…
- Du moins *(+ inversion entre verbe et sujet)*
- Encore *(+ inversion entre verbe et sujet)*
- Encore moins *(+ inversion entre verbe et sujet)*
- En dépit de…
- Excepté ce qui vient d'être dit…
- Hormis ces quelques points…
- Mais…
- Même si…
- Néanmoins…
- Sauf à…
- Sauf ce qui vient d'être dit…
- Sauf en ce qui a trait à…
- Seulement…
- Sous cette réserve…
- Tout au moins *(+ inversion entre verbe et sujet)*

Pour attirer l'attention sur un élément

- En particulier…
- Entre autres choses…
- Notamment…
- Particulièrement…

Pour marquer l'addition

- Ainsi que…
- Alors…
- Aussi…
- Au surplus…
- De plus…
- De surcroît…
- Également…
- Enfin…
- En outre…
- En plus…
- Ensuite…
- Et…
- Et puis…
- Outre…
- Par surcroît…
- Puis…
- Voire…

Pour marquer la conclusion

- Ainsi donc…
- Aussi…
- Au total…
- Dans l'ensemble…
- Donc…
- En conclusion…
- En définitive…
- En dernière analyse…
- En dernier lieu…
- Enfin…
- En fin de compte…
- En terminant…
- Finalement…
- Pour cette raison…
- Pour conclure…
- Pour terminer…
- Pour tout dire…
- Tout compte fait…

Pour résumer, pour redire en d'autres mots

- Ainsi…
- À tout prendre…
- Au fond…
- Au total…
- Autrement dit…
- Bref…
- Ce qui revient à dire…
- C'est-à-dire…
- Dans le fond…
- Dans l'ensemble…
- De la même façon…
- D'une manière approchante…
- En bref…
- En d'autres termes…
- En définitive…
- En gros…
- En résumé…
- En somme…
- En substance…
- En un mot…
- Essentiellement…
- Pour nous résumer…
- Pour tout dire…
- Soit…
- Somme toute…
- Tout bien considéré…
- Tout compte fait…

Quelques formules utiles[1]

Certaines expressions toutes faites facilitent la rédaction d'un texte.

Pour introduire

- Dans ce chapitre, notre propos portera sur...
- On commencera par analyser ici...
- Dans ce chapitre, nous traiterons de...
- Dans ce chapitre, nous aborderons les questions suivantes...
- Ce chapitre a pour objet...
- L'objet de ce chapitre est de...
- Attachons-nous tout d'abord à...
- Un problème dont il est souvent question aujourd'hui est celui de...
- Les considérations qui suivent ont pour but de...
- Il convient donc d'examiner...
- Il faut commencer par traiter de définitions, de mots...
- Il n'est pas rare que...
- Il faut essayer de rendre compte ici...
- Les pages qui suivent résument nos travaux sur...
- Les pages qui suivent ont, nécessairement, un double but...
- La question est donc de savoir si...
- La première constatation qui s'impose, c'est que...
- Prenons comme point de départ...
- Il serait utile d'examiner d'abord...
- En premier lieu, il convient d'examiner...
- En premier lieu, examinons...
- Le premier élément que l'on puisse faire valoir, c'est que...
- Il faut tout d'abord reconnaître que...
- Rappelons les faits...
- La première question qu'on se pose, c'est de savoir...

Pour faire avancer la discussion

- Sans prétendre, au demeurant, à une quelconque exhaustivité, il reste à proposer quelques réflexions...
- À partir de cette hypothèse, on pourrait se proposer d'établir...
- Il convient aussi de préciser...
- Deux remarques avant toute analyse...
- Quelques remarques préliminaires à toute analyse...
- Faisons un retour...
- Il reste à analyser...
- Dans la même perspective, il faut tenter de comprendre...
- Il reste à explorer le discours...
- Considérons maintenant...
- Il est maintenant nécessaire d'aborder la question du...
- Venons-en maintenant à...
- Passons maintenant à un autre aspect...
- Il serait intéressant de voir si la même chose...
- On peut également aborder le problème sous un angle différent...
- Est-on pour autant autorisé à dire que...
- Au terme de cette analyse, on doit cependant faire remarquer que...
- Il faut néanmoins reconnaître que...
- Enfin, nous devons nous demander...
- Peut-être faudrait-il étendre le problème et se demander si...

Pour rappeler un élément important de l'argumentation

- Répétons-le...
- Posons-le comme acquis...
- Nous avons constaté...
- Nous avons observé...
- Nous avons remarqué...
- Nous avons vu...
- Nous avons montré ci-dessus que...
- Nous avons démontré antérieurement que...
- Rappelons brièvement que...

1. Les listes de formules utiles ont été empruntées à Cajolet-Laganière, Collinge et Laganière (1986, p. 188-191). Elles ont été légèrement remaniées.

Pour marquer une étape dans l'argumentation

- Nous en avons terminé avec le premier point. Il nous reste maintenant à…
- Notre première proposition ayant été démontrée, venons-en maintenant à…
- Les différentes questions que nous devions aborder étant ainsi résolues, il nous reste à conclure…
- Désormais nous savons que… ; il nous reste maintenant à…
- Jusqu'ici nous nous sommes limité à… ; il nous reste maintenant à aborder les aspects suivants…

Pour insister sur un aspect que l'on estime important

- On a déjà évoqué cet aspect et on estime important d'y revenir…
- C'est dire combien est important…
- Il n'est pas inutile de rappeler ici…
- Nous devons souligner que…
- Nous estimons devoir insister sur le fait que…
- Nous croyons devoir préciser que…
- Il importe d'observer, de rappeler…
- Il est nécessaire d'ajouter…
- Il est opportun d'affirmer…
- Il est essentiel de confirmer…
- Il est important de signaler…
- Pour souligner l'importance de…
- Précisons bien qu'il…
- Il faut affirmer…
- Nous irions même jusqu'à dire…

Pour exprimer la certitude

- Il est certain que…
- Il est évident que…
- Tout permet de penser que…
- Tout pousse à croire…
- Sans aucun doute…
- Tout le monde s'accorde pour dire…
- Il est clair que…
- Comme chacun le sait…
- Il est incontestable que…
- Il apparaît évident que…
- De toute évidence…
- Sans contredit…
- On ne saurait nier…
- On ne peut douter…
- Il faut se rendre à l'évidence…

Pour introduire une supposition

- On est en droit de supposer que…
- Il est probable que…
- On évoque la possibilité que…
- Il pourrait y avoir une autre explication à…
- Supposons que…
- Il n'est pas impossible que…
- On peut supposer que…

Pour introduire un détail

- Signalons à ce propos que…
- Il est intéressant de noter à ce propos que…
- Signalons en passant que…
- Mentionnons en outre que…

Pour introduire le point de vue d'autrui

- Selon l'auteur…
- Suivant l'auteur…
- D'après l'auteur…
- Comme le souligne le rédacteur du rapport…
- Comme le laissent entendre les experts…
- Il dit que…
- Il affirme que…
- Il pense que…
- Il déclare que…
- Il croit que…
- L'auteur attire notre attention sur…
- L'auteur nous rappelle que…
- L'auteur nous signale que…
- Il maintient que…
- À cette étude générale de Delon succède, dans un second article, …
- L'auteur attire notre attention sur…
- Il revient sur cette question dans un livre subséquent…
- Il reprend ce même argument…
- L'auteur soutient que…
- Il insiste sur le fait que…

Pour introduire un exemple

- Citons quelques exemples…
- Prenons le cas de…
- Il suffit de donner comme exemple…
- Un seul exemple suffit à montrer…
- L'un des exemples les plus frappants se trouve…
- On pourrait ainsi multiplier les exemples, accumuler les preuves…

Pour introduire une citation ou une référence

- Suivant les auteurs du rapport, « …
- Selon le romancier, « …
- D'après les chercheurs qui ont rédigé ce cahier de recherche, « …
- Comme l'a fait remarquer l'auteure, « …
- Marcotte avait écrit : « … » et Popovic reprend la même idée dans la citation suivante : « …
- Selon les travaux de Saint-Onge, « …
- Dans sa remarquable étude sur…, Jean Gagné affirme que : « …
- Dans un article récemment publié dans *l'Action*, nous trouvons sous la plume de Michelle Morissette la phrase suivante : « …
- De tels passages…
- À la lumière de tels passages…

Pour atténuer une affirmation

- Nous croyons pouvoir affirmer…
- Selon toute vraisemblance…
- On n'oserait affirmer de façon catégorique que…
- N'avons-nous pas toutes les raisons de croire que…
- Nous avons bien de la peine à ne pas croire que…
- Nous avons bien de la peine à ne pas penser que…
- Rien ne prouve que cela ne s'est pas produit.
- Il nous a fallu admettre que…
- Du moins à ce qu'il nous a paru…
- C'est probablement à la suite de…
- C'est, croyons-nous, pour cette raison que…
- Nous n'oserions prétendre que…

Pour limiter une affirmation faite précédemment

- On ne peut guère utiliser cet argument…
- Deux réserves s'imposent cependant…
- Nous ne disons pas que…
- Nous ne soutenons pas que…
- Nous n'affirmons pas que…
- Sans doute faut-il tenir compte de…
- Il ne faudrait pas en conclure que…
- Il convient toutefois de bien préciser ce que nous entendons par…
- Il ne faut pas toutefois en déduire que…
- Nous convenons que… mais…
- Nous nous rendons à l'idée que…

Pour marquer le désaccord

- Il est impossible d'accepter le point de vue…
- Cette explication ne mérite pas d'être retenue.
- Il ne saurait être question d'accepter ces résultats…
- Nous nous sentons tenu de formuler quelques réserves…
- Nous nous sentons obligée de soulever quelques objections…
- Dans un article, Paquette réfute l'argument selon lequel…
- Cette affirmation nous semble contestable…
- L'auteur commet une grave erreur en laissant entendre que…
- Nous ne partageons pas le point de vue de l'auteure…
- Quand bien même elle aurait raison sur cette question, cela ne résout pas le problème dans son ensemble.
- Il faut s'élever contre…
- On peut s'étonner de…
- On voit mal comment…
- Il est regrettable que…

Pour marquer l'accord

- Il faut reconnaître les mérites de cette étude…
- Cela est exact en tous points…
- Son argumentation est tout à fait convaincante…
- Nous ne pouvons que nous incliner devant ces conclusions…
- Comme le suggère l'auteur…
- Tout semble effectivement indiquer que…
- Il est évident que…
- Rien n'est plus vrai que…
- Il suffit de lire ces quelques lignes…
- Cet ouvrage est le bienvenu, car il jette un nouvel éclairage sur ce problème…
- Enfin un article qui fait le point sur…

Pour formuler des restrictions, des réserves ou pour limiter la portée d'un avis

- Mais il ne saurait être question de…
- Il ne faut toutefois pas sous-estimer…
- Il importe toutefois de ne pas perdre de vue que…
- Nous avons dû nous en remettre à…
- Mais il ne saurait être question de…
- Il ne faut toutefois pas sous-estimer…
- Il importe toutefois de ne pas perdre de vue que…
- Sans attacher trop d'importance à des détails…
- Il serait mal venu…
- Sans vouloir critiquer…
- Il serait injuste…
- Une mise au point serait souhaitable…

Pour exprimer une concession

- Le moins que l'on puisse dire…
- Tout en reconnaissant que…, il faut néanmoins accepter que…
- Sans aller jusqu'à…, il faut cependant reconnaître que…
- On ne peut nier que…
- Il est indéniable que…
- Ils ont raison jusqu'à un certain point, mais…

Pour conclure

- Nous estimons, en toute connaissance de cause, qu'il est essentiel de…
- Tout au long de ces pages, on a tenté de comprendre…
- Au terme de cette analyse, nous concluons…
- Un lecteur attentif aura perçu tout au long de ces pages…
- Il résulte de tout ceci…
- D'après ce qui vient d'être démontré, il nous semble que…
- D'après ce qui précède, nous proposons…
- Ainsi, il apparaît nécessaire de…
- En définitive, nous recommandons…
- Tels seraient donc les résultats…
- Dans ces conditions, nous estimons que…
- Pour ces motifs, nous pensons que…
- Pour ces raisons, nous sommes d'avis que…
- Compte tenu de ces considérations, nous croyons que…
- En dernière analyse, il apparaît que…
- Dans l'ensemble, il conviendrait de…
- En d'autres termes, il y aurait lieu de…
- Tout compte fait, il y aurait intérêt à…
- Autrement dit, il faudrait…
- Somme toute, il serait opportun…
- De toutes ces considérations, il ressort que…
- À la suite de ces constatations, il apparaît que…
- Pour tout dire, il serait opportun de…
- En résumé, il serait nécessaire de…
- En substance, il serait indispensable de…
- Tout bien considéré, il serait utile de…
- Essentiellement, il serait souhaitable de…
- En gros, il serait indiqué…

*Au niveau de

Comme transition, l'expression ***au niveau de*** est souvent employée abusivement. Il faut en limiter l'emploi aux sens suivants :

- Au sens propre, cette expression signifie « à la même hauteur que ».

  Exemple

  Le Bureau de la registraire est situé au niveau de la rue.

- Par extension, elle signifie également : « à côté et sur la même ligne (perpendiculaire à un chemin, à une direction), à la hauteur de ».

  Exemple

  Arrivée au niveau de ses copines, Lyne a pu se mêler à la conversation.

- Au figuré, on emploiera l'expression ***au niveau de*** « quand on fait référence à un ensemble qui s'organise hiérarchiquement ».

  Exemples

  C'est au niveau du conseil d'administration que sont prises les décisions à ce sujet.

  Cet examen se fait au niveau de la deuxième année du collégial.

Par contre il faut éviter d'employer cette expression quand il n'y a pas d'organisation visiblement verticale. On emploiera plutôt les expressions suivantes : ***en ce qui a trait à, en matière de, en ce qui concerne, quant à, dans le domaine de, dans, pour, à propos de, du point de vue de, pour ce qui est de***.

Exemple

En ce qui a trait à la répartition des tâches, les jeunes couples doivent créer leurs propres modèles.

et non

*Au niveau de la répartition des tâches…

En termes de

L'expression ***en termes de*** est un calque de l'expression anglaise « in terms of ». Longtemps condamnée, elle est maintenant passée dans l'usage. On peut l'admettre même si elle ne figure pas encore dans tous les dictionnaires. Cependant l'expression ***en termes de*** est une charnière suremployée. Elle peut être remplacée avantageusement par les expressions suivantes : ***quant à, relativement à, à l'égard de, en matière de, en ce qui concerne, pour ce qui est de, en fait de, sous le rapport de, sous forme de***.

Exemple

En matière de répartition des tâches, les jeunes couples doivent créer leurs propres modèles.

et non

En termes de répartition des tâches…

Notons cependant que le nom ***terme***, dans cette expression, prend en tout temps et dans tous les contextes la marque du pluriel : ***en termes de***.

Transparent

Plan du tableau

Feuille d'acétate de cellulose servant de support à l'information et qui est destinée à la rétroprojection lors d'une réunion, d'un cours, d'une rencontre.

Conception du transparent

synthèse

- La conception d'un transparent se pense autrement que celle d'un texte. Il faut faire un effort de synthèse pour dégager l'**essentiel de l'information** à transmettre afin que la communication soit efficace, succincte et attrayante.

deux opérations

- Cette conception suppose deux opérations : l'une de **schématisation de l'information** que l'on veut transmettre et l'autre de **mise en forme visuelle de l'information** traitée au cours de la première opération.
  1. **Schématisation** : réduction de l'information à ses éléments principaux, à sa structure essentielle, et mise en évidence des articulations entre ces éléments. Marche à suivre :
     – Analyse de l'information dans son ensemble.
     – Sélection des éléments les plus importants.
     – Organisation de ces éléments en une structure faisant apparaître les liens qui unissent les éléments.
  2. **Mise en forme visuelle** : traduction en éléments simples, aisément perceptibles par leur forme et leur couleur, de l'information dégagée dans la phase de schématisation.
     – Choix de la représentation visuelle de base (photo, dessin, graphique, organigramme, pictogramme, carte, tableau ou texte) qui rend le mieux les rapports logiques sous-tendant l'information schématisée.
     – Traduction de cette information en éléments graphiques (taille, orientation, grain, couleur, forme, intensité) et disposition spatiale de cette information sur la page.

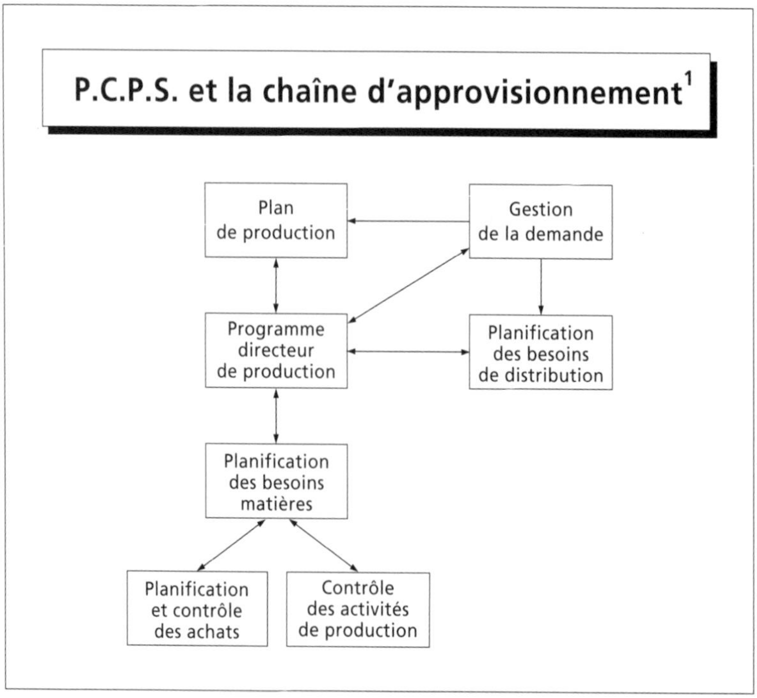

P.C.P.S. et la chaîne d'approvisionnement[1]

Plan de production

Gestion de la demande

Programme directeur de production

Planification des besoins de distribution

Planification des besoins matières

Planification et contrôle des achats

Contrôle des activités de production

Organisation de la matière sur le transparent

Généralités

- Il est préférable de n'aborder qu'un seul concept par transparent.
- Il faut mettre l'accent sur la cohérence et l'unité d'ensemble de la série de transparents.
- Il est important d'utiliser, dans la mesure du possible, le même élément graphique (couleur, forme, trame, etc.) pour rendre le même type d'information tout au long d'une série de transparents.

Marges

- On recommande des marges de 2 cm tout autour du transparent, surtout si l'on compte y fixer un cadre en carton.

Titre

- Tout transparent doit comporter un titre disposé en haut de la page.

Caractère

- Il faut que le caractère choisi soit gros, de 18 ou de 24 points au moins. En fait, les caractères doivent avoir 5 mm de hauteur pour une distance de projection de 10 m et 15 mm de hauteur pour une distance de 20 m.
- Il vaut mieux ne choisir qu'une seule police de caractères par série de transparents et se servir plutôt des divers procédés de mise en valeur typographique pour attirer l'attention sur certains aspects.

1. Sylvain Landry et Claude R. Duguay, notes de cours, École des Hautes Études Commerciales.

Cadre

- Les cadres en carton sont pratiques, surtout si l'on compte réutiliser les transparents ; de plus, ils en facilitent le maniement pendant la présentation.
- Le cadre aide à mieux fixer caches et rabats.
- On peut se servir du cadre pour numéroter les transparents selon leur ordre de présentation ou pour y inscrire de brèves notes.

Texte

- Le transparent ne doit pas servir à présenter de pleines pages de texte. Les caractères seront alors trop petits et la matière, trop dense.
- Les transparents sont utiles pour indiquer les éléments suivants : **titre, sous-titre, plan, idées directrices, citations, définitions, mots difficiles**.
- Dans un transparent, on compte au maximum environ **huit lignes de texte**, à part le titre.
- Un nombre maximal de **30 mots** par transparent est recommandé.
- Le texte à montrer ne doit pas correspondre au texte à dire. Le premier est la **synthèse** du second.

Diplôme d'études
supérieures en gestion

Un exemple
de cheminement

Plutôt que de décrire un sujet au long sur le transparent, il vaut mieux ne mettre qu'un seul renseignement qui résume la situation, attire l'attention du spectateur et sert de pense-bête au présentateur.

- On recommande de présenter plusieurs transparents sur un même sujet plutôt qu'un seul transparent surchargé.
- Dans une énumération, il est bon de mettre chaque élément en valeur à l'aide d'un repère (gros point •, tiret —, chiffre, etc.).

Diplôme d'études
supérieures en gestion

- Le gestionnaire d'aujourd'hui et de demain
- Les objectifs du D.E.S. (gestion)
- La structure du programme
- Les conditions d'admission
- La population étudiante
- Les exigences de cheminement

- Il faut remplacer les mots trop longs par des synonymes plus courts et les mots abstraits par des mots concrets, supprimer les articles et les qualificatifs superflus, inclure des verbes d'action.

Couleur

- Il ne faut pas multiplier les couleurs, l'œil pouvant différencier rapidement et aisément de trois à cinq couleurs. Au-delà de ce nombre, l'efficacité du message décroît.
- Une même couleur utilisée à plusieurs endroits suggérera un lien significatif entre les informations.
- Dans une figure ou un dessin, la variation de couleurs traduit des différences, mais ne peut servir à ordonner les éléments entre eux.
- Par contre, des intensités différentes d'une même couleur permettent de hiérarchiser l'information.

Forme

- Des formes stylisées et épurées sont plus lisibles que des dessins trop réalistes ou chargés.

Tableau

- Il ne faut pas présenter tel quel un tableau sur un transparent : généralement, il contient trop d'informations et exige trop d'interprétation de la part de l'auditoire. Il est plus utile de faire soi-même l'analyse des données du tableau et de ne montrer que les conclusions que l'on en tire.

Cache et rabat

- Le cache le plus simple à fabriquer est la feuille de papier.
- L'utilisation de transparents superposés (rabats) permet de traiter un sujet complexe, de le décomposer.
- On peut aller jusqu'à quatre rabats par transparent.
- Ces rabats peuvent être disposés sur les quatre côtés du transparent, ou tous à gauche et être rabattus comme les pages d'un livre.
- Pour présenter une information complexe, il vaut mieux ne montrer que progressivement la partie d'image qui correspond aux explications orales, pour que l'image totale se construise progressivement dans l'esprit des spectateurs, au fil du discours.

  On peut atteindre cet objectif soit en découvrant progressivement le transparent avec un cache, soit en l'enrichissant graduellement à l'aide de rabats.

Qualités d'un bon transparent

- Lisibilité
- Sobriété
- Précision
- Caractère concret des exemples
- Clarté
- Concision
- Message à sens unique

Avantages des transparents

- Gain de temps et d'énergie, les transparents pouvant être réutilisés.
- Liberté durant l'exposé, car ils sont préparés à l'avance.
- Fatigue d'écrire à la verticale (tableau noir ou tableau papier) évitée.
- Contact visuel avec le public maintenu.
- Processus complexes décortiqués grâce aux rabats.
- Écriture, effacement, conservation faciles.
- Bonne synchronisation avec le discours, puisque l'animateur manipule lui-même ses transparents.
- Dynamisme de la présentation, une intervention sur l'image étant possible (écriture avec feutres solubles, utilisation de rabats, de caches).
- Présentation rythmée par le visionnement des transparents.

Voir tableau **Carte géographique**
Voir tableau **Énumération**
Voir tableau **Figure**
Voir tableau **Graphique**
Voir tableau **Organigramme**
Voir tableau **Pictogramme**
Voir tableau **Tableau**

Bibliographie

ALLEN, Patrick. 1978a, *Manuel de présentation de travaux d'étudiants autres que la thèse de doctorat et le mémoire de maîtrise*, Montréal, École des Hautes Études Commerciales, Centrale de cas, 35 p.

ALLEN, Patrick. 1978b, *Manuel de présentation d'une thèse de doctorat et d'un mémoire de maîtrise*, Montréal, École des Hautes Études Commerciales, Centrale de cas, 62 p.

AUDRY, M. et J. ROUMAGNAC. 1969, *Précis de rédaction de rapports, comptes rendus, procès-verbaux, notes et instructions*, Paris, Les Éditions Foucher, 167 p.

AUFFRET, Serge et Hélène AUFFRET. 1991, *le Commentaire composé*, Paris, Hachette, coll. « Hachette Supérieur », 335 p.

BEAUD, Michel et Daniel LATOUCHE. 1988, *l'Art de la thèse : Comment préparer et rédiger une thèse, un mémoire ou tout autre travail universitaire*, Montréal, Boréal, 168 p.

BÉLISLE, Claire et Guy JOUANNADE. 1988, *la Communication visuelle : Rétroprojecteur, microordinateur*, Paris, Les Éditions d'Organisation, 196 p.

BÉNICHOUX, Roger, Jean MICHEL et Daniel PAJAUD. 1985, *Guide pratique de la communication scientifique*, Paris, Gaston Lachurié, éditeur, 268 p.

BENOIT, Alain. 1991, *Faire la synthèse d'une réunion, d'un dossier, d'un entretien : Comment dire ou écrire l'essentiel en peu de mots*, Paris, Dunod, 208 p.

BERGEZ, D. 1991, *le Commentaire composé au baccalauréat*, Paris, Hachette, coll. « Hachette Éducation », 269 p.

BERNIER, Benoît. 1988, *Guide de présentation d'un travail de recherche*, 2e éd., Québec, PUQ, 55 p.

BIRON, Monique. 1991, *Au féminin : Guide de féminisation des titres de fonction et des textes*, Québec, Les Publications du Québec, coll. « Guides de l'Office de la langue française », 34 p.

BISSON, Monique, Hélène CAJOLET-LAGANIÈRE et Normand MAILLET. 1992, *Guide d'écriture des imprimés administratifs*, Québec, Les Publications du Québec, coll. « Guides de l'Office de la langue française », 136 p.

BLACHE, Martine et André THIBAULT. 1991, *Guide de préparation et de présentation des travaux écrits*, s.l., Les Éditions Dire, 56 p.

BLACKBURN, Marc et collab. 1978, *Comment rédiger un rapport de recherche*, Montréal, Leméac, 72 p.

BOISSONNAULT, Pierre, Roger FAFARD et Vital GADBOIS. 1980, *la Dissertation : Outil de pensée, outil de communication*, Belœil (Québec), La Lignée, 255 p.

BOUTHAT, Chantal. 1993, *Guide de présentation des mémoires et thèses*, Montréal, Université du Québec à Montréal, Décanat des études avancées et de la recherche, 110 p.

CAJOLET-LAGANIÈRE, Hélène, Pierre COLLINGE et Gérard LAGANIÈRE. 1986, *Rédaction technique et administrative*, 2e éd. rev. et aug., Sherbrooke, Éditions Laganière, 331 p.

CAMUS, Bruno. 1989, *Rapports de stage et mémoires*, Paris, Les Éditions d'Organisation, coll. « Method'Sup », 77 p.

CARDIN, Josée. 1990, *Guide de correspondance en entreprise*, Ottawa, Éditions Vermette, 155 p.

CHAUVIN, Yvonne. 1966, *Pratique du classement alphabétique*, Paris, Dunod, 139 p.

CLAS, André et Paul A. HORGUELIN. 1991, *le Français, langue des affaires*, 3e éd., Montréal, McGraw-Hill, 422 p.

Code typographique : Choix de règles à l'usage des auteurs et des professionnels du livre, 1989, 16e éd., Paris, Fédération C.G.C. de la communication, 121 p.

COLIGNON, Jean-Pierre. 1988, *la Ponctuation : Art et finesse*, Paris, Éditions Éole, 93 p.

Conseil canadien des archives. Bureau canadien des archives. 1988-1995, *Règles pour la description des documents d'archives (RDDA)*, Ottawa, Bureau canadien des archivistes, chapitres 22-26.

CURCIO, Michèle avec la collab. d'Yvonne Chauvin. 1980, *le Classement : Principes et méthodes*, Paris, Les Éditions d'Organisation, 150 p.

DAIGNEAULT, Armand. 1989, *Cours de français : Méthodes et techniques du savoir-écrire*, 3e éd., Montréal, Guérin, coll. « SARP », 234 p.

DÉSALMAND, Paul et Patrick TORT. 1977, *Du plan à la dissertation : La Dissertation française aux baccalauréats et aux concours administratifs*, Paris, Hatier, coll. « Profil formation », 157 p.

DÉSALMAND, Paul et Patrick TORT. 1986, *Vers le commentaire composé*, Paris, Hatier, coll. « Profil formation », 159 p.

DIONNE, Pierrette. 1990, *Guide pour la rédaction et la révision linguistique des rapports annuels et administratifs*, Québec, Les Publications du Québec, 40 p.

DOPPAGNE, Albert. 1991, *Majuscules, abréviations, symboles et sigles : Pour une toilette parfaite du texte*, Paris et Louvain-la-Neuve, Duculot, 111 p.

DUFOUR, Hélène et Lucette LÉVESQUE. 1987, *Communications d'affaires*, Montréal, McGraw-Hill, 290 p.

DUGAS, Jean-Yves. 1987, *le Genre des noms de cours d'eau au Québec : État de la question*, Québec, Gouvernement du Québec, Commission de toponymie, 31 p.

FAFARD, Roger. 1988, *Comment fabriquer des communications écrites et orales*, 2e éd., Montréal, Agence d'Arc, 232 p.

FAYET, Michelle et Aline NISHIMATA. 1988, *Savoir rédiger le courrier d'entreprise*, nouvelle édition, Paris, Les Éditions d'Organisation, 256 p.

FOURCAUT, Laurent. 1992, *le Commentaire composé*, Paris, Nathan, coll. « Nathan Université », 128 p.

GABAY, Michèle (dir.). 1988, *Guide d'expression écrite*, Paris, Larousse, coll. « Références Larousse », 415 p.

GANDOUIN, Jacques. 1988, *Correspondance et rédaction administratives*, 4e éd., Paris, Armand Colin, 379 p.

GARNEAU, Jacques. 1993, *Pour réussir le test de français écrit des collèges et des universités*, Montréal, Éditions du Trécarré, 167 p.

GIQUEL, Françoise. 1990, *Réussir le résumé de texte*, Paris, Les Éditions d'Organisation, coll. « Method'Sup », 200 p.

GIROUX, Aline et Renée FORGETTE-GIROUX. 1989, *Penser, lire, écrire : Introduction au travail intellectuel*, Ottawa, Presses de l'Université d'Ottawa, 76 p.

GIROUX, Bruno, Eugénie LÉVESQUE et Catherine PERRON. 1991, *Guide de présentation des manuscrits*, 2e éd., Québec, Publications du Québec, 166 p.

GIVADINOVITCH, Jean-Milan. 1987, *Comment rédiger des notes et rapports efficaces*, Paris, De Vecchi Poche, 208 p.

GOULET, Liliane et Ginette LÉPINE. 1987, *Cahier de méthodologie*, 4e éd., Montréal, UQAM, 231 p.

GOURIOU, Charles. 1973, *Mémento typographqiue*, Paris, Éditions du Cercle de la Librairie, 121 p.

GRAVEL, Robert J. 1988, *Guide méthodologique de la recherche*, 2e éd., Québec, PUQ, 51 p.

GRISELIN, Madeleine et collab. 1992, *Guide de la communication écrite*, Paris, Dunod, 325 p.

Guide à l'usage des cartographes, 1984, sous la direction de Christiane Pâquet, cartographie : Serge Labrecque et Francine Rochon, Gouvernement du Québec, Direction générale des publications gouvernementales, 60 p.

Guide du rédacteur de l'administration fédérale, 1988, 2e éd., Ottawa, Direction de l'information, Bureau des traductions, 218 p.

GUILLOTON, Noëlle et Hélène CAJOLET-LAGANIÈRE. 1996, *le Français au bureau,* 4e éd., Québec, Les Publications du Québec, coll. « Guides de l'Office de la langue française », 400 p.

HORGUELIN, Paul. 1985, *Pratique de la révision*, 2e éd., Montréal, Linguatech, 193 p.

Hydro-Québec. Direction Édition et Publicité. Service Terminologie et Diffusion. 1989, *Tours d'adresse ou la Correspondance sans mystère !,* Montréal, Hydro-Québec, 80 p.

Hydro-Québec. Direction Édition et Publicité. Service Édition et Communication écrite. 1988, *L'action passe par la rédaction : Un guide pratique et dynamique destiné au personnel d'Hydro-Québec,* Montréal, Hydro-Québec, 101 p.

JOLY, Raymond avec la collaboration de Réal OUELLET. 1992, *Guide de présentation des travaux en études littéraires*, Québec, Université Laval, Département des littératures, 87 p.

JUCQUOIS, Guy. 1989, *Rédiger, présenter, composer : L'Art du rapport et du mémoire,* Bruxelles, De Boeck-Wesmael, 103 p.

LAMBERT-TESOLIN, Diane. 1994, *le Français à l'hôtel de ville*, Québec, Les Publications du Québec, coll. « Guides de l'Office de la langue française », 267 p.

LAMOUR, Henri. 1990, *Technique de la dissertation*, Paris, Presses universitaires de France, coll. « Pratiques corporelles », 143 p.

LANGLOIS-CHOQUETTE, Muriel et Georges-Vincent FOURNIER. 1992, *Langue et communication écrite avec brio*, Boucherville, Les Éditions françaises, 288 p.

LAROSE, Robert. 1992, *la Rédaction de rapports : Structure des textes et stratégie de communication*, Québec, PUQ, 181 p.

LÉTOURNEAU, Jocelyn. 1989, *le Coffre à outils du chercheur débutant : Guide d'initiation au travail intellectuel*, Toronto, Oxford University Press, 227 p.

Lexique des règles typographiques en usage à l'Imprimerie nationale, 1991, 3e éd., Paris, Imprimerie nationale, 196 p.

MARRET, Annick, Renée SIMONET et Jacques SALZER. 1982, *Écrire pour agir : La Rédaction professionnelle dans les entreprises, administrations, associations, services scientifiques et techniques*, Paris, Les Éditions d'Organisation, 247 p.

MONTÉCOT, Christiane. 1990, *Techniques de communication écrite*, Paris, Eyrolles, 111 p.

NARBONNE, Aimery de. 1990, *Communication d'entreprise : Conception et pratique*, Paris, Eyrolles, 143 p.

NOËL, Serge-Pierre. 1994, *Ateliers de français écrit*, Montréal, École des Hautes Études Commerciales, Direction de la qualité de la communication, recueil de textes n° 721, 226 p.

Office de la langue française. 1974, *les Organigrammes : Désignations et descriptions de fonction*, sous la dir. de Marcel Côté, Éditeur officiel du Québec, coll. « Cahiers de l'Office de la langue française », n° 24, 233 p.

Ontario (Gouvernement de l'). Direction générale de la condition féminine de l'Ontario. S.d., *la Féminisation des titres et du discours au gouvernement de l'Ontario*, Toronto et Thunder Bay, Direction générale de la condition féminine de l'Ontario et Ministre déléguée à la Condition féminine, 58 p.

PINARD, Adrien, Guy LAVOIE et André DELORME. 1977, *la Présentation des thèses et des rapports scientifiques*, 3e éd., Montréal, Institut de recherches scientifiques, 106 p.

PREISS, Axel. 1989, *la Dissertation littéraire*, Paris, Armand Colin, 190 p.

PREISS, Axel et Jean-Pierre AUBRIT. 1994, *l'Explication littéraire et le commentaire composé*, Paris, Armand Colin, coll. « Cursus », série « Littérature », 184 p.

Québec (Gouvernement du). Ministère de l'Éducation. 1988, *Pour un genre à part entière : Guide pour la rédaction de textes non sexistes,* conception et rédaction : Hélène Dumais sous la direction de Michèle Violette, Québec, Les Publications du Québec, 36 p.

Québec (Gouvernement du). Ministère de l'Enseignement supérieur et de la Science. S.d., *Guide d'évaluation d'un texte argumentatif : Test de français écrit collèges et universités*, s.l., Québec (Gouvernement), Ministère de l'Enseignement supérieur et de la Science, 54 p.

RAMAT, Aurel. 1996, *le Ramat de la typographie,* 2e éd., Saint-Lambert, Aurel Ramat, 96 p.

Recommandations pour la frappe de manuscrits sur micro-ordinateur : Saisie décentralisée simple, 1991, Paris, Syndicat national de l'édition, 19-XXI p.

RENAUD, Laurier. 1988, *Protocole de présentation et de rédaction de travaux écrits*, Montréal, Guérin, 18 p.

RICHAUDEAU, François. 1993, *Manuel de typographie et de mise en page*, 2e éd., Paris, Retz, 174 p.

ROBERT-COLLINS. 1993, *le Robert & Collins Senior : Dictionnaire français-anglais anglais-français*, 3e éd., Paris, Le Robert, XXXVIII-886-72-962-46 p.

ROBILLARD, Jean. 1992, *les Communications d'affaires*, Montréal, Éditions Saint-Martin, 158 p.

ROUVEYRAN, Jean-Claude. 1989, *Mémoires et thèses. L'Art et les méthodes : Préparation, rédaction, présentation*, Paris, Maisonneuve et Larose, 197 p.

SABIN, William A. et Sheila A. O'NEILL. 1986, *The Gregg Reference Manual*, 3e éd., McGraw-Hill Ryerson, 421 p.

SARTOUT, Colette. 1990, *De l'écrit scolaire à l'écrit professionnel*, Paris, Les Éditions d'Organisation, coll. « Method'Sup », 89 p.

SAUVÉ, Madeleine. 1972-1985, *Observations grammaticales et terminologiques*, Montréal, Université de Montréal (fiches).

SHEVENELL, R.-H. 1963, *Recherches et thèses / Research and Theses*, Ottawa, Les éditions de l'Université d'Ottawa, 162 p.

SIMARD, Jean-Paul. 1984, *Guide du savoir-écrire*, Montréal, Les Éditions Ville-Marie et Les Éditions de l'Homme, 528 p.

SIMONET, Renée et Jean SIMONET. 1990, *l'Argumentation : Stratégie et tactiques*, Paris, Les Éditions d'Organisation, 158 p.

SIMONET, Renée, Annick MARRET et Jacques SALZER. 1984, *71 fiches de formation aux écrits professionnels*, Paris, Les Éditions d'Organisation, 226 p.

SMITH, Pierre et collab. 1990, *Théorie comptable II : Guide de l'étudiant*, Montréal, École des Hautes Études Commerciales, Service de l'enseignement des sciences comptables, recueil de textes n° 9025, 45 p.

Société de transport de la Communauté urbaine de Montréal. Service des communications. 1990, *Guide d'uniformisation de rédaction*, préparé et rédigé par Anne-Marie Benoit, Montréal, STCUM, 61 p.

SPIELMANN, Michel. 1991, *De la définition de poste à l'organigramme*, préface de Bruno France-Lanord, Paris, Les Éditions d'Organisation, 219 p.

The Chicago Manual of Style, 1982, 13e éd. rev. et aug., University of Chicago Press, 738 p.

THIBAULT, Danielle. 1989, *Guide de rédaction bibliographique*, Ottawa, Bibliothèque nationale du Canada, 208 p.

TREMBLAY, Robert. 1989, *Savoir-faire : Précis de méthodologie pratique pour le collège et l'université*, Montréal, McGraw-Hill, 226 p.

Université de Montréal. Faculté des études supérieures. 1994, *Procédure d'acceptation et guide de présentation des mémoires et thèses*, Montréal, Faculté des études supérieures, XII-62 p.

Université de Montréal. Service d'aide à l'enseignement. 1994, *Coup d'œil sur l'enseignement universitaire*, n° 12 (avril), p. 5-8.

VAN COILLIE-TREMBLAY, Brigitte en collaboration avec Micheline BARTLETT et Diane FORGUES-MICHAUD. 1991, *Correspondance d'affaires : Règles d'usage françaises et anglaises et 85 lettres modèles*, Montréal et Québec, Publications Transcontinental inc. et Fondation de l'Entrepreneurship, 265 p.

VILLERS, Marie-Éva de. 1979, *Vocabulaire des imprimés administratifs*, Québec, Éditeur officiel du Québec, coll. « Cahiers de l'Office de la langue française », n° 28, 141 p.

VILLERS, Marie-Éva de. 1992, *Multidictionnaire des difficultés de la langue française*, 2e éd. mise à jour et enr., Montréal, Éditions Québec / Amérique, 1324 p.

VILLERS, Marie-Éva de. 1993, *la Grammaire en tableaux*, 2e éd. mise à jour et enr., Montréal, Éditions Québec / Amérique, 190 p.

VINET, Robert et Dominique CHASSÉ avec la collaboration de Richard PRÉGENT. 1989, *Méthodologie des projets d'ingénierie et communication*, 3e éd., Montréal, École Polytechnique de Montréal, 273 p.

ZELAZNY, Gene. 1989, *Dites-le avec des graphiques : L'Excellence visuelle en communication professionnelle,* Paris, InterÉditions, 148 p.

INDEX